ARIGÓ
E O ESPÍRITO DO DR. FRITZ

John G. Fuller

ARIGÓ
E O ESPÍRITO DO DR. FRITZ

A Verdadeira História do Médium
que curou mais de 2 milhões de pessoas e inspirou o filme
PREDESTINADO

Tradução
Denise de Carvalho Rocha

Editora
Pensamento
SÃO PAULO

Título do original: *Arigo – Surgeon of the Rusty Knife*.

Copyright © 1974, 2020 John Grant Fuller.

Copyright © 2020 Moonshot.

Copyright da edição brasileira © 2022 Editora Pensamento-Cultrix Ltda.

1ª edição 2022.

Os direitos desta edição foram negociados pela Authoria Agencia Literária & Studio.

Todos os direitos reservados. Nenhuma parte deste livro pode ser reproduzida ou usada de qualquer forma ou por qualquer meio, eletrônico ou mecânico, inclusive fotocópias, gravações ou sistema de armazenamento em banco de dados, sem permissão por escrito, exceto nos casos de trechos curtos citados em resenhas críticas ou artigos de revista.

A Editora Pensamento não se responsabiliza por eventuais mudanças ocorridas nos endereços convencionais ou eletrônicos citados neste livro.

Editor: Adilson Silva Ramachandra
Gerente editorial: Roseli de S. Ferraz
Gerente de produção editorial: Indiara Faria Kayo
Editoração eletrônica: Join Bureau
Revisão: Vivian Miwa Matsushita

Dados Internacionais de Catalogação na Publicação (CIP)
(Câmara Brasileira do Livro, SP, Brasil)

Fuller, John G.
  Arigó e o espirito do Dr. Fritz: a verdadeira história do médium que curou mais de 2 milhões de pessoas e inspirou o filme Predestinado / John G. Fuller; tradução Denise de Carvalho Rocha. – São Paulo: Editora Pensamento, 2022.

  Título original: Arigo: surgeon of the rusty knife
  ISBN 978-85-315-2131-7

  1. Cura pelo espírito 2. Espiritismo 3. Espiritualidade 4. Médiuns brasileiros – Biografia 5. Fritz, Dr. (Espírito) 6. Mediunidade 7. Médiuns 8. Zé Arigó, 1922-1971 I. Título.

22-100081 CDD-133.91092

Índices para catálogo sistemático:
1. Médiuns: Espiritismo: Biografia e obra 133.91092
Maria Alice Ferreira – Bibliotecária – CRB-8/7964

Direitos de tradução para a língua portuguesa adquiridos com exclusividade pela
EDITORA PENSAMENTO-CULTRIX LTDA., que se reserva a
propriedade literária desta tradução.
Rua Dr. Mário Vicente, 368 – 04270-000 – São Paulo – SP
Fone: (11) 2066-9000
http://www.editorapensamento.com.br
E-mail: atendimento@editorapensamento.com.br
Foi feito o depósito legal.

Prefácio de Sydney Wenceslau Freitas, filho de Arigó

Tia Delfina, irmã de meu avô paterno, foi morar conosco por um tempo. Foi nesse período que aproveitei a presença dela para matar minha curiosidade sobre meu pai e fazer muitas perguntas a respeito da infância dele e dos irmãos. Ela não gostava de falar muito, mas um dia me chamou no quarto onde dormia e me disse: "O que vou te contar vai mudar você; e terá razões no futuro para nunca duvidar do seu pai e de tudo que ele realizou através do Dr. Fritz". E foi desse modo que eu soube de toda a história que envolveu meu pai, num dos episódios mais enigmáticos da história do nosso país.

Assim ela me contou:

"Seu pai, Arigó, nos causou muitos problemas na infância. Era como se duas pessoas vivessem num só corpo. Todos achavam que ele era meio perturbado. Vivia assustado e seu avô, Tonico Faria, o fazia trabalhar sem parar, na tentativa de manter a mente do filho ocupada".

"Seu avô sempre foi um homem muito correto e trabalhador, e não admitia que pessoas entrassem em nossas terras para roubar. Mas seu pai ficava com dó das pessoas que entravam furtivamente para roubar fubá, no moinho d'água, e as ajudava a sair ilesas, levando tudo de que precisavam: lenha, fubá, café, abóboras, frutas, feijão e leite. Não sei quantas vezes seu pai apanhou de chicote por ajudar pessoas pobres a roubar do seu próprio pai".

"A sua avó Maria um dia me disse que Zezé, apelido do seu pai na infância, gritava e chorava de madrugada, dizendo que um homem gordo e careca aparecia para ele em meio a uma fumaça. Por isso o Tonico um dia pegou seu pai e o levou ao médico, que nada encontrou de anormal. Só o aconselhou a levá-lo a um padre para ser benzido".

"As aparições do homem careca, que depois soubemos ser o Dr. Fritz, aumentaram e todos na família acreditavam que Zezé estava ficando louco. Então um padre amigo da família foi até a fazenda e tentou fazer um exorcismo. Como Zezé se manteve calmo e sereno, o padre desistiu, dizendo que não tinha sentido fazer um exorcismo, visto que não parecia haver nada de anormal no menino".

"Quando seu pai tinha 9 anos, o pai o chamou e falou para ele encontrar um bezerro que tinha sumido da fazenda. Zezé arreou um cavalo, montou e, antes de sair, escutou o pai dizer: 'Só volte depois que encontrar o bezerro!' ".

"Depois de um bom tempo percorrendo várias trilhas da fazenda, ele se deparou com uma bifurcação e escutou uma voz: 'Pegue a trilha da direita. Mas ele ficou com medo e pegou a da esquerda. Andou por muito tempo e não encontrou nada. O tempo mudou e começou a escurecer. Então ele se lembrou da voz que o havia aconselhado a seguir pela outra trilha e resolveu enfrentar seu medo".

"Chegando à bifurcação, seguiu a trilha que a voz havia sugerido e logo à frente encontrou o bezerro. Quando chegou à sede da fazenda já era quase noite e o pai o esperava com uma lamparina acesa e o chicote enrolado e pendurado na varanda. Depois de colocar o bezerro no estábulo, tomar um banho de bacia e uma sopa, foi dormir".

Após ouvir tudo isso, saí do quarto da tia Delfina triste, assustado e deprimido com o sofrimento do meu pai. Passei a olhar para ele com mais orgulho e carinho. Os olhos dele tinham um brilho que eu não conseguia ver nas outras pessoas. Olhos cor de mel, às vezes esverdeados ou castanhos bem claros e brilhantes.

Em 1964, fui estudar num colégio interno na cidade de Itabirito, em Minas Gerais. Foi uma época muito difícil, pois sentia saudades da minha mãe, do meu pai e dos meus irmãos, que não foram comigo. Em 1966, enfrentei problemas psicológicos (espirituais, na realidade) e lembro que um professor do colégio, o sr. José Bastos, realizou uma sessão de hipnose comigo, na qual fiz vários desenhos. Um deles, em especial, chamou a atenção do professor: "um carro batido", com a figura de um homem com a metade do corpo para fora do carro, sobre o qual estava escrito "papai". Fui de fato o primeiro a chegar ao local onde meu pai faleceu num acidente de carro, no dia 11 de janeiro de 1971.

Também passei por uma experiência pela qual nenhum dos meus familiares passou. Em 1962, com 12 anos de idade, pedi várias vezes ao Dr. Fritz para que retirasse um grande caroço que eu tinha no braço. Além de ser muito magro, eu também sofria de uma asma que dificultava a minha respiração. Mas a resposta dele era sempre a mesma: "Não está na hora ainda, pequenito de Arigó". Entretanto, algum tempo depois, Altamiro veio me chamar. Ele era o secretário do meu pai na clínica e nós carinhosamente o chamávamos de Preto. Era ele quem datilografava as receitas e distribuía as senhas aos pacientes. Eu jogava bolinhas de gude com uma prima quando ele veio me dizer: "O Careca mandou te buscar para retirar esse caroço do braço e tratar sua asma". Levantei rápido e olhei para minha prima, que me perguntou se ia doer. "Vai nada", respondi. "Cansei de ver ele cortando as pessoas e nunca vi ninguém gritando de dor".

Chegando à clínica, ele olhou para mim, com aqueles olhos brilhantes, e retirou do bolso o crucifixo que levava com ele. Colocou-o em cima do caroço, mandou que eu o beijasse e me deu três tapas na testa. Depois levantou meu braço e pediu ao Preto para segurá-lo. Senti um formigamento estranho no corpo, que ficou pesado e dormente. Ele perguntou aos pacientes presentes se alguém tinha um canivete ou uma faca. Então, um senhor lhe entregou um canivete retrátil. Dr. Fritz começou a cortar minha pele, mas, como a lâmina do canivete estava cega, ele enfiou a ponta no meu braço até conseguir tirar o caroço com a ponta dos dedos. Depois me deu uma receita para tratar a asma e disse: "Vai melhorar muito a sua respiração, mas essa doença é kármica. Tenha fé, calma e obedeça a seus pais". Eram tantas as injeções que eu tomava na época que tinha dores nos braços e nas nádegas, mas, daquele dia em diante, nunca mais tive crises fortes de asma.

Meu pai ajudou muitas pessoas famosas, por meio do Dr. Fritz. Uma delas foi o jornalista, escritor e advogado Francisco de Assis Chateaubriand Bandeira de Mello, mais conhecido como Chatô. Ele estava muito doente, sem movimento nos membros por causa de uma trombose que o acometera em fevereiro de 1960. Chegou em nossa casa numa cama especial, com tubos de oxigênio, enfermeiros e um médico particular. O Dr. Fritz disse para ele ficar alguns dias na casa do meu pai. Chatô decidiu ficar, embora seu médico achasse aquilo um absurdo.

Como não conseguia falar, ele escrevia por meio de um aparato adaptado à cama, que deixava suas mãos suspensas por cordas e presas a uma mola. Em Congonhas, ele escreveu vários editoriais para jornais e muitos artigos que não foram publicados, por razões que até hoje desconheço. Lembro-me bem dos dois dedos indicadores de Chatô, batendo nas teclas da pequena máquina, que ficava sobre seu abdômen, e a secretária trocando as folhas de papel.

Depois que começou a tomar as medicações receitadas pelo Dr. Fritz, era visível a melhora dele, que saiu da cama, passou a usar uma cadeira de rodas e a se sentar conosco à mesa, para almoçar. Em apenas quinze dias, já comia arroz, feijão, angu, couve e frango ao molho pardo. Mas, passados vinte dias, chegaram vários amigos de Chateaubriand com uma junta médica e o levaram embora, mesmo contra a vontade dele. Não tivemos mais notícias do jornalista depois disso; apenas soubemos do seu falecimento, algum tempo depois.

O que acontecia no centro espírita Jesus Nazareno era tão espetacular que médicos e cientistas americanos, entre eles John Laurance, engenheiro executivo da RCA e da NASA, vieram a Congonhas para estudar Arigó e investigar se ele era um fenômeno autêntico ou não passava de um charlatão.

O dr. Andrija Puharich, que supervisionava a equipe, passou por uma experiência que iria transformar a vida dele. Um dia, quando meu pai estava incorporado, o Dr. Fritz lhe disse que ele tiraria o lipoma que tinha no braço, pedido que Puharich havia feito de modo que pudesse conhecer em primeira mão a experiência de passar por uma cirurgia espiritual. Ele tirou o paletó e suspendeu a manga da camisa, oferecendo o braço ao Dr. Fritz. Em menos de dez segundos, o lipoma foi retirado sem nenhuma dor ou sangramento significativo. Apenas um filete de sangue escorreu do pequeno corte. Depois da cirurgia, o Dr. Fritz colocou o lipoma na mão do cientista e limpou a faquinha no ombro dele.

Depois desse dia, o Dr. Puharich concluiu que precisavam fazer uma pesquisa mais profunda sobre Arigó. De volta aos Estados Unidos, ele reuniu uma equipe maior de médicos, físicos, bioquímicos e parapsicólogos, e retornou ao Brasil, trazendo um contêiner cheio de equipamentos. Para verificar o índice de acertos nos diagnósticos do Dr. Fritz, a equipe montou um laboratório no local em que Arigó atendia e trouxe um pequeno aparelho de raios X. Segundo a conclusão do estudo, o Dr. Fritz acertara em 96% dos casos. Esse número, no entanto, foi mais tarde corrigido pelo próprio Dr. Puharich, ao ser entrevistado pelo autor deste livro: "Na verdade, Arigó com certeza acertou em 100% dos seus diagnósticos; os 4% eram erros da equipe, devido à precariedade do local onde os equipamentos tinham sido instalados".

Muito se escreveu após o falecimento do meu pai, mas foi John G. Fuller, autor desta obra magnífica, que fez o relato mais detalhado sobre o médium José Arigó e as curas sobrenaturais do Dr. Fritz, do ponto de vista de um grande jornalista, repórter e investigador de fenômenos sobrenaturais relacionados ao campo da parapsicologia. Ele conheceu o Dr. Puharich numa apresentação sobre o fenômeno Arigó e ficou encantado com o que foi demonstrado. Conversou com todos que participaram do estudo sobre o fenômeno e resolveu vir para o Brasil, mesmo sabendo que Arigó já havia falecido.

Primeiramente fez suas pesquisas em jornais arquivados em bibliotecas do Rio de Janeiro, São Paulo e Minas Gerais. Terminadas as pesquisas, foi para Congonhas, onde tive a felicidade de acompanhá-lo aos lugares que queria conhecer e também de responder às suas centenas de perguntas sobre meu pai.

Por isso este livro é, para mim, que fui testemunha de muitas experiências relatadas aqui, a obra mais fidedigna e séria sobre os acontecimentos que fizeram do meu pai uma figura pública de alcance internacional e um pioneiro no campo da cura e da cirurgia espiritual. E sinto que hoje, mais do que nunca, precisamos conhecer esse legado para nos inspirar a acreditar verdadeiramente nos milagres que podem ocorrer em nossas vidas quando trilhamos o caminho do amor ao próximo, assim como meu pai o fez.

Boa leitura.

Nota do autor

Nesta história, tão estranha quanto inacreditável, relatam-se fatos incontestáveis, que não puderam ser negados ou alterados nem mesmo pelas mentes mais céticas e inflexíveis.

É *fato* consumado que Zé Arigó, um curandeiro-cirurgião do interior do Brasil, era capaz de cortar tecidos e vísceras com uma faca de cozinha ou um canivete sujo, sem dor, hemorragias ou suturas. É *fato* que ele era capaz de estancar o sangue apenas com um comando verbal. É *fato* que suas cirurgias nunca provocavam infecção, mesmo sem que o paciente passasse por nenhuma assepsia.

É fato que ele era capaz de prescrever, em segundos, algumas das mais sofisticadas drogas da farmacologia moderna, embora só tivesse cursado até o terceiro ano primário* e desconhecesse completamente o assunto. É fato que ele era capaz de fazer diagnósticos claros, precisos e praticamente instantâneos e verificava a pressão sanguínea do paciente apenas com um rápido olhar.

É fato que tanto médicos brasileiros quanto americanos estudaram as curas de Arigó e filmaram seu trabalho e suas cirurgias. É fato que, ao longo

---

* Equivalente ao atual quarto ano do Ensino Fundamental I. (N.T.)

de um período de quase duas décadas, Arigó tratou mais de trezentos pacientes por dia, sem nunca cobrar pelos seus serviços.

É fato que, entre seus pacientes, havia executivos de alto escalão, políticos, advogados, cientistas, médicos, aristocratas de vários países, assim como gente humilde e sem recursos. E é fato que o ex-presidente brasileiro Juscelino Kubitschek, ele mesmo médico e responsável pela construção de Brasília, levou a filha para se tratar com Arigó e constatou o sucesso do tratamento. É fato que Arigó fez curas comprovadas em pacientes com câncer e outras doenças fatais, cujos casos foram considerados incuráveis por médicos e hospitais de primeira linha, em alguns dos países mais avançados do mundo ocidental.

Mas nenhum desses fatos, embora todos examinados com cuidado, pode nos dar uma explicação. E é por esse motivo que é tão difícil contar esta história. A pergunta ainda ecoa na minha cabeça: como vou fazer esse relato de modo que o leitor acredite, principalmente se eu mesmo tive tanta dificuldade para acreditar antes de concluir minha pesquisa no Brasil?

Qualquer tentativa para entender os acontecimentos aqui relatados precisa tomar como ponto de partida a atmosfera e a cultura brasileira. O Brasil é um país cheio de contrastes, uma nação com grandes florestas, mas também avançados centros urbanos. São Paulo, por exemplo, é uma cidade de quase 8 milhões de habitantes* e com aproximadamente o dobro do tamanho de Chicago ou Los Angeles. A capital de Minas Gerais, Belo Horizonte, é maior que Baltimore, Washington ou San Francisco. Porém, é uma cidade praticamente desconhecida nos Estados Unidos. O Brasil tem um território maior do que o dos Estados Unidos e sua população inclui desde intelectuais e cientistas renomados até tribos indígenas, no Amazonas.

O mais importante para se entender esta história é a predisposição de grande parte dos brasileiros para aceitar acontecimentos paranormais como parte da realidade cotidiana. E essa predisposição está presente em todas as camadas sociais e econômicas. Na verdade, chega a parecer que, quanto

---

* O número citado pelo autor refere-se à época em que o livro foi escrito. Hoje São Paulo tem mais de 12 milhões de habitantes. (N.T.)

mais sofisticado e instruído o grupo, mais provável é sua aceitação da filosofia espiritualista conhecida como Kardecismo, baseada nas obras do século XIX de autoria de Allan Kardec, um pedagogo francês cujo verdadeiro nome era Hippolyte Léon Denizard Rivail.

Os praticantes da religião espírita, muitos autodenominados kardecistas, acreditam piamente na realidade do mundo espiritual, na comunicação com os espíritos e na utilidade dessa comunicação. Os seguidores dessa religião, conhecidos também como "espíritas", não realizam rituais ou práticas pagãs. Suas reuniões ocorrem muitas vezes em residências ou nos chamados "centros espíritas". Embora sigam a maioria dos preceitos cristãos, os kardecistas acreditam que podem extrair a energia e o conhecimento do mundo espiritual por meio de médiuns treinados para esse propósito.

Alguns teóricos kardecistas que conhecem a fundo a teoria freudiana acreditam que a "possessão" foi um fenômeno muito pouco estudado ao longo do abrupto desenvolvimento da psicoterapia moderna e que psicoses como a esquizofrenia e a demência precoce podem ser descritas como fenômenos de "possessão", causados muitas vezes por um pretenso espírito que se recusa a aceitar o fato de não pertencer mais a este mundo. O espírito, seja bom ou ruim, supostamente "incorpora" no corpo de uma pessoa receptiva.

Essa ideia é, na maioria das vezes, rejeitada pela mentalidade pragmática da era moderna e o fenômeno da "possessão" foi sumariamente ignorado pela ciência médica até pouco tempo atrás, sem que nenhuma evidência, contra ou a favor, fosse examinada. O Catolicismo há muito tempo debate a questão, mas sua opinião permanece ambivalente.

Para a mente materialista, a "possessão" é um conceito fantasioso e difícil de aceitar. A parapsicologia moderna só agora o reexamina, embora com cautela. Existem outros sinais no horizonte, não só no Brasil como também no exterior, anunciando um novo despertar do interesse por essa área. Pode ter sido ou não coincidência o fato de o romance *O Exorcista* ter figurado na lista dos *best-sellers* durante tantos meses, e sua versão cinematográfica ser um sucesso de bilheteria. Muitas pessoas não se deram conta de que essa história foi baseada num caso real e documentado de possessão, registrado nos arquivos da Igreja Católica, que contêm muitos outros semelhantes.

Nos Estados Unidos, qualquer investigação séria nesse campo tende a causar suspeita. E existem boas razões para isso. Charlatães e escritores irresponsáveis criaram tamanha balbúrdia em torno do assunto, sem apresentar nenhuma documentação confiável, que advogaram contra sua própria causa. Qualquer um que explore um fenômeno estranho precisa entender que o ônus da prova recairá sobre seus próprios ombros. E quanto mais estranho for o fenômeno, maior será a documentação necessária e o risco de que ocorra uma exposição incompleta e mal-entendidos.

Nenhum outro "cirurgião espiritual" do Brasil ou do mundo foi tão estudado e documentado quanto Arigó. Existem muitos relatos, nas Filipinas, sobre as proezas cirúrgicas realizadas nesse país por médiuns sem nenhuma instrução ou treinamento, mas não raro são encontrados vestígios de charlatanismo nesses trabalhos. Além disso, a falta de cooperação desses médiuns com pesquisadores da área médica tornou esses casos insustentáveis.

Arigó foi um médium como nenhum outro. Ele cooperava de todas as maneiras possíveis com a medicina, na esperança de que ele próprio pudesse entender o estranho mecanismo que possibilitava seus poderes inexplicáveis. O médium desafiava qualquer classificação. O que ele fazia era absolutamente real. *Como* fazia, isso permanece um mistério e um desafio para a ciência até hoje.

John G. Fuller
Westport, Connecticut (EUA)

Texto extraído da revista *TIME*, de 16 de outubro de 1972

"Antes mesmo da sua morte, num acidente de carro, aos 49 anos, o homem simples do interior, conhecido como Zé Arigó, já era uma lenda em seu país. Convicto de que era orientado pela voz sábia de um médico falecido em 1918 e que nunca conhecera, o agente de cura sem instrução examinava todos os dias uma média de trezentos pacientes, fazendo diagnósticos e curas em questão de minutos... Ele tratava quase todas as doenças conhecidas, e a maioria de seus pacientes não apenas sobrevivia, como melhorava ou se recuperava totalmente.

"Alguns anos atrás, os relatos sobre as façanhas desses fazedores de milagres não provocariam muito mais do que desprezo dos cientistas. Atualmente, no entanto, vários pesquisadores da área médica estão demonstrando mais disposição para estudar o que se denominou 'cura espiritual' e outros métodos não ensinados nas escolas de medicina."

Lista das legendas do caderno de fotos

pp. 1 e 2 – Fotos do Santuário do Bom Jesus de Matosinhos e as estátuas dos profetas, feitas pelo escultor Antônio Francisco Lisboa, conhecido como o Aleijadinho entre 1794 a 1804.

p. 2 – Uma das ruas principais do centro da cidade de Congonhas em meados dos anos 1960.

p. 3 – Dr. Henry Puharich, médico e pesquisador norte-americano. Ele fazia parte da equipe de cientistas da Essentia Research Associates, uma entidade com sede em Nova York que investigava fenômenos paranormais que veio ao Brasil para investigar o "fenômeno Arigó", 1963.

Henry Belk, especialista em bioengenharia e amigo do Dr. Henry Puharich, 1963.

p. 4 – Arigó em ação em sua casa e no Centro Espírita Jesus Nazareno atendendo pacientes.

p. 5 – Sequência de uma cirurgia ocular executada por Arigó apenas por uma pequena faca de cozinha.

pp. 6 e 7 – A extração cirúrgica de um lipoma no braço de Henry Puharich, realizada por Arigó em 1963, operação que foi filmada pelo jornalista brasileiro Jorge Rizzini.

Fotos do corte feito pela incisão da faquinha de Arigó e sua excelente cicatrização.

O lipoma que foi extraído e o único "instrumento cirúrgico" utilizado durante o procedimento.

p. 8 – Dr. Henry Puharich exibindo o braço de onde foi retirado o lipoma ao lado de José Arigó, 1963.

Reprodução da foto acima com os atores do filme *Predestinado – Arigó e o Espírito do Dr. Fritz*, da Moonshot Pictures, 2020.

p. 9 – Fotografia de um senhor que passou por uma cirurgia nos olhos ao lado de Arigó logo após o procedimento.

Prescrições de Arigó feita a Henry Belk, para seu problema nas costas. As transcrições da receita foram realizadas por Altimiro, assistente de Arigó.

pp. 10 e 11 – Recriação do jornal da época com reportagem realizada por Jorge Rizzini sobre a extração cirúrgica de um lipoma no braço de Henry Puharich, realizada por Arigó em 1963.

A mesma imagem recriada com os atores do filme *Predestinado – Arigó e o Espírito do Dr. Fritz*, da Moonshot Pictures, 2020.

p. 12 – Fotos de Altomir Gomes de Araújo, conhecido pelo apelido de "Preto Altimiro", que foi operado de catarata por José Arigó e passou a ser assistente dele no Centro Espírita Jesus Nazareno, fundado em 1959, onde ele transcrevia as receitas prescritas por Arigó e organizava as senhas para a entrada dos pacientes.

pp. 13 e 14 – José Arigó sendo submetido a um exame físico rigoroso pelos membros da equipe do Dr. Henry Puharich, cientistas da Essentia Research Associates, uma entidade com sede em Nova York que investigava fenômenos paranormais, maio de 1968.

Arigó prescrevendo uma receita em sua clínica.

p. 15 – Arigó realizando a retirada de um tumor apenas com um canivete.

pp. 16, 17 e 18 – Fotos de procedimentos cirúrgicos nas quais são mostradas Arigó em ação.

p. 19 – Inicio do filme da Essentia Research Associates realizado entre maio de 1968 e janeiro de 1969.

pp. 20, 21 e 22 – Cenas do filme realizado pela equipe da Essentia Research Associates entre maio de 1968 e janeiro de 1969 no qual mostra Arigó operando um tumor na cabeça de um homem; prescrições de medicamentos, pessoas na clinica do Centro Espírita Jesus Nazareno e realizando cirurgias de catarata em dois homens.

p. 23 – Danton Mello e Juliana Paes com os filhos de José Arigó em Congonhas, Minas Gerais. Abaixo, fotos de Danton Mello como Arigó Fotos realizada durante as filmagens do longa *Predestinado – Arigó e o Espírito do Dr. Fritz*, da Moonshot Pictures, 2020.

Cenas do filme
Predestinado – Arigó e o Espírito do Dr. Fritz
Imagens gentilmente cedidas pela produtora Moonshot Pictures, 2020.

p. 24 – Cena da cirurgia do Senador Lucio Bittencourt, personagem vivido por Alexandre Borges.

p. 25 a 31 – Cenas de José Arigó, vivido por Danton Mello.

p. 32 – Arlete e José Arigó, personagens de Juliana Paes e Danton Mello.

1

Caía a noite, enquanto o micro-ônibus da Volkswagen seguia pela estrada sinuosa, depois de partir do Rio de Janeiro, rumo à cidadezinha mineira de Congonhas, quatrocentos quilômetros ao norte. As montanhas verdejantes, como uma mesa de bilhar amarrotada, adquiriam uma tonalidade púrpuro-acinzentada, à medida que o sol escaldante do Brasil descia no horizonte. A rodovia conhecida como BR-3* era o melhor caminho para essa região mineradora, onde o ouro e o ferro atraíam a atenção de exploradores europeus e norte-americanos desde os tempos coloniais. Ao crepúsculo, a superfície verde-esmeralda das montanhas perdia o brilho deslumbrante e adquiria uma aura sinistra que, historicamente, dera origem a muitos mitos e lendas.

Dentro do micro-ônibus, havia quatro homens: dois intérpretes, estudantes da Universidade do Rio de Janeiro, e dois americanos de origens diferentes. Henry Belk, um cinquentão alto e simpático da Carolina do Norte, que era também um empresário de sucesso e um "intelectual aventureiro", estava no volante havia quase nove horas, driblando os motoristas brasileiros mais afoitos e manobrando com perícia em curvas fechadas, à beira de precipícios. Ao lado dele, estava o dr. Henry K. Puharich (que

---
* Nome da atual BR-040 até 1964, no trecho entre o Rio de Janeiro e Belo Horizonte. (N.T.)

raramente usava seu nome de batismo, Andrija), formado em Medicina pela Universidade Northwestern (EUA) e especializado em Bioengenharia. O dr. Puharich tinha o hábito de tentar conciliar e consolidar sua extensa formação científica com fenômenos paranormais, pouco compreendidos. Homem sagaz e articulado na casa dos 40 anos, ele se lançara, juntamente com Belk, na pesquisa dos dons incomuns de Peter Hurkos, médium cuja percepção extrassensorial havia despertado considerável atenção de cientistas e do departamento de polícia norte-americanos, depois de conseguir localizar pessoas desaparecidas e resolver alguns casos intrincados por meio da clarividência.

Não era Hurkos, no entanto, que eles estavam procurando naquelas regiões montanhosas do interior do Brasil. Era um homem chamado Zé Arigó, um dinâmico interiorano cuja fama chegara aos ouvidos de Belk enquanto este fazia suas próprias experiências sobre o universo paranormal. Belk havia criado uma extensa base de pesquisa justamente para fazer essas investigações. Ele tinha convencido Puharich a se juntar a ele no estudo sobre Arigó, cujas curas eram manchete nos jornais brasileiros e costumavam ser consideradas um verdadeiro milagre.

Era quase noite e o ônibus ainda não tinha chegado a Congonhas. Foi só depois das 22 horas que eles alcançaram a cidadezinha mineradora de Conselheiro Lafaiete, a vinte quilômetros do destino dos cientistas. O único hotel da cidade lhes pareceu sombrio e pouco convidativo, e eles decidiram seguir viagem, apesar do adiantado da hora, sob a luz brilhante das estrelas, como vaga-lumes sobre as montanhas, agora envoltas na escuridão.

Cansado da longa viagem, Puharich se perguntou o que fazia ele naquela parte remota do globo. Tinha chegado ao ponto em que já se indagava se aquela expedição deveria ter sido realmente iniciada. Belk sentia o mesmo desânimo, embora nenhum deles tivesse posto os olhos ainda no objeto de suas investigações: o homem conhecido como Zé Arigó.

Não tinham muitas informações que os incentivasse a continuar, mas as pistas eram intrigantes. No Rio de Janeiro, o dr. Lauro Neiva, médico formado nos Estados Unidos, havia atestado a veracidade das curas de Arigó, mas acreditava que seria preciso uma grande investigação para examinar a enxurrada de histórias que jorravam da cidadezinha de Congonhas. Ele insistia em dizer que, no caso de Arigó, era preciso ver para crer, que nenhuma descrição seria suficiente para retratar o poder e a força daquele homem.

Eles tinham encontrado também John Laurance, no Rio de Janeiro, um engenheiro de sistemas do programa espacial da RCA e também diretor executivo que participara do conselho consultivo da criação da NASA. Laurence descobrira que não só Arigó merecia uma investigação minuciosa, mas também todo o cenário brasileiro relacionado à cura, com seu sistema nada ortodoxo de uso do paranormal em cirurgias e na medicina em geral.

Aquelas pistas, entre outras, abrandavam a exaustão da longa viagem e mantinham a promessa de uma descoberta esclarecedora se, de fato, os indícios se confirmassem. Na noite de 21 de agosto de 1963, quando o micro-ônibus finalmente entrou, sacudindo, nas ruas estreitas e tortuosas de Congonhas do Campo,* a busca por um hotel se sobrepôs a qualquer pensamento relacionado à descoberta científica. Em meio à escuridão, não era possível ver muito da beleza inigualável da pequena cidade montanhosa e tudo o que conseguiram encontrar foi uma pequena pensão decadente, numa rua de calçamento de pedras. Mas pelo menos havia um quartinho e uma cama para cada um deles e a expectativa de encontrar um fenômeno estranho e desconhecido no dia seguinte.

Congonhas fica entre as serras do estado de Minas Gerais. Exceto quando as nuvens escuras de chuva se abrem, despejando uma cascata de água sobre as montanhas, e os rios ficam cheios e turbulentos, o clima é ameno e revigorante. Quase metade do ouro do mundo veio de Minas Gerais, nos tempos coloniais; e diamantes e pedras semipreciosas exercem o mesmo fascínio que as riquezas dos seus minérios hoje em dia. Devido às montanhas que cercam a cidade, o sol nasce mais tarde e se põe mais cedo, deixando amplo espaço para a atmosfera de misticismo que cerca o estado de Minas Gerais.

---

* Em 27 de dezembro de 1948, o município passou a denominar-se apenas Congonhas, pela Lei Estadual nº 336. A cidade está localizada a 80 km de Belo Horizonte. (N.E.)

Desse misticismo, originaram-se as esculturas que hoje atraem visitantes do mundo todo: os doze profetas bíblicos, obra de Antônio Francisco Lisboa, arquiteto, escultor e gravador do século XVIII conhecido como Aleijadinho. Magistralmente esculpidos em pedra-sabão, eles se erguem, como sentinelas vivas, em torno do terraço elevado da Igreja de Bom Jesus, com vista para a cidade e outras paisagens distantes. Mesmo inválido devido à hanseníase, Aleijadinho conseguia esculpir com as ferramentas presas aos cotos dos braços. Apesar disso, a precisão de suas obras é magnífica e emocionalmente avassaladora. Alguns as denominam de pequenos milagres. Trata-se de mais de sessenta figuras, em tamanho natural, de Cristo e cenas da crucificação, esculpidas em cedro e aninhadas em pequenas capelas no jardim montanhoso da igreja. Tanto as estátuas de madeira quanto as de pedra são tão impressionantes e realistas que causam um impacto profundo sobre os moradores e os turistas.

Na manhã límpida e brilhante que se seguiu à longa viagem, Belk, Puharich e seus intérpretes se levantaram ao amanhecer e se prepararam para encontrar o homem rústico que os fizera percorrer tantos quilômetros. Havia relatos de que Arigó começava sua rotina de trabalho nas primeiras horas da manhã. Eles foram conduzidos à ruazinha de pedras chamada Marechal Floriano. A cidade estava apenas começando a despertar. Um homem montado a cavalo passou por eles, seguido por uma mula sem montaria. O cavaleiro acenou amigavelmente, à moda interiorana, e continuou o seu trajeto, apenas lançando um olhar casual na direção dos dois americanos.

Numa esquina, eles encontraram a pequena "clínica" de Arigó, uma modesta casa térrea, sem nada que a fizesse se destacar das outras. Já havia mais de cinquenta pessoas esperando na fila, embora a clínica ainda não estivesse aberta. A cidade era cortada por um riozinho lamacento, onde enxames de abutres se banqueteavam com uma carniça indiscernível. Ao lado, os visitantes encontraram um restaurante aberto, que, embora não parecesse muito recomendável, serviria para matar a fome matinal.

Depois de chegar ao seu destino, após a longa e árdua viagem, Belk e Puharich já não estavam mais tão entusiasmados. As dúvidas continuavam a corroê-los. Iriam se encontrar naquela tarde com Jorge Rizzini, jornalista e produtor de documentários de São Paulo, um dos primeiros a chamar a atenção do país para Arigó. Rizzini, que em suas visitas anteriores a Congonhas se convencera da autenticidade do trabalho do médium, era o que mais ansiava por uma investigação científica objetiva.

Ele tinha filmes coloridos de várias das principais cirurgias de Arigó. Esses filmes eram de extrema importância para a investigação de Belk e Puharich, pois, ao chegarem ao Brasil, tinham ficado sabendo que a Associação Médica de Minas Gerais e a Igreja Católica haviam processado Arigó, não só pela prática ilegal de medicina, mas também por feitiçaria. Havia relatos de que o médium, depois das acusações, passara a encarar com extrema cautela as cirurgias maiores. Rizzini, que fora altamente recomendado para os americanos por ser um jornalista muito competente e ponderado, tinha outro ponto a seu favor: a esposa havia sido curada por Arigó, de uma artrite reumatoide, e a filha, de leucemia. Eles sabiam que o jornalista tinha documentado essas duas curas em grandes detalhes.

Às sete da manhã, havia quase duzentas pessoas na rua, quando se abriram as portas da estranha clínica, localizada no prédio dilapidado de uma antiga igreja. Um velho cego apoiado numa bengala; uma mulher de porte aristocrático, aparentando uns 40 anos e trajando um vestido de seda estampado; um homem pálido e esquelético com um bócio gigantesco; uma criança de aspecto doentio, numa cadeira de rodas; uma mulher negra de seios volumosos, tampando os olhos com um lenço. Essas pessoas e a multidão atrás delas permaneciam em silêncio na fila, que agora já virava a esquina, estendendo-se pela rua Marechal Floriano. Muitas eram de outras regiões do Brasil ou da América do Sul e tinham vindo de ônibus, trem ou carro.

Já corria a notícia de que uma equipe de pesquisa norte-americana havia chegado à cidade, embora os cientistas não tivessem anunciado sua visita. Quando os quatro homens se aproximaram da porta, um homem moreno, de fala macia e dizendo se chamar Altimiro, convidou-os a entrar na clínica e, sem cerimônia, passou-os na frente dos pacientes na fila. Ali dentro se depararam com um homem de peito largo e aparência marcante, vestindo calça e camisa esporte de tom escuro e sapatos enlameados. Tinha um bigode preto e espesso, cabelos fartos também pretos, rosto bronzeado e olhos penetrantes. Não estava barbeado e tinha um aspecto rude. Não era preciso nem perguntar de quem se tratava. Era Arigó. Ele os cumprimentou com amabilidade, como se já soubesse de onde vinham e por que estavam ali.

Longe de ter a aparência de um místico, ele mais parecia um simpático motorista de caminhão ou um político da região, que, como soubera depois Puharich, era uma das ambições de Arigó. Mas esse sonho ele não realizou.

Por intermédio dos intérpretes, Arigó explicou que os cientistas poderiam percorrer a clínica e observar tudo, pelo tempo que quisessem. Que ficassem à vontade para entrevistar os pacientes e fazer qualquer pergunta. Com 40 e poucos anos, Arigó parecia tão vigoroso, normal e amigável que os americanos ficaram um pouco surpresos. Depois do choque inicial, encostaram-se a uma parede e ficaram observando os pacientes em fila, entrando na clínica num passo hesitante.

Logo na entrada, havia um salão de ladrilhos de desenho geométrico preto e branco, e paredes pintadas de verde-claro. Encostados nas paredes, havia bancos rústicos de madeira, e outros dispostos em fileira, no centro do cômodo, como nas igrejas. Com expressões solitárias e desalentadas, as pessoas iam, em silêncio, tomando lugar nos bancos carcomidos ou se encostando às paredes, quando não havia mais lugar para sentar. A sala escura e bolorenta, agora cheia de gente, tinha várias portas. Uma levava a uma sala com duas ou três camas estreitas, que agora estavam vazias. Outra levava à salinha onde Arigó costumava trabalhar. Ali havia uma cadeira e uma mesa tosca de madeira. Atrás delas, um quadro de Jesus e um crucifixo na outra parede.

Nas paredes da clínica, também se viam cartazes com avisos escritos à mão. Num grande, feito de papel pardo, liam-se as seguintes palavras, escritas com giz de cera:

Pensem e observem o silêncio,
a fé e a devoção dos outros.

Mais abaixo, havia outros cartazes menores que diziam:

Não fiquem encostados nas paredes
pensem em Jesus
esperem em ordem

Aos olhos de Puharich, aquele ambiente tinha algo de estranho e irreal, quase como se estivesse assistindo a um episódio da série *Além da Imaginação*. Parecia haver um clima de caos silencioso naquelas salas, uma atmosfera de expectativa e desespero. Os intérpretes tinham dito que, na fila, comentava-se que o "médico americano estava ali para observar". Vários pacientes olhavam na direção dele e de Belk, parecendo pouco à vontade.

Depois de alguns instantes, Arigó foi até o centro da sala. Enquanto falava em português, num sotaque acaipirado e num tom de voz baixo, os intérpretes iam traduzindo.

Não era ele, mas Jesus, explicava Arigó à multidão, que produzia as curas. Disse que sabia da angústia dos paralíticos e do desespero dos enfermos. Enfatizou que cada um tinha sua religião e ele não estava ali para converter ninguém.

"Todas as religiões são boas", disse ele. "Não é verdade?"

Ouviu-se um murmúrio de concordância. E ele continuou a falar, recriminando as feitiçarias e rituais de magia negra. Aquilo não era religião, disse a eles, e nunca poderia ser considerado como tal. Pelo motivo que fosse, aquele homem corpulento, de cabelos pretos, era firme e positivo em suas convicções, além de ter um magnetismo surpreendente.

Em seguida, Arigó começou a condenar o cigarro e o álcool. Não deixou nenhuma dúvida quanto ao desprezo que sentia por esses vícios. Falava de modo enérgico, irritado, revelando idiossincrasias e preconceitos em seu jeito de pensar. Dizia que o jogo e a bebida eram a maldição do homem, assim como o hábito de mentir e enganar. Na opinião dele, o fato de uma mulher fumar era um verdadeiro crime, suficiente talvez para que um homem preferisse trocá-la por outra.

E, de repente, do seu jeito estranho e espirituoso, ele começou a brincar com o público; depois voltou a ficar sério, enquanto começava a rezar um padre-nosso em voz alta, levando o público a acompanhá-lo na oração.

Quando Arigó fez isso, fortaleceu-se na cabeça de Belk e de Puharich a convicção de que a viagem até Congonhas tinha sido pura perda de tempo. Por mais pungente e emocionante que fosse a cena, dificilmente representava o ponto de partida para uma pesquisa científica. Arigó, com as mãos postas e a cabeça erguida enquanto fazia sua prece, parecia mais um pastor protestante de alguma cidadezinha do interior do que o fenômeno capaz de despertar tanto interesse em todo o Brasil e em grande parte da América do Sul.

A oração chegou ao fim e Arigó virou-se rapidamente, voltando para a sua salinha e fechando a porta. Alguns pacientes se remexiam nos bancos, pouco à vontade, enquanto outros passavam a conversar em voz baixa. Duas jovens assistentes, de pele cor de jambo, andavam pelo recinto silenciosamente, formando filas ao longo das paredes, de frente para a salinha onde Arigó começaria suas consultas.

Do lado de fora da sala, via-se a um canto um assistente de olhos tristes e suaves, sentado diante de uma máquina de escrever antiga, esperando para começar as atividades da manhã. A função dele não era clara para os americanos, que tampouco sabiam o que podiam esperar de Arigó, sozinho na sua salinha. Mas, em instantes, o médium voltou a sair de lá, cheio de energia.

Parecia uma pessoa totalmente diferente. Mantinha a cabeça erguida, de modo quase arrogante. O olhar, ardente e penetrante antes de entrar na sala, estavam agora vivos e intensos, mas ao mesmo tempo distantes, como se estivessem desfocados. Seus olhos brilhavam à luz pálida da sala. Agora ele falava num tom enérgico, como um oficial prussiano. Os intérpretes notaram um forte sotaque alemão em seu português, áspero e gutural.

Arigó apontou para outro cartaz na parede, onde se lia:

Qualquer um que tiver ingerido bebida alcoólica não será atendido hoje. Volte amanhã sem ter bebido nada.

Então, com autoridade, ele se dirigiu a Puharich e Belk. "Venham", disse, conduzindo os dois pela porta, agora aberta, da sala de tratamento. As atendentes puseram em movimento a fila ao longo da parede, até que os dez primeiros pacientes entrassem na salinha, assumindo sua posição. Arigó mandou que os dois americanos ficassem ao lado da mesa.

"Aqui não se esconde nada", ele disse. "Fico feliz que estejam presentes para observar. Garanto a vocês que o que faço é seguro e que as pessoas doentes vão ficar bem." Arigó disse aquilo com a confiança inabalável de um general prussiano, quase em desacordo com a atitude provinciana de antes.

De repente, e sem cerimônia, Arigó pegou o primeiro homem da fila, um senhor de idade e bem-vestido, usando um terno cinza impecável, e segurou-o firmemente pelos ombros. Então manteve-o contra a parede, exatamente embaixo do cartaz onde se lia PENSE EM JESUS. Puharich, em pé ao lado do homem, ficou assustado com a atitude do médium, imaginando o que aconteceria depois. Sem dizer nada, Arigó pegou uma faquinha de aço inox, com uma lâmina de cerca de dez centímetros e cabo de madeira, e literalmente a enfiou no olho esquerdo do paciente, por baixo da pálpebra, e profundamente para cima e para dentro da cavidade ocular.

Apesar dos vários anos de prática médica e experiência, Puharich ficou chocado e perplexo. E ficou ainda mais aturdido quando Arigó começou a raspar violentamente a faca entre o globo ocular e a parte interna da pálpebra, pressionando com força para cima a região do *sinus*. O homem estava perfeitamente acordado e consciente, mas não demonstrava medo algum. Não se mexeu nem recuou. Uma mulher nos fundos gritou. Outra desmaiou. Arigó, então, alavancou o olho de tal forma que ele saiu da cavidade ocular. O paciente, ainda absolutamente calmo, só parecia incomodado com uma coisa: uma mosca que havia pousado em sua bochecha. Num momento em que o olho dele era quase expelido da órbita, ele calmamente espantava a mosca.

Enquanto fazia esses movimentos, Arigó mal olhava para o paciente, e à certa altura se virou para falar com uma das assistentes, enquanto sua mão continuava a raspar e enfiar a faquinha. Depois, ele se virou para o outro lado, deixando a faca pendurada, metade dentro e metade fora do olho.

O médium então se voltou abruptamente para Puharich e pediu que colocasse o dedo sobre a pálpebra do paciente e sentisse a ponta da faca embaixo da pele. Nesse instante, Puharich ficou quase em estado de choque, mas obedeceu, sentindo a ponta da faca no lugar indicado por Arigó. Sem demora, Puharich pediu a um dos intérpretes que perguntasse ao paciente o que ele sentia. O homem falou, calmamente e sem emoção, que sentia a faca, mas sem nenhuma dor ou desconforto.

Ainda falando com um forte sotaque alemão, Arigó explicou que costumava usar essa técnica como ferramenta para diagnósticos ou cirurgias nos olhos. Para Puharich, esse procedimento ia contra todas as técnicas médicas que aprendera em seus vinte anos de experiência, desde que estudara Medicina em Northwestern. Para Henry Belk, que se formara em Psicologia em Duke, a prática era simplesmente inconcebível. O americano se sentia fraco e ligeiramente nauseado.

Depois de alguns instantes, Arigó retirou do olho a faquinha, cuja ponta estava cheia de pus. Ele observou o pus com satisfação e, sem cerimônia, limpou a lâmina na sua camisa esporte e dispensou o paciente, dizendo: "Você vai ficar bom, meu amigo". Em seguida, chamou outro paciente. O "exame" completo não durara mais que um minuto.

A cena transcorria tão depressa que nem Puharich nem Belk tinham tempo de raciocinar. Puharich, porém, foi pelo menos capaz de pensar rápido o suficiente para deter o primeiro paciente e examinar rapidamente o olho operado. Não havia nenhuma laceração, nem vermelhidão, nem sinal de irritação. O paciente explicou, por meio do intérprete, que se sentia perfeitamente normal, não havia tomado nenhuma anestesia antes da cirurgia e confiava plenamente em Arigó. Naquele instante, o segundo paciente passava pelo médium e seguia em direção à sala maior, onde estava o assistente diante da máquina de escrever. Saiu com uma folha de papel, uma espécie de receita médica.

Puharich e Belk observavam incrédulos enquanto aquelas pessoas, ricas, pobres e de todas as idades, seguiam em fila até a mesa. Arigó sequer as olhava. Somente sua mão movia-se automaticamente, enquanto rabiscava uma receita numa velocidade inacreditável, como se a caneta deslizasse no gelo. De vez em quando, ele se levantava, encostava um paciente na parede, novamente limpava a faca na camisa e a cravava brutalmente num tumor ou quisto, ou num olho ou ouvido, removendo dali, em questão de segundos, o que quer que fosse que estivesse ofendendo o tecido.

Não usava anestesia, nem sugestão hipnótica, tampouco antissépticos. Praticamente não se via nenhum sangramento, além de algumas gotas. Não puderam presenciar a comentada habilidade de Arigó de deter o sangramento com um simples comando de voz. Mas notaram que ele raramente fazia perguntas aos pacientes; seu diagnóstico era silencioso e intuitivo. Naquela manhã, no ritmo acelerado e na confusão dos primeiros pacientes, Puharich contentou-se simplesmente em assistir ao atendimento.

Claro que havia muito que verificar. Aquelas prescrições, o que seriam? Como Arigó podia escrever tão depressa, mal fitando o papel, sem nunca parar para analisar a receita nem observar o paciente? Como conseguia realizar os supostos resultados milagrosos se passava tão pouco tempo com cada paciente? Como seu assistente podia ler aqueles rabiscos quase ilegíveis numa simples folha de papel e traduzi-los para um farmacêutico? Onde Arigó aprendera sua farmacologia? Como esperava chegar a uma terapia racional sem examinar o paciente ou sequer lhe fazer perguntas? Como o paciente podia não sentir dor quando uma faca que servia para descascar frutas era brutalmente cravada numa das regiões mais sensíveis e doloridas do corpo: o olho? Essas perguntas teriam que ser deixadas em suspenso até que pudessem fazer uma investigação minuciosa.

Arigó passava, em média, menos de um minuto com cada paciente. Ele dizia, obviamente brincando, que qualquer tipo de cirurgia que fizesse no momento era um simples exame, pois a justiça o proibira de operar.

Posteriormente, ao relembrar aquelas cenas, Puharich contou: "Foi a primeira vez na minha vida que presenciei cenas como aquelas. Do momento em que o paciente entrava na sala até a hora que saía, ele ou recebia uma receita ou era submetido a algum procedimento e ia embora sem aparentar nenhuma dor ou sofrimento. Arigó nunca dizia muito. Era como um pesadelo. Belk e eu nos olhávamos atônitos. A impressão era de que estávamos num filme de ficção científica. Belk, que não era médico, por fim não aguentou e foi obrigado a se retirar da sala. Eu continuei observando. Aquilo tudo exercia um fascínio sobre mim. Aquelas pessoas entravam na sala, e todas estavam doentes. Uma delas tinha um bócio gigantesco. Arigó simplesmente pegou a faquinha e fez uma incisão, extraiu o bócio, sacudiu-o na mão, enxugou o corte com um pedaço de algodão sujo e o paciente se retirou. A ferida nem sequer chegou a sangrar.

"Mas daquela vez não tivemos chance de verificar nada. Ele trabalhava tão depressa que era impossível nos aproximarmos de um paciente antes que ele já estivesse fora da sala. E eu tinha receio de falar com um e perder o que aconteceria depois, com o seguinte. Aquela primeira exibição de Arigó estava além de qualquer compreensão."

Ali pelas onze da manhã, cerca de duzentos pacientes já tinham sido atendidos. Uma dezena deles, Arigó dispensou, dizendo que qualquer médico comum poderia curá-los. Outros ele repreendia ou censurava. Realizou em torno de dez cirurgias nos olhos e nos ouvidos. Cada uma delas não durava mais que um minuto.

A rotina das cirurgias era quase sempre a mesma. O mergulho rápido e brutal da faquinha. A manobra violenta e aparentemente descuidada da lâmina sob a pálpebra ou em outra parte do corpo, e a limpeza ocasional da lâmina suja na camisa.

Em nenhum dos casos houve qualquer procedimento pré-operatório. Nem anestesia, nem esterilização, nem sugestões hipnóticas ou coisa parecida. Os pacientes ficavam de pé contra a parede, totalmente conscientes, e saíam da sala sem precisar de nenhum tipo de ajuda. Puharich observava atentamente, para verificar se Arigó os hipnotizava, pois isso explicaria pelo menos parte do processo. Mas não havia nenhum indício de que fizesse isso. Apenas Arigó parecia em estado de transe. Posteriormente, Puharich e Belk presumiram que aquilo se devia talvez à estranha explicação que tinham recebido na ocasião em que faziam as primeiras investigações sobre o médium, antes de sair do Rio de Janeiro. Dizia-se que Arigó incorporava o espírito de um médico alemão já falecido, que ele identificava como sendo Dr. Adolf Fritz Frederick Yeperssoven. E era esse "Dr. Fritz", afirmava Arigó, que realizava as cirurgias e prescrevia complexos agentes farmacêuticos, que rascunhava tão depressa no papel. Era o Dr. Fritz, o médico alemão nascido em 1861 em Munique, ou Dantzig, e falecido em 1918, que fazia os diagnósticos instantâneos.

Tanto Belk quanto Puharich, ambos interessados em fenômenos paranormais, com experiência em pesquisas na área, queriam pelo menos examinar aquela explicação bizarra com uma mentalidade aberta. Naquele primeiro dia, porém, nem mesmo a inacreditável prova evidente da destreza de Arigó podia ser avaliada adequadamente. Os fatos que se amontoavam numa profusão caótica revelavam ao menos uma certeza: Arigó estava violando todas as normas da medicina e da cirurgia. Era cada vez mais óbvio que somente um estudo mais extenso e aprofundado e uma avaliação técnica poderiam possibilitar um exame racional de tudo aquilo. E, no momento, o exótico e frágil conceito de algum tipo benigno de possessão, por um médico alemão já falecido, era inacreditável demais até para ser levado a sério.

Às onze da manhã em ponto, Arigó se levantou da sua cadeirinha, em frente à mesa de madeira, e declarou que a sessão estava encerrada. Em seu áspero sotaque alemão, explicou que voltaria às duas da tarde e ficaria até as seis. E, para os pacientes que não conseguisse atender até aquele horário, ele recomeçaria às oito da noite e continuaria até que todos tivessem sido atendidos, fosse a hora que fosse.

Enquanto cruzava o salão, lavava as mãos numa pequena bacia e vestia um paletó, convidou os dois americanos e seus intérpretes para acompanhá-lo. Explicou que iria agora para o trabalho, pois era funcionário público do IAPETEC (Instituto de Aposentadorias e Pensões dos Estivadores e Transportes de Cargas). Se os americanos desejassem, poderiam ir com ele até lá e ele ficaria satisfeito em dar mais informações sobre seu trabalho de cura.

Sem cerimônia, ele virou a esquina e os levou pela rua de pedras até o edifício daquela unidade da Previdência Social. Tratava-se de um prédio onde ficavam o Departamento de Saúde e Previdência Social, os registros dos aposentados e pequenos consultórios médicos e odontológicos. Naquela atmosfera bolorenta de confusão burocrática, uma fila de pessoas esperava para receber o seguro-desemprego. Arigó ainda vestia o paletó amarrotado e gasto, continuava com os cabelos penteados e com a barba por fazer, mas ainda demonstrava uma grande energia e dignidade. Só perdera o sotaque alemão. Falava do mesmo jeito rude, impetuoso e animado de um motorista de ônibus da linha First Avenue, em Nova York, que gosta de bajular, xingar e contar piadas aos passageiros em suas viagens diárias.

Arigó era recepcionista do IAPETEC. Dirigia as pessoas aos diversos departamentos, às vezes repreendendo-as, às vezes confortando-as. Seu eu paramédico o deixara totalmente, mas ele ainda era um homem de autoridade. As pessoas na fila, pobres e humildes, pareciam encontrar nele calor e afeição, do seu jeito meio grosseiro. Para os americanos, ali Arigó era um enigma ainda maior do que antes. Do momento em que deixara a clínica até chegar ao trabalho, a mudança na sua personalidade fora surpreendente. A rispidez prussiana tinha dado lugar a uma amabilidade calorosa. Os olhos tinham perdido o brilho misterioso que o acompanhava enquanto tratava os pacientes na clínica. Ele convidou os americanos e seus intérpretes para visitarem o instituto e ficarem à vontade, como se estivessem em casa.

Eles concordaram e Puharich mostrou-se particularmente interessado em fazer uma gravação da conversa com o dentista e o médico que trabalhavam ali. Certamente, esses profissionais teriam alguma opinião concreta sobre o estranho fenômeno que estava, na verdade, invadindo seus campos profissionais e aparentemente concorrendo com eles, ao atrair aquela avalanche de pessoas para a cidade.

O dentista do órgão público mostrou-se mais afável a respeito de Arigó. Comentou o quanto ele era querido na cidade, como era eficiente no seu trabalho e como as pessoas que ele atendia no Instituto apreciavam sua gentileza, suas piadas e seu bom humor. Mostrou-se indiferente quanto à atividade médica de Arigó, encolhendo os ombros como se aquilo o intrigasse. O médico do departamento de perícias não foi mais eloquente. Também encolheu os ombros, dando a entender que Arigó fazia a parte dele, enquanto ele fazia a sua. Reconheceu que não conhecia ninguém que tivesse se prejudicado com o trabalho de Arigó e que o número de pessoas que vinham de toda a América do Sul para vê-lo era fenomenal.

Para os cientistas norte-americanos, o horário de trabalho de Arigó parecia estranho. Ele trabalhava das onze da manhã a uma da tarde. Depois recomeçava às quatro e ia até as seis. Arigó convidou os quatro visitantes para almoçar com ele em casa e o convite foi prontamente aceito. A casa do médium ficava na Marechal Floriano e era bem humilde. Mas, apesar da pintura descascada e dos móveis modestos, era limpa e arrumada. A esposa, Arlete, era uma mulher esbelta e sorridente, que ralhava com os cinco filhos pela casa, todos muito bonitos e com os mesmos olhos vivos e castanhos do pai. Sem nenhum constrangimento, ela usava bobes nos cabelos.

Arigó beijou-a com carinho e todos se sentaram à mesa rústica, Arlete fazendo os filhos abrirem espaço para acomodar as visitas. O almoço foi simples (arroz, feijão e frango), mas farto. Arigó comia com gosto, rindo e brincando com os meninos, e limpou o prato num instante. Num gesto quase automático, Arlete tornava a servi-lo e insistia para que os visitantes também repetissem.

Observando a cena, Puharich não conseguia encontrar nada que sugerisse algo de extraordinário naquele homem e em sua família. A esposa era dedicada; os filhos, alegres, inteligentes e bem-educados. O ambiente era barulhento, mas saudável e afetuoso. Arigó tinha posto de lado quaisquer dons místicos que demonstrara com os pacientes. Puharich recapitulou os comportamentos inexplicáveis daquela manhã: as cirurgias sem anestesia, sem sangramento e sem dor; a velocidade impressionante em que Arigó as realizava; o total destemor dos pacientes quando uma faca afiada era cravada em seus olhos. De algum modo, pensava ele, quando voltasse para os Estados Unidos teria de encontrar um meio de convencer tanto a si mesmo quanto os colegas médicos de que tudo aquilo não era uma alucinação.

Quando Jorge Rizzini chegasse naquela tarde, uma parte do problema estaria resolvida, porque ele traria consigo uma filmadora. Belk estava preparando seu próprio equipamento de filmagem, algo que ele adiara na sessão matinal da clínica, até que ficasse mais familiarizado com os acontecimentos bizarros que se desenrolavam numa velocidade vertiginosa.

Mas será que a filmagem bastaria para convencer os céticos? As fotos poderiam ser facilmente adulteradas e não conseguiriam convencer os mais descrentes. Os filmes, por sua vez, eram uma coisa quase impossível de adulterar, por isso eram tão importantes. Puharich teria que contar com

Rizzini para cumprir aquela parte do processo e esperava que ele fizesse isso com maestria.

Depois do almoço, Arigó descansou, mas às duas horas da tarde voltou para a sua salinha na clínica, onde já se formava outra fila. Alguns pacientes tinham chegado da Argentina num ônibus fretado. E novamente ele recomeçou o inacreditável procedimento. Voltou àquele mesmo estado de transe, com o olhar ardente e o sotaque alemão que desapareciam quando ele estava em seu emprego ou em sua casa. Continuou usando a mesma faquinha enferrujada, enxugando o corte com o algodão sujo, dispensando descontraidamente os pacientes, que se retiravam sem nenhuma sutura, e redigindo receitas na mesma velocidade estonteante.

Os intérpretes entrevistavam o maior número de pacientes possível. Esse procedimento, porém, era breve demais para resultar numa avaliação profunda. A irracionalidade da cena continuava chocando Puharich e Belk.

"Havia um paciente do qual me recordo", contou Puharich. "Ele andou pela clínica o dia inteiro. Estava descalço e já tinha usado, um dia, uma cadeira de rodas; acho que era funcionário de uma oficina mecânica. Um dia, ele simplesmente tinha chegado à clínica e começado a andar, sem precisar mais da cadeira de rodas. Os intérpretes perguntaram como ele fizera aquilo. Ele explicou que integrara a FAB, na Itália, durante a Segunda Guerra Mundial. Tinha ferido os dois joelhos. Não sabia explicar clinicamente o que havia acontecido, mas sabia que os joelhos tinham travado, como se estivessem congelados. Desde o fim da guerra, ele havia passado por treze cirurgias, aproximadamente. Quando soube de Arigó, foi procurá-lo.

"Arigó olhou para ele e disse com aspereza: 'Que diabos está fazendo sentado numa cadeira de rodas, seu preguiçoso?!'. Arigó nunca hesitava em repreender as pessoas quando a ocasião exigia. O homem respondeu: 'Não consigo andar! Meus joelhos estão travados'. Arigó replicou: 'Você não passa de um preguiçoso, sem vergonha! Levanta daí e anda!'. O homem protestou, dizendo que não conseguia. O médium repetiu a ordem. Ele não teve alternativa. Levantou-se e começou a andar pela sala. Arigó nem chegou a tocar nele. O homem mal conseguia acreditar no que estava acontecendo. Mas morria de medo de que o problema nas pernas voltasse, por isso continuava voltando à clínica, para ter certeza de que estava mesmo curado.

"Examinei os joelhos dele, embora aquele fosse o tipo de caso que exigia um estudo intensivo para ser verificado em detalhes. Eles ainda estavam inchados e dava para ver as cicatrizes das muitas cirurgias que tinha feito. No entanto, conseguia andar com facilidade. Aquele era um dos casos que eu teria que analisar quando voltasse com todo o equipamento e uma equipe. Mas, no momento, era suficiente para indicar que precisaria de um estudo mais profundo."

Quando Jorge Rizzini, o entusiasmado jornalista brasileiro de 35 anos, chegou de São Paulo, Puharich já tinha pensado numa maneira de tirar fotos e filmar o trabalho de Arigó da melhor maneira possível, no dia seguinte. Por mais improvável que fosse, ainda havia a possibilidade de fraude ou simplesmente do uso de uma técnica de hipnose pouco convencional e imperceptível, que trouxesse um alívio temporário às centenas de pacientes que faziam fila na clínica todos os dias.

Rizzini, porém, não concordava com essa teoria. Ele tinha acompanhado de perto dois casos em sua própria família: a esposa, que sofria de uma artrite incurável e estava desenganada pelos médicos, e a filha, cuja leucemia também não tinha cura. As duas tinham sido atendidas por Arigó e ambas estavam curadas. E a cura fora confirmada pelos mesmos médicos que as desenganara. Rizzini também acompanhara o caso da filha do ex-presidente Juscelino Kubitschek, que tinha sido tratada com sucesso, por Arigó, de um problema nos rins que não respondera ao tratamento convencional, tanto na Europa quanto nos Estados Unidos.

A Kodak 8mm de Rizzini não tinha *zoom*, mas seria adequada para registrar algumas cirurgias. Puharich e Belk ainda estavam preocupados em obter provas para convencer um grupo representativo, formado por outros médicos americanos, de modo que se juntassem a eles no estudo de Arigó. Mesmo com os filmes daquelas cirurgias, que nada tinham de convencional, ainda assim poderia haver dúvidas que tornassem difícil persuadi-los. O trabalho de Arigó era o tipo de coisa em que só se podia acreditar vendo pessoalmente.

Durante todo o dia seguinte, eles tiraram fotos e Puharich começou a acompanhar casos específicos, tomando nota dos sintomas, antes e depois do exame de Arigó, e registrando a prescrição ou a cirurgia. Se conseguisse organizar um novo estudo, concluiu ele, seria preciso uma equipe composta de pelo menos três médicos e vários técnicos, para que o trabalho ficasse a contento. Seria preciso fazer um histórico detalhado de cada caso, antes que o paciente entrasse na fila, e ele teria que ser examinado por um médico antes de ser tratado por Arigó. Alguns pacientes já traziam com eles suas anamneses, que teriam de ser verificadas e registradas por escrito. Outro médico precisaria observar o tratamento ministrado por Arigó, registrando-o em detalhes enquanto era filmado, e um terceiro acompanharia o caso dali em diante. Para que o estudo ficasse completo, o paciente precisaria consultar seu próprio médico semanas ou meses depois, para verificar se realmente estava curado e comprovar a eficácia da prescrição ou cirurgia.

Naquele dia, Arigó mais uma vez cumpriu a promessa de que ninguém iria embora sem atendimento. Pela segunda vez, ele fechou a clínica depois da uma da manhã, sem demonstrar sinal de fadiga. Ao longo do dia, Rizzini fez um filme em cores de vários minutos. Embora seu equipamento não fosse o ideal, o filme seria suficiente para mostrar algumas das qualidades extraordinárias das façanhas cirúrgicas de Arigó.

Depois da segunda longa noite de observação, os dois americanos voltaram para a sua pequena pensão mais frustrados do que nunca. Rizzini estava mais convencido do que Puharich e Belk, pois tinha seus filmes anteriores (feitos antes que Arigó fosse interditado pela Justiça), em que o médium realizava suas cirurgias mais importantes, incluindo a remoção de um útero tomado pelo câncer. Além disso, o jornalista ainda tinha os dois casos envolvendo a esposa e a filha, cujas curas ele garantia que tinham sido confirmadas pelos médicos.

Perambulando pela cidade, Belk ficara sabendo que o consenso entre os médicos da cidade, por mais estranho que pudesse ser, era o de que eles aprovavam o trabalho de cura de Arigó, embora, até certo ponto, ele fizesse concorrência ao trabalho deles. Os padres de dois seminários católicos da cidade pareciam ter sentimentos contraditórios com relação ao médium.

Em parte, toleravam seu trabalho de cura, porque ele já fora, um dia, um católico fervoroso. Mas um dos padres disse a Belk que, na opinião dele, Arigó estava sob a influência do Diabo e esperava que, com o julgamento do processo, ele em breve pusesse fim às suas heresias.

Belk não encontrou nenhuma prova de que Arigó já tivesse cobrado pelos seus serviços e as pessoas diziam que, se ele cobrasse, perderia instantaneamente os estranhos poderes concedidos pelo "Dr. Fritz". Belk também não conseguira colher nenhuma prova de que alguém já tivesse sido prejudicado pelas práticas pouco convencionais de Arigó. Tanto a Associação Médica de Minas Gerais quanto a Igreja Católica estavam fazendo pressão contra o médium no processo em curso e, aparentemente, tinham tentado sem sucesso encontrar um caso em que o médium tivesse prejudicado alguém.

Naquela noite, deitado em sua estreita cama de ferro, Puharich não conseguiu conciliar o sono. Tentava descobrir a melhor maneira de submeter as habilidades extraordinárias de Arigó a um teste conclusivo, que fosse irrefutável à opinião médica. Era óbvio que o médium, por mais cooperativo e comunicativo que fosse, não teria muito tempo para fazer uma sequência de testes que pudessem ser filmados, ou qualquer espécie de exibição, embora ele fosse até um pouco exibicionista. Mas Arigó só queria tratar os doentes e parecia não desejar nenhuma interferência.

Para que o caso de Arigó fosse devidamente documentado, seria preciso não apenas obter recursos financeiros consideráveis, mas também despertar o interesse profissional de médicos qualificados. Eles teriam que estar dispostos a admitir a possibilidade de que havia algo estranho acontecendo ali, no campo da medicina, e que valia a pena descobrir o que era. Naturalmente, essa ideia enfrentaria resistência. O próprio Puharich sentira essa resistência desde o dia que chegara. Ele mesmo ainda tinha dúvidas, mas elas estavam se desvanecendo à luz da dedicação incansável de Arigó aos seus pacientes, cuja maioria vinha de lugares distantes para vê-lo.

Foi enquanto fazia essas reflexões que ele distraidamente coçou o braço (talvez por causa de uma mordida de pernilongo ou de outro inseto). Quando fez isso, lembrou-se de um tumor benigno grande e incômodo, conhecido pelo nome de lipoma, que ele tinha na parte interna do cotovelo direito. Não era perigoso e, nos últimos dois anos, já fora examinado pelo seu médico, o dr. Sidney Krebs, de Nova York.

Do ponto de vista médico, o lipoma é um tumor gorduroso que, quando manipulado, movimenta-se sob a pele. Embora não tendam a se tornar malignos, os lipomas podem ser bastante grandes e disformes. Não se sabe o que os causa. O tumor de Puharich existia havia sete anos e media um pouco mais de um centímetro de altura, o mesmo de largura e quase quatro centímetros de comprimento. O médico sugerira operá-lo, o que não apresentava nenhum risco. No entanto, isso não poderia ser feito no consultório médico, pois exigia a esterilização perfeita de uma sala de cirurgia e a habitual assepsia na região do tumor.

Esse tipo de procedimento cirúrgico envolve a incisão do tecido adiposo, a abertura das bordas da incisão com afastadores, o uso de hemostáticos e a cauterização dos vasos sanguíneos, para evitar o sangramento e permitir uma visibilidade perfeita. Geralmente, um clampe é usado para prender o tumor e ele é cortado com o bisturi. A abertura é então suturada. É claro que antissépticos e antibióticos são usados para prevenir infecções. Sem eles, poderia ocorrer septicemia, ou seja, o envenenamento do sangue.

Um cirurgião comum levaria de quinze a vinte minutos para concluir o procedimento. No caso de Puharich, o tumor estava localizado diretamente sobre o nervo cubital, que controla o movimento da mão. Portanto, a artéria braquial ficava próxima, outra possível complicação. Por esse motivo, o médico hesitava em remover o tumor e, como o problema não o deixava incapacitado, aprendera a conviver com ele.

Uma operação malsucedida, no entanto, poderia incapacitá-lo para sempre. Caso o nervo cubital fosse lesionado, o movimento nos dedos poderia ficar restrito ou totalmente prejudicado. Um deslize poderia cortar a artéria braquial e isso obviamente seria perigoso.

Em outras palavras, apesar de ser benigno, o tumor não poderia ser encarado levianamente. Mais tarde, comentando sobre a experiência, Puharich disse: "Quando estava deitado na cama, senti o lipoma no meu braço e pensei: 'Bem, aqui está uma coisa legítima que Arigó poderia tratar. Porque eu já sabia que não era possível trapacear com ele. Se eu queria que ele fizesse alguma coisa, precisaria ser algo real. E pensei: é uma boa ideia. Vou ver se ele pode operar o meu lipoma e assim saberei o que acontece. Eu já observei tudo; agora vou descobrir se aquelas pessoas estão só fingindo não sentir dor. Vou constatar se realmente dói ou não, e observar, em primeira mão, como o processo funciona. Se eu tiver uma infecção, posso voltar para o Rio de avião'. Eu simplesmente não conseguia acreditar no que estava vendo e vivenciando com Arigó. Ali estava uma maneira de provar a mim e aos meus colegas que eu não estava sofrendo uma alucinação".

A decisão não foi fácil, mas era a chance de pôr à prova as habilidades de Arigó. Puharich poderia sentir na própria pele como seria uma operação sem anestesia, antissepsia e suturas, e se Arigó era capaz de evitar um sangramento significativo.

Decisão tomada, ele virou de lado na frágil cama de ferro e adormeceu.

2

Em São Paulo, um grupo de médicos e cirurgiões altamente treinados, do maior hospital da cidade – alguns deles diplomados nas melhores escolas de medicina dos Estados Unidos –, reúne-se regularmente para consultar médiuns. Esses médiuns, acreditam, recorrem às habilidades e aos conhecimentos de médicos falecidos para lhes transmitir diagnósticos e esclarecimentos sobre tratamentos que não podem ser obtidos de nenhuma outra fonte. Os médicos afirmam que os resultados clínicos e terapêuticos são surpreendentemente eficazes e estão muito além do que as técnicas médicas modernas poderiam produzir.

Essas sessões *não* acontecem numa atmosfera de misticismo, mas num ambiente de pragmatismo. Os médicos kardecistas não acham que o uso de médiuns treinados substitua o treinamento médico qualificado, mas acreditam que o complementa. A explicação racional desses médicos para o uso de tais métodos baseia-se na teoria de que o rápido avanço da ciência médica deixou grandes lacunas no terreno das verdades inexploradas. Mais especificamente, a impressão é de que os feiticeiros tribais ou curandeiros, apesar dos seus rodopios selvagens e ervas misteriosas, praticam algumas técnicas altamente eficazes, que foram descartadas pela ciência materialista só por estarem envoltas num grande manto de superstição e hediondos rituais de magia negra.

Há vários fatores que corroboram essa teoria. Muitos dos melhores tranquilizantes modernos, como a reserpina (vendida com várias denominações comerciais), por muito tempo ficaram inativos na farmacologia moderna. A *Rauwolfia serpentina*, planta que serve para curar picadas de cobra e da qual é extraída a reserpina, foi usada com eficácia na Índia e na Nigéria durante séculos. O curare, um dos adjuntos mais eficazes da anestesia moderna, é uma resina venenosa extraída de diversas variedades de plantas tropicais. Os índios brasileiros costumavam usar o curare na ponta das flechas. Cientistas da Universidade de Ibadan, na Nigéria, há pouco tempo cristalizaram o preparado de ervas de um curandeiro, que tem a capacidade impressionante de provocar a remissão de tumores malignos. Testes iniciais realizados em universidades mostram que essa mistura, quando injetada em ratos de laboratório, causa a total remissão desses tumores. E, pela primeira vez na história, antigas técnicas de acupuntura estão sendo encaradas com seriedade pela ciência.

Mas a parte mais interessante desses estudos mais recentes, realizados nessa universidade, é a que se refere aos métodos que os curandeiros nigerianos empregavam nas psicoses. Esses estudos revelam considerável eficácia nessa primitiva psiquiatria tribal, que em parte parece destinada a representar um importante papel na terapêutica moderna. Um aspecto decisivo da psicoterapia dos curandeiros baseia-se na aceitação do conceito, uma vez desprezado, de "possessão", ou seja, o espírito de um indivíduo vivo sendo controlado pela personalidade de um ente que já morreu.

No Brasil, o quadro é um pouco diferente. O movimento kardecista foi trazido para o país por intelectuais vindos da França. Em meados de 1800, os primeiros seguidores eram advogados, médicos, oficiais do exército, cientistas, engenheiros, artistas e professores. O movimento também se iniciou entre as pessoas menos instruídas, com um estranho misto de cultura religiosa africana e religião católica, que abrangia desde os ritos praticados nos terreiros de Quimbanda até os trabalhos de mesa branca da Umbanda, mescla de Catolicismo e crenças tribais iorubás. Ambos os credos nasceram no Brasil, nos primeiros tempos da escravidão, e abraçaram a crença da possessão espiritual e os rituais de magia. A Umbanda, no entanto, mais abrandada pela ética cristã e incorporando santos católicos e ídolos indígenas, rejeitou a magia negra como parte do seu credo. A Quimbanda não procedeu da mesma maneira. Mas as duas, porém, tinham um caráter espiritualista.

Como resultado de tudo isso, o Brasil moderno tem três camadas de crença espiritualista, as quais se iniciam na Quimbanda, passam pela Umbanda e vão até os kardecistas, de perfil mais intelectual. E, embora o Catolicismo reivindique uma grande porcentagem de todos esses grupos, a verdade é que ele teve que fazer concessões e vista grossa no que diz respeito às práticas espiritualistas.

Esse era o ambiente com que Puharich e Belk se depararam em sua viagem de pesquisa a Congonhas. Nenhum dos dois sabia exatamente o que esperar, mas, na manhã seguinte, Puharich permanecia firme em sua decisão de ser operado por Arigó.

No café da manhã, o cientista contou aos outros sobre sua decisão. Eles ficaram surpresos e expressaram muita preocupação. Belk, que sentia dores devido à compressão de um nervo na região lombar, disse que estava disposto a experimentar os remédios de Arigó, mas não podia dizer o mesmo de uma cirurgia. Puharich, porém, estava decidido, e com essa disposição o grupo se dirigiu à clínica no terceiro dia.

Os preparativos para a filmagem haviam sido concluídos. Belk tinha uma câmera Polaroid com um filme preto e branco. Um dos intérpretes tinha uma máquina fotográfica Minox B com o mesmo tipo de filme. Rizzini havia preparado sua câmera Kodak Super 8 mm, carregada com um filme colorido Kodak II. O outro intérprete cuidaria da iluminação.

Puharich também decidira pedir a Arigó para que "examinasse" seu olho com a faquinha de cozinha, pois esta parecia ser uma de suas especialidades. E com a filmagem desses dois testes realizados em Puharich, as habilidades de Arigó seriam comprovadas – para o bem ou para o mal.

Quando se aproximaram de Arigó, Puharich disse, por intermédio do intérprete, que estava disposto a deixá-lo operar seu braço e passar pelo exame nos olhos. O pedido, ouvido por todos na sala lotada, fez com que os pacientes ficassem em silêncio, com ar de expectativa. O médico americano estava prestes a se tornar um deles. Arigó jogou a cabeça para trás e soltou uma gargalhada, dizendo que era claro que atenderia ao pedido do médico. Depois, virou-se para a multidão e disse: "Alguém aí tem um bom canivete brasileiro para usar neste americano?".

A pergunta de Arigó pegou Puharich de surpresa, mas ele não podia voltar atrás. No mesmo instante, pelo menos meia dúzia de canivetes foram oferecidos. Um alvoroço tomou conta do ambiente. Belk, achando difícil continuar a observar a cena, manuseava sua câmera Polaroid com nervosismo.

Arigó examinou os canivetes com critério. Compunham uma coleção variada e alguns pareciam ter uma lâmina cega e enferrujada. Ele rejeitou vários e, por fim, escolheu a versão brasileira de um canivete suíço do exército.

Enquanto o intérprete traduzia, Arigó falava de uma maneira jocosa e espontânea. "O cientista americano tem coragem", dizia ele com amabilidade. "Merece uma plateia. Vou demonstrar para este materialista o que um espírito pode fazer. Mas ele está certo, meus irmãos. Um cientista tem que aproveitar todo tipo de oportunidade. Pasteur, por exemplo, não se arriscou com os micróbios? É isso que faz um bom cientista. Não os cientistas que têm medo de vir aqui a Congonhas. Mas agora vamos demonstrar algo que ele nunca viu nos Estados Unidos."

O preâmbulo foi bem ao estilo rude e rural, característico de Arigó, mas não pareceu nem um pouco tranquilizador.

"Vamos fazer o braço primeiro", disse Arigó. "Só arregace a manga, doutor." Puharich se virou rapidamente para verificar a câmera. Rizzini já estava posicionando sua câmera Super 8; Belk e um dos intérpretes também pareciam prontos com seus equipamentos. Todos os três estavam agora tensos e nervosos. A cirurgia seria feita numa só tomada. Não poderia haver repetição e Puharich estava apreensivo por causa disso e também por causa da operação. Ele instruiu o outro intérprete, pedindo que voltasse a luz para o teto, a fim de evitar que se refletisse nas lentes. Então se virou e se preparou para assistir Arigó fazer a incisão.

Mas Arigó o orientou a olhar para o outro lado, e, como já era óbvio, quando Arigó mandava, era inútil discutir. Puharich obedeceu, novamente verificando e dando instruções a respeito das câmeras e da iluminação.

Em menos de trinta segundos (alguns disseram que foi menos de dez), Puharich sentiu algo úmido na mão, juntamente com o próprio canivete. Ele olhou para baixo e viu, em sua palma, a massa sanguinolenta do lipoma e a lâmina que Arigó havia usado para extraí-lo. Em seu braço, onde estava o tumor, havia uma pequena incisão, com uma gotinha de sangue escorrendo; um corte muito pequeno, com menos de cinco centímetros. A pele estava lisa, não havia mais a protuberância do tumor.

Puharich ficou perplexo. Não sentia dor no braço. Tinha apenas uma sensação leve e difusa. Os outros tinham observado tudo com incredulidade. Pouco antes da operação, Rizzini começara a filmar. E continuou filmando ao longo de todo o processo e mesmo depois. Arigó tinha pego o canivete e pareceu esfregá-lo sob a pele; em segundos, retirou o lipoma com as próprias mãos. Aquilo era totalmente contrário a qualquer procedimento cirúrgico. O médium sorriu e disse a Puharich que o Dr. Fritz havia pedido para ele dizer: "Essa é só uma demonstração para que as pessoas acreditem. Acho que todos os médicos do Brasil deveriam vir aqui e fazer o que você fez. Depois de concluído o processo contra mim, você deve voltar, dr. Puharich, porque eu quero fazer uma grande cirurgia para você assistir".

Puharich, de certo modo, estava levemente decepcionado. "Não senti absolutamente nada. Não podia acreditar no que tinha acontecido, no entanto acontecera, pois não havia como negar", disse ele, posteriormente. O médico logo pediu para passar pelo procedimento da faca no olho, mas Arigó disse que ele já tinha passado por muita coisa naquele dia. "Além disso, não tem nada de errado com o seu olho", o médium acrescentou.

Enquanto isso, Belk tirava o filme da Polaroid. Ele havia tirado fotos do momento da incisão. Mas ocorrera uma superexposição. O intérprete com a câmera Minox congelara de pavor no momento da cirurgia e se esquecera de tirar fotos. Apenas os filmes de Rizzini supririam a imensa necessidade de documentarem o procedimento, mas só poderiam ter certeza disso quando fossem revelados, depois do seu retorno a São Paulo. As fotos do "antes e depois", na região do antebraço, foram tiradas em profusão; portanto, pelo menos essas etapas do procedimento seriam bem documentadas.

Ainda havia outro fator em perspectiva que seria de grande importância. Arigó não lavara nem desinfetara a faca nem o local da incisão. Toda a região estava suja e insalubre. Naquelas circunstâncias, a menos que um antibiótico forte fosse administrado imediatamente, seria muito possível que ocorresse septicemia. Caso, porém, a ferida se curasse sem problemas, teriam outra prova dos poderes de Arigó. Puharich decidiu evitar passar qualquer antisséptico na ferida e não tomar antibióticos, a menos que o corte infeccionasse. Ele deixou que Altimiro, o assistente de voz mansa, que datilografava as prescrições e fazia curativos, colocasse uma gaze não esterilizada sobre o corte.

Puharich agora sentia que havia dado um grande passo. Poderia confirmar pelo menos que não se tratava de um episódio da série *Além da Imaginação*, mas sim de algo muito válido e real. Com apenas um canivete e alguns poucos instrumentos, que ficavam guardados numa vasilha de cozinha, além de uma caneta velha e um bloco de papel, aquele brasileiro humilde era capaz de atender mais paciente num dia do que um grande centro médico numa semana. O que quer que ele fosse, Arigó era algum tipo de gênio indefinido da área médica.

Puharich e seu intérprete finalmente conseguiram interceptar o médium para uma conversa. Ele perguntou se algum médico já tinha ido a Congonhas fazer um estudo sério sobre o trabalho dele. Arigó respondeu que poucos tinham se interessado por isso; a Associação Médica de Minas Gerais e a Igreja Católica Romana eram totalmente contra ele. O médium lamentava profundamente, porque era um católico fervoroso e tinha fé em Cristo. E não atribuía a si mesmo nenhum mérito pelo que fazia. Acrescentou que, no momento, não tinha permissão para fazer nenhum tipo de cirurgia. Mas que, no passado, realizara diante do público muitas de grande porte, sem que tivesse nenhuma notícia a respeito de alguma morte ou de qualquer espécie de dano. Ele confessou que, se um paciente realmente precisasse de uma cirurgia, ele a faria longe dos olhos do público, independentemente do risco que corresse de ser preso.

Quando Puharich perguntou a Arigó se ele se importaria se voltasse com uma equipe médica, para realizar uma extensa pesquisa, o médium respondeu que, se a pesquisa fosse feita do jeito certo, isso o ajudaria imensamente, visto que ninguém tinha realmente comprovado a autenticidade do seu trabalho, do ponto de vista científico. Alguns de seus pacientes eram médicos, disse ele, mas não contavam isso a ninguém por medo de represálias dos colegas. Ele acrescentou que bispos, freiras e padres já tinham ido a Congonhas em busca de tratamento, mas que a Igreja Católica permanecia contra ele. O governo, é claro, era tecnicamente contra seu trabalho de cura. Um promotor público do estado de Minas Gerais tinha formalizado as acusações contra ele. Advogados, juízes, legisladores, muitos dos quais pacientes dele, eram todos solidários, mas não podiam fazer nada por causa do Código Penal.

Arigó continuou, dizendo a Puharich que precisava do apoio do povo e que uma confirmação científica formal do seu trabalho seria uma ajuda considerável. Com a cooperação de Arigó garantida, Puharich decidiu que voltaria a Congonhas o mais rápido possível.

Antes de se despedirem do médium, Belk solicitou e recebeu uma receita para seu problema na coluna. Para fazer o "diagnóstico", Arigó apenas lançou um olhar casual para Belk, enquanto a mão direita automaticamente rabiscava uma receita. Altimiro datilografou-a para ele, executando a tarefa na velocidade de uma metralhadora. Puharich considerou a receita de Belk absurda para um problema nas costas e completamente irracional do ponto de vista médico. Além disso, a receita pedia doses cavalares, totalmente fora de padrão. Além de cápsulas de vitamina B12, a receita incluía Novazolona e Livisin, duas enzimas digestivas, e Pankreon, uma enzima do pâncreas. Os medicamentos eram nomes comerciais de preparados farmacêuticos de fabricação brasileira e em uso terapêutico normal no campo ético dos medicamentos. Mas a combinação simplesmente não fazia sentido. Belk, no entanto, estava disposto a fazer uma tentativa, assim como Puharich fizera com a cirurgia. A dor nas costas de Belk não respondera a nenhum tratamento médico intensivo que ele fizera por vários anos. As radiografias realizadas nos Estados Unidos mostravam a compressão de uma vértebra na região lombar. Era evidente que levaria muito tempo para que um medicamento não convencional pudesse surtir efeito. Ele estava cético em relação a possíveis resultados.

Quaisquer que fossem as explicações sobre as extraordinárias e desconcertantes prescrições de Arigó, elas eram vagas. Os pacientes relatavam que as receitas faziam efeito quando prescritas por Arigó, mas que o mesmo não ocorria se fossem prescritas por outros médicos. Puharich fizera cópias de várias delas, para um estudo completo posterior. Nunca Belk receberia uma receita igual à que Arigó lhe dera, para a compressão de uma vértebra. Fazendo um grande esforço, o cientista concordou que deveria haver alguma lógica na ideia de que aqueles remédios poderiam trazer benefícios para o sangue e o sistema digestivo, e que, portanto, a dor nas costas poderia ceder com a melhora geral do organismo. Mas aquele raciocínio precisava de um grande esforço de imaginação. As composições enzimáticas não eram substâncias químicas, mas fermentos naturais, que ativavam os sucos gástricos. Quanto a isto não havia dúvida: a farmacologia de Arigó era tão misteriosa quanto suas cirurgias.

Enquanto fazia as malas, Puharich reviu mentalmente toda a cirurgia. Rizzini, que posteriormente encontrariam em São Paulo para rever o filme, afirmava que a remoção do lipoma levara menos de dez segundos. Em comparação ao tempo de quinze ou vinte minutos de uma cirurgia convencional, isso por si só já era impressionante. O filme confirmaria isso, caso as imagens saíssem boas. As fotografias não estavam nítidas, mas eram compreensíveis. No momento em que tinham sido tiradas, havia uma tensão considerável no ar e vários pacientes tinham gritado. Qualquer coisa que Arigó fizesse, aliás, tinha o poder de despertar fortes emoções. Talvez isso fosse parte do seu segredo.

Ao refletir melhor, Puharich se lembrou de que a única sensação que tivera equivalia a uma ligeira alfinetada. A incisão, ele disse, era, na verdade, menor que o lipoma. E isso também estava em desacordo com a rotina cirúrgica. Belk e Rizzini tinham afirmado que o tumor fora removido com as mãos, sem nenhum instrumento. Belk achava que o tumor tinha sido espremido até sair. Além da falta de dor e de um sangramento significativo, aquele método era típico de Arigó. Seria preciso um cirurgião muito raro para operar naquela velocidade e sem prejudicar o nervo localizado na região. Arigó parecia desafiar as precauções médicas – mas, mais uma vez, ele havia deixado claro que o mérito não era dele. Tudo estava ao encargo do Dr. Adolf Fritz, um médico alemão que deveria ter estudado muito a respeito de farmacologia e técnicas cirúrgicas, desde que morrera, em 1918. Tudo muito bizarro. No entanto, ali estava a prova material para quem quisesse ver, e o fato era irrefutável: Puharich preservara o tumor intacto num frasco de vidro.

Era também um fato claro que eles não tinham conseguido nenhuma prova de que Arigó recebesse dinheiro ou qualquer presente pelos seus serviços. O prefeito de Congonhas tinha dito a Belk, quando lhe perguntaram sobre isso: "Ele não aceita nem um café!". O prefeito José Teodoro da Cunha confirmou a Belk o que ele ouvira de alguns médicos da região: que praticamente todo mundo na cidade só tinha elogios quando se tratava de Arigó, e isso incluía a maioria dos próprios médicos. O irmão desse prefeito era médico em Belo Horizonte, a cidade grande mais próxima, a cerca de oitenta quilômetros de distância. Ele estudara nos Estados Unidos, completando seu aprendizado no St. Luke Hospital, em Kansas City, em 1952. O médico ficara aturdido com Arigó, mas confirmava, sem hesitação, a autenticidade das curas realizadas pelo médium.

Refletindo sobre o trabalho de cura de Arigó, Belk escreveu em suas anotações: "Sem dúvida, ele é o 'médico' mais ocupado e mais rápido que já vi. Supera a linha de produção de Henry Ford, em Detroit. Todos os pacientes são casos graves. Alguns são trazidos em macas. Lourdes, na França, ficaria apenas em segundo lugar, se tanto. Caso Arigó ganhe seu processo, sem dúvida a competição será acirrada no campo da saúde.

"Quando ele for julgado por praticar a medicina sem diploma, certamente será considerado culpado, porque já curou milhares. Tem autorização para prescrever remédios para todos e sem nenhum controle, o que nos surpreendeu. Quando Arigó enterrou a lâmina da faquinha no olho do primeiro paciente e a mergulhou por trás do globo ocular, tive medo de que o olho saltasse para fora, além do risco de infecção, por estar usando uma faca de cozinha.

"Estou deixando meu endereço com Arigó e lhe ofereci uma passagem de avião para os Estados Unidos. Aos meus olhos, ele representa um caso especial. Como me disse um motorista de táxi: 'É claro que conheço Arigó! Trago doentes de Belo Horizonte e volto com eles curados!'. E eu acreditei nas palavras do taxista."

Naquela tarde, durante a viagem pelas estradas escarpadas até Belo Horizonte, Belk e Puharich concordaram que médicos dos Estados Unidos e da Europa deveriam ir a Congonhas, estudar o fenômeno e tentar explicar o processo. No momento, porém, havia outra pergunta no ar. Arigó aparentemente estava além dos limites aceitos pela parapsicologia, para não falar da medicina. Quando os prédios altos e brancos de Belo Horizonte surgiram repentinamente sobre as montanhas verdejantes, os dois já tinham compreendido que havia muito trabalho a ser feito e precisariam de toda a ajuda possível para convencer, cativar e persuadir outros pesquisadores de que o estudo sobre Arigó valeria a pena.

Em Belo Horizonte, Belk mandou aviar sua estranha receita. Custou cerca de quinze dólares. Ele se sentiu um pouco envergonhado ao tomar os medicamentos e não conseguiu acreditar que teria bons resultados. Por outro lado, os milhares de relatos a respeito dos pacientes de Arigó sugeriam que a mística brasileira era muito mais importante do que os medicamentos receitados. E se houvesse algum efeito placebo raro e indefinido?

Apesar de toda a sua admiração pelas habilidades demonstradas por Arigó em sua cirurgia, realizada com um canivete e sem provocar nenhuma dor, Puharich não podia deixar de sentir que corria o risco de sofrer uma infecção. Ele verificava o braço a todo instante, em busca de sinais de septicemia, procurando as reveladoras marcas vermelhas ou sinais de tétano. Mas, no dia seguinte, a ferida já estava começando a cicatrizar perfeitamente, sem sinal de infecção. Ao apertar o corte, viu que não havia nenhuma secreção. E continuou se abstendo de usar qualquer antisséptico na ferida, limitando-se a trocar o curativo.

Nem Puharich nem Belk podiam dispor de muito tempo livre para dar início ao grande estudo que desejavam fazer. Embora a Belk Research

Foundation tivesse sido fundada para unir campos de pesquisa como a biologia, a medicina, a física, a química e outras disciplinas, no estudo da paranormalidade, Henry Belk era também um dos principais diretores de uma cadeia de 350 lojas de departamentos com seu nome, espalhadas por todo o sul dos Estados Unidos. Seu trabalho de merchandising das lojas Belk exigia muito do seu tempo, mas seu interesse pela parapsicologia, que havia começado com seus estudos na Duke, refletia-se na criação da fundação.

Belk, um homem ativo, franco e sincero, que falava com o sotaque arrastado típico dos nativos do sul dos Estados Unidos, mostrara-se insatisfeito com a falta de progresso no estudo da mente humana e na exploração de todo o seu potencial. Ele estava intrigado com os novos indícios que despontavam no horizonte da psicologia experimental e pela atenção que os cientistas começavam a dar às façanhas dos místicos orientais, que havia séculos demonstravam a capacidade de controlar processos involuntários do corpo humano, fato que antes quase nunca atraía a atenção da ciência moderna. Havia muito a ser explorado nesse terreno e Belk não via a hora de continuar o que considerava um trabalho havia muito negligenciado.

Ele não tinha nenhuma pretensão de se deixar enganar por charlatães. Na verdade, em qualquer programa de pesquisa que patrocinasse ou do qual participasse, costumava pesquisar a fundo em busca de alguma falcatrua.

Ao observar Arigó, tinha procurado sinal de charlatanismo, mas teve que admitir que não encontrara nada. Puharich fizera o mesmo. Em qualquer estudo de parapsicologia, um pesquisador experiente sempre verifica a possibilidade de fraude. Existem muitos embusteiros nesse campo, para se correr o risco. Qualquer médico que demonstre o mínimo de interesse pela parapsicologia ou pelas curas espirituais passa a ser alvo de críticas, e isso Puharich sabia muito bem. Ele mesmo já recebera seu quinhão de críticas, mas preferia encarar aquilo como algo inevitável, desde que tivesse certeza de que não estava sendo enganado por truques ou charlatanismo.

Puharich estava confiante de que sua formação científica o ajudaria a fazer julgamentos sensatos nesse sentido. Depois de se formar em Medicina na Universidade de Northwestern, tinha feito pesquisas em Fisiologia, na escola de pós-graduação dessa universidade, e concluíra seu estágio como médico residente em Oakland, na Califórnia, recebendo depois uma bolsa de estudos da General Foods Corporation, na área da eletrobiologia experimental. Tinha licença para exercer a profissão de médico na Califórnia, no Maine e em Nova York, com especialidade em medicina interna.

No momento, as pesquisas médicas do dr. Puharich estavam concentradas no desenvolvimento dos chamados "aparelhos auditivos transdérmicos", projetados para transmitir, através da pele, sinais elétricos que depois seriam traduzidos em "palavras". Essa e outras pesquisas no campo da bioengenharia tinham expandido seu interesse pela possibilidade de combinar seu trabalho técnico com campos como a telepatia e a percepção extra-sensorial. Pediam-lhe frequentemente que apresentasse, a organizações científicas e governamentais interessadas no estudo da paranormalidade, artigos sobre assuntos como a base bioquímica da percepção extrassensorial e os problemas desse campo com respeito à instrumentação e ao controle. Suas plateias incluíam membros do Departamento de Defesa dos Estados Unidos, do laboratório de pesquisas médicas do Army Chemical Corps, do Institute of Radio Engineers e do Sexto Distrito Naval dos Estados Unidos. Para o último grupo, ele havia apresentado uma demonstração dos poderes paranormais de Peter Hurkos, envolvendo telepatia e clarividência.

Além disso, Puharich estava auxiliando uma equipe de pesquisa cardiovascular da Universidade de Nova York, no desenvolvimento de sistemas eletrônicos e mecânicos em bioengenharia, para um programa de assistência ventricular. Tanto este como o projeto dos aparelhos auditivos eram extremamente urgentes. Mas, como Belk, ele estava convencido de que os recentes desenvolvimentos na exploração da mente justificavam um estudo importante e sua dedicação pessoal para tentar promovê-lo.

Quando Belk e Puharich chegaram a São Paulo, as primeiras notícias que receberam foram de Rizzini. A cirurgia, o jornalista disse a eles por telefone, estava perfeitamente visível, apesar da câmera Super 8 e das lentes pouco sofisticadas. Além disso, Rizzini tinha o filme anterior de Arigó, que fora feito antes do início do processo contra o médium. Nessa época, ele realizava cirurgias mais complexas.

Os americanos não perderam tempo e foram direto para o apartamento de Rizzini, onde o projetor já estava instalado, aguardando os cientistas. Eles reviram a operação de Puharich várias vezes.

O cientista estudou o filme atentamente. A única ressalva é que Rizzini tinha calculado para mais o tempo entre a incisão de Arigó e a remoção do tumor: aproximava-se de cinco segundos, não dez. Em vez de uma incisão cirúrgica direta, ele parecia ter raspado a lâmina na superfície do braço, movendo a faca tão depressa que era quase impossível discernir exatamente o que fazia. Se o tumor não tivesse desaparecido completamente do seu braço, e se Puharich não tivesse guardado o lipoma num frasco, ele quase teria pensado que se tratava de um truque de mágica – um truque usado por alguns charlatães das Filipinas. Nos breves segundos que durara a operação, o lipoma desapareceu e um filete de sangue escorreu pelo seu braço.

Como prova do que havia ocorrido, o filme era muito eficaz e também bastava para excluir qualquer possibilidade de alucinação inconsciente, que evidentemente já tinha sido praticamente descartada. Além do mais, a ferida continuava se curando sem infecção; nenhum pus tinha se formado, nenhum envenenamento orgânico era evidente. Dois eventos médicos extremamente improváveis tinham ocorrido: a remoção do tumor e a total ausência de infecção. Havia poucas dúvidas de que Arigó estava praticando um campo da medicina desconhecido, mas que poderia exercer um impacto profundo sobre o mundo todo. As sequências de filmes que se seguiram confirmavam isso.

Nas sequências referentes às cirurgias oculares, não havia nenhuma dúvida, conforme tinham comprovado pessoalmente, de que a lâmina afiada da faca raspava o olho aberto, era enterrada profundamente na região sinovial e manipulada com força, como uma alavanca, para remover parcialmente o globo ocular da órbita, sem que se verificasse, após um exame cuidadoso, nenhuma lesão ou prejuízo ao paciente. Em condições normais, a dor seria literalmente insuportável. Nos filmes que Rizzini fizera um tempo antes, havia um caso de catarata removida em questão de segundos, num paciente totalmente consciente e tranquilo. O jornalista contara que um exame posterior, feito por um oftalmologista, tinha constatado o sucesso da cirurgia.

Outro filme mostrava um paciente consciente, apresentando uma hidrocele, um estado doloroso provocado por acúmulo de grande quantidade de líquido no envoltório dos testículos, que muitas vezes dobra ou triplica de tamanho. No filme, Arigó aparecia enfiando uma seringa enorme na região afetada e esvaziando o líquido numa garrafa de Crush. Quando ela ficou cheia, ele utilizou outra, de Coca-Cola. Durante o tempo da intervenção, que seria muito dolorosa sem anestesia, o paciente ficou calmo e até sorriu para a câmera. Ao terminar de esvaziar o testículo, Arigó disse ao homem: "Agora já pode casar".

Outra cena incrível se seguiu. Arigó operava um grande abscesso, embora sem muita gravidade, nas costas de um homem. Como de costume, ele enterrou a faca brutalmente, fez um corte profundo na região afetada, por onde passavam vários vasos sanguíneos e por isso suscetível a sangramento abundante. O corte quase não sangrou, embora o abscesso tenha sido drenado. Arigó encaminhou o paciente para Altimiro, para que o funcionário terminasse de drenar a ferida. Embora tivesse ficado totalmente calmo e sem dor enquanto o médium o tratava, mal Altimiro o tocou, o paciente gritou de dor. Em outras palavras, qualquer que fosse o poder que permitia a Arigó operar sem dor uma das partes mais sensíveis do corpo, ele não era transmitido ao seu assistente.

Apesar das provas evidentes contidas no filme, dos dados preliminares coletados e da observação direta, feita pelos dois americanos, de literalmente centenas de casos, tudo indicava que a batalha prosseguiria com dificuldade e não seria fácil obter apoio para as futuras pesquisas necessárias. O próprio fato de Arigó afirmar que "incorporava" o espírito de um médico alemão falecido já era o suficiente para afastar os cientistas que porventura se interessassem. Isso aborrecia Puharich e Belk, e abalava a credulidade dos dois. Já era incrível que aceitassem aquelas provas empíricas documentadas, sem ter de considerar um conceito tão estranho à mente prática e que anulava qualquer investigação inteligente antes mesmo de ser iniciada. E, no entanto, aquela estranha afirmação de Arigó, de que era "possuído" por um espírito, não podia ser ignorada ou esquecida, visto que ele insistia em dizer que ela era não só parte integrante do trabalho como a essência da sua habilidade e poderes extraordinários. Muito longe de expandir a explicação a respeito do que o médium fazia e de como era capaz de fazê-lo, aquilo representava um obstáculo. Um cientista que começasse a falar de Arigó e do Dr. Fritz, diante de uma plateia formada por integrantes de uma organização profissional, podcria scr alvo de risadas.

E isso não era tudo: havia relatos de que outros "espíritos" também colaboravam com as façanhas de Arigó como curandeiro milagroso. Esses eram ainda mais inverossímeis do que o "Dr. Fritz" e incluíam vários outros cirurgiões e médicos já falecidos e de várias nacionalidades, além de um frade do século XIII. Belk havia colhido essas informações em sua pesquisa na cidade de Congonhas, e não estava nada feliz com isso. Esses relatos toldavam ainda mais a questão principal: seria Arigó capaz de realizar curas por meio de medicamentos e cirurgias de um modo que desafiava o conceito da ciência médica moderna? E, se fosse, como fazia isso e por quê? Agora ele e Puharich estavam prontos para responder à primeira pergunta, mas o "como" e o "por que" eram obscurecidos por algo que parecia ser folclore e mitologia, e que não era suscetível aos métodos modernos de investigação. Ambos os cientistas estavam dispostos a admitir o potencial dos fenômenos paranormais, graças aos seus estudos anteriores sobre o assunto, mas ambos estavam cautelosos com a possibilidade de fraude.

Até mais desconcertante tinha sido uma conversa com Altimiro sobre outra "explicação" para o fenômeno. Belk tomara nota: "Agora, o ponto mais interessante é que Altimiro disse que Fabiano de Cristo (o frei do século XIII que supostamente era uma das fontes de assistência de Arigó) irradiava um raio verde que era a causa da eficácia das cirurgias. Esse raio é que impedia a dor, dispensava a antissepsia, estancava o sangramento nas cirurgias etc. Ele era invisível para Puharich e eu. Por certo, Arigó e seus ajudantes não conseguiam explicar o fato e, depois de cinco anos, simplesmente o aceitaram como uma realidade. Talvez eu precisasse de óculos especiais".

Puharich estava disposto a adiar, por ora, a discussão sobre todo aquele conceito estranho relativo ao Dr. Fritz e seus supostos companheiros espirituais, e se concentrar nos fatos médicos empíricos sobre Arigó. Aquele já seria um trabalho suficientemente árduo, sem que tivesse que encarar aquela complicação imponderável, que parecia resultar da tradição brasileira fortalecida pela filosofia kardecista.

Quando deixaram São Paulo em direção ao Rio de Janeiro, os dois pesquisadores americanos puderam ver mais de perto um pouco do ambiente daquela forma intelectualizada de Espiritismo. O Espiritismo difere do espiritualismo, pois o primeiro dá mais ênfase às curas espirituais. O espiritualismo já esteve em voga na Inglaterra e nos Estados Unidos, na época de William James*, e ainda continua vivo, mas com menos intensidade. Os adeptos de ambos acreditam que médiuns legítimos, ou "sensitivos", podem documentar casos de telepatia, clarividência e precognição e, em alguns casos, se comunicar com os mortos. Além disso, segundo os espiritualistas, William James, *sir* William Crookes e outros cientistas da época provaram que a escrita automática, em que o médium se torna instrumento de um suposto espírito falecido, é um indício rigoroso de que ele estava em comunicação com o que chamam de mundo espiritual. Os kardecistas do Brasil, incluindo médicos e cientistas, foram mais além. Eles acham que esse poder paranormal pode ser útil na medicina e afirmam ter provas suficientes e reais da sua eficácia na cura de pacientes que a medicina moderna não é capaz de ajudar.

No Rio de Janeiro, Belk e Puharich estudaram mais a fundo essa atitude predominante, com John Laurance, o engenheiro executivo da RCA e da NASA, e também com Luís Rodriguez, um farmacêutico aposentado que devotava praticamente todo o seu tempo à tentativa de consolidar a psiquiatria moderna, utilizando pérolas do pensamento ocidental e técnicas extraídas de uma análise cuidadosa da psiquiatria e da medicina de seus primeiros tempos. Ele achava que Freud, Jung, Adler e outros pioneiros não haviam

---

* Filósofo e psicólogo norte-americano e o primeiro intelectual a oferecer um curso de psicologia nos Estados Unidos. Publicou, em 1902, *As Variedades da Experiência Religiosa*, obra clássica sobre especulações filosóficas relacionadas à religião e à natureza espiritual humana. (N.E.)

chegado às verdadeiras causas da psicose e da neurose. Na opinião dele, as teorias da época de Freud só eram válidas até certo ponto.

Rodriguez concordava com a ideia de Puharich e Belk de que o poder extrassensorial e outros aspectos da mediunidade eram verdades inquestionáveis, mas que a grande maioria dos que se autodenominavam "médiuns" eram uma fraude ou mágicos de entretenimento. Os três estavam de acordo ao afirmar que a cura espiritual existia de várias formas, desde a época de Jesus e antes da psiquiatria moderna, ao tratar distúrbios psicossomáticos. Eles também concordavam em outros aspectos mais esotéricos da parapsicologia, mas o ponto de vista principal de Rodriguez era o de que aquele tipo de fenômeno prevalecia em todo o Brasil e que Arigó era apenas mais um dos muitos que demonstravam poderes semelhantes. Os outros talvez não expusessem suas habilidades como cirurgiões de modo tão dramático, mas havia muitas provas de que realizavam curas consideradas impossíveis pelos médicos.

John Laurance cooperou com a avaliação da cirurgia quase milagrosa de Arigó. Ele também estava convicto de que não se tratava de fraude, como era o caso dos curandeiros das Filipinas. Mas argumentou que o médium deveria ser considerado no contexto de todo o cenário da cura espiritual, que, historicamente, tinha se desenvolvido no ambiente brasileiro. Após um estudo cuidadoso, Laurence descobriu que não era possível negar a autenticidade dos resultados obtidos pelos médicos kardecistas, os quais, apesar da sua extensa formação médica convencional, recorriam a médiuns para corroborar seus diagnósticos e tratamentos.

Por ter muita cautela em seus estudos dos fenômenos psíquicos, Laurence estava descobrindo que, se a mesma luz fria da razão aplicada em seu trabalho científico fosse usada como uma tela para filtrar toda a estática, quanto mais aprendesse sobre essa matéria, menos importantes se tornariam os elementos fantásticos, as superstições e os boatos. Sua formação e experiência eram altamente técnicas e exatas. O trabalho com os sistemas avançados dos veículos espaciais e os programas de satélite da NASA permite uma margem de erro mínima, e ele trouxera a mesma disciplina para suas investigações do paranormal.

Laurence ficou impressionado com o fato de os kardecistas do Brasil terem fundado dois grandes hospitais associados a escolas de medicina, nas quais podiam se inscrever 2 mil estudantes para um curso de quatro anos. Esses hospitais conjugavam o estudo da medicina tradicional com o emprego prático de médiuns, como um complemento que poderia propiciar uma terapia que simplesmente não estava disponível nos canais da medicina ortodoxa. Desse modo, eles descobriram curas que não poderiam ser obtidas de outra maneira.

Uma das técnicas empregadas era uma forma de cirurgia espiritual considerada ainda mais sofisticada do que a de Arigó. Ela empregava médiuns que alegavam ser instrumentos de médicos e cirurgiões falecidos, exatamente como Arigó afirmava. Ambas, portanto, seguiam um dos princípios de Allan Kardec que dizia: *"O mundo espiritual está em contato constante com o mundo material, cada um reagindo* [e interagindo] *o tempo todo ao outro"*.

Kardec, sabendo quanto seria difícil o mundo cético absorver essa premissa, acrescentou: *"Isso foi o que os próprios espíritos ditaram. Se o seu raciocínio disser 'não', rejeite a ideia"*.

Evidentemente, muitos a rejeitaram, mas no Brasil vários outros não fizeram isso. Entre eles estavam kardecistas instruídos e a massa de umbandistas e quimbandistas. E era entre esses adeptos, e aqueles desejosos de experimentar qualquer coisa quando a medicina falhava, que trabalhavam os médiuns psíquicos kardecistas bem treinados.

A técnica deles incluía cirurgias naquilo que os kardecistas chamam de corpo espiritual ou etérico. Médiuns bem treinados usam instrumentos cirúrgicos reais e o paciente é colocado numa mesa cirúrgica. Todos os movimentos do procedimento cirúrgico são realizados, mas nenhuma incisão é feita, visto que se trabalha a alguns centímetros do corpo do paciente. A cena se torna uma verdadeira pantomima de uma operação num hospital moderno. A explicação é que os médiuns estão operando o corpo espiritual, que consideram real, e os resultados se refletiriam no corpo físico. Um número enorme de casos de sucesso foi verificado por médicos responsáveis, mas esse conceito de cirurgia espiritual continua sendo tão estranho aos olhos de uma pessoa comum que grande parte do processo permanece desconhecido para o mundo ocidental.

Do ponto de vista norte-americano, a natureza radical desse conceito é tão remota e estranha que cientistas qualificados o teriam descartado de imediato. A evidência de que pesquisas futuras iam muito além de Arigó demonstrava-se pelo fato de os médicos da Força Aérea Brasileira estarem estudando outro médium no Nordeste do Brasil, que realizava cirurgias muito parecidas com as de Arigó.

Puharich e Belk ficaram intrigados, mas a documentação a respeito de Arigó já representava um trabalho suficientemente árduo. O estudo sobre esse médium já incluiria pelo menos a cirurgia prática, mesmo que a causa subjacente estivesse além do plano físico. Arigó também proporcionava um foco claro e único para o estudo clínico, por mais estranho que fosse. Mesmo assim, os problemas eram monumentais. A simples tarefa de delimitar a extensão da pesquisa já seria um trabalho insano. Embora fosse tentador estender a pesquisa por causa do que está acontecendo em outras partes do Brasil, isso seria simplesmente impraticável.

Rodriguez propôs algumas teorias interessantes que iam além do estudo de Arigó. Ele achava que os conceitos kardecistas, que iam além das crenças místico-religiosas do passado, poderiam ser organizados e apresentados de maneira objetiva e prática, pois isso ajudaria a ciência a compreender a natureza e a mecânica daqueles fenômenos esotéricos. Como resultado, poderiam ocorrer também novos avanços na medicina, na eletrônica e até mesmo na economia e na política. Em consequência, a natureza básica do homem poderia ser desenvolvida e chegar ao nível do seu progresso materialista descontrolado.

Rodriguez mantinha-se firme na sua teoria de que a psiquiatria moderna deixara de lado muitos fatos, ao ignorar a inclusão do chamado mundo espiritual na medicina materialista do homem, no que dizia respeito à psicose e à neurose. Arigó, ao demonstrar o que um homem simples e sem instrução poderia fazer, simbolizava esse vácuo na pesquisa moderna. Rodriguez incentivou Belk e Puharich a prosseguirem sem hesitação e ofereceu toda ajuda possível, quando retornassem ao Brasil.

Todo aquele complexo fenômeno estava no ar em quase todas as paragens do Brasil, e parte dele estava se infiltrando na Europa e na América do Norte. Mas aproveitar aquele clima era outro problema. Quando Belk e Puharich estavam se preparando para deixar o Rio de Janeiro, a imprensa ficou sabendo da cirurgia de Arigó em Puharich e a história se difundiu por todo o país, em manchetes estrondosas. O médium, na verdade, parecia rivalizar com Pelé, a grande estrela do futebol, no que diz respeito à cobertura da imprensa brasileira.

A história da operação de Puharich causou sensação e deixou Puharich e Belk preocupados, pois o sensacionalismo poderia afastar o apoio responsável de que precisavam. Também prenunciava os problemas que poderiam enfrentar ao regressarem ao Brasil para fazer uma pesquisa mais aprofundada. E aquele não era o tipo de coisa que se pudesse fazer numa redoma. Uma grande cobertura da imprensa também poderia ser um obstáculo, caso um pouco dessa publicidade vazasse para os Estados Unidos, antes que os fatos pudessem ser devidamente avaliados e encarados a partir da perspectiva certa.

Para aproveitar adequadamente a pesquisa, Puharich teria que começar com algo concreto e clinicamente admissível. A partir daí, a exploração teria naturalmente que se afastar da órbita convencional, simplesmente pela natureza do que Arigó fazia. Mas era preciso considerar primeiro o que havia de mais importante. Um dos fatos básicos era que, quando o médium usava uma faca para fazer uma incisão, havia evidências esmagadoras, se não provas, de que a faca não causava dor. O segundo fato básico era que, quando ele cortava o corpo de um paciente, a ferida não sangrava ou pelo menos parava de sangrar quando Arigó ordenava verbalmente. O terceiro fator básico é que o ferimento causado pela faca não esterilizada não infeccionava. Esses eram pontos que teriam de ser examinados clinicamente de todos os ângulos possíveis. Até onde levaria o curso dessa pesquisa, isso era impossível dizer.

Ao revisar suas anotações, tanto de suas observações diretas quanto das sequências dos filmes, Puharich tentou justificar o que viu, com base na sua formação médica. Ele estava pensando especificamente nas operações de catarata que Arigó realizava com facilidade e presteza, em questão de segundos. Na cirurgia convencional, o paciente é completamente imobilizado por uma anestesia profunda. A assepsia e a esterilização completas do local são imperativas. A duração de uma operação para remover o cristalino opaco do olho, nessas condições, varia de dez a trinta minutos. Arigó, cujas mãos eram rápidas no manejo da faca, parecia enterrar descuidadamente a lâmina no olho de um paciente totalmente consciente, encostado à parede, e o cristalino parecia quase saltar num passe de mágica. No entanto, não havia mágica ou truque ali, porque Puharich examinara o paciente antes, durante e após o processo, e verificado que o cristalino do olho tinha de fato sido removido. Quanto mais ele refletia sobre isso, mas parecia inacreditável.

Ou na drenagem da hidrocele, que ele vira claramente no filme. Algumas hidroceles são classificadas como elefantíases. Essa é uma condição crônica, na qual os tecidos do escroto aumentam enormemente à medida que o líquido linfático se acumula na bolsa escrotal. Em alguns casos exagerados, um carrinho de mão precisa ser usado para apoiar o órgão aumentado. A hidrocele muitas vezes é causada por um verme nematódio chamado *Wuchereria bancrofti*.

A prática médica convencional consiste em anestesiar completamente a região e drenar, por punção, o saco escrotal, para ocasionar alívio temporário. Isso é repetido, assim como a medicação antibiótica, conforme a condição exige. Mas o procedimento não elimina o bloqueio nos vasos linfáticos que causaram a doença. Em alguns casos, o testículo precisa ser amputado. Mas Arigó fazia essa drenagem sem anestesia e, segundo relatos, ele já tinha conseguido curas permanentes.

Assim como outros inúmeros tratamentos que Arigó fazia, esse era o tipo de coisa que teria de ser testado e analisado. Quando Belk e Puharich retornaram aos Estados Unidos, Puharich já planejara as áreas que precisavam ser exploradas. Toda a história pessoal do médium teria que ser documentada e estudada.

Quais eram as raízes dessa capacidade que permitia a Arigó fazer o que fazia? Qual seria seu arcabouço psicológico, como teria se constituído e influenciado? O que teria ocorrido em sua infância? O que o teria estimulado a se aventurar na sua estranha carreira? Como ele podia trabalhar incansavelmente todos os dias, atendendo a centenas de pacientes? Onde teria aprendido a farmacologia? A hipótese da existência de um Dr. Fritz era tão inacreditável que tornava difícil considerá-la. Embora a caligrafia de Arigó fosse rudimentar, assim como seu nível de instrução formal, a ortografia dos mais modernos produtos farmacêuticos era escrita de forma correta (desde antibióticos até corticoides), assim como a do nome dos principais laboratórios farmacêuticos do mundo, além de ser escrita na velocidade da luz. Era essencial que todas essas perguntas fossem respondidas, para que o fenômeno fosse compreendido.

Belk também fez suas reflexões. O mais difícil para ele era classificar aquilo que observara, de acordo com as disciplinas ligadas a estudos relacionados à parapsicologia. Mas uma prova muito verdadeira já surgira em sua mente: três semanas depois de começar a tomar os remédios da receita irracional que Arigó lhe dera, sua dor nas costas tinha desaparecido.

3

Em 1950, treze anos antes da expedição de pesquisa de Puharich e Belk, a Congonhas, o senador brasileiro Lúcio Bittencourt estava deitado em seu quarto, no Hotel Financial, em Belo Horizonte. Pensamentos conflitantes davam voltas em sua mente. A companha eleitoral estadual e federal daquele ano estava sendo árdua e movimentada. Ele não apenas pretendia se reeleger senador, mas também se aventurar pelo interior do estado de Minas Gerais, esforçando-se para conquistar a simpatia popular a favor de Getúlio Vargas, o candidato quixotesco à presidência da República, que tinha dominado a vida política brasileira durante os últimos vinte anos. Vargas agora estava pleiteando sua volta, depois de cinco anos, após o fim do governo do general Eurico Gaspar Dutra, seu sucessor após os anos da ditadura do Estado Novo. E com essas duas campanhas eleitorais, o senador Bittencourt não tinha mais tempo para nada.

Havia, no entanto, uma outra complicação e bem séria. O médico do senador, no Rio de Janeiro, avisara-o de que os exames de laboratório tinham comprovado que ele tinha câncer no pulmão e que a única esperança era uma cirurgia, pois do contrário tinha poucas chances de sobreviver. O médico recomendara que fosse operado nos Estados Unidos, onde as técnicas cirúrgicas para aquele tipo particular de cirurgia eram mais avançadas.

O senador Bittencourt estava decidido a seguir o conselho do seu médico. Porém, estava tão envolvido na campanha eleitoral que preferiu adiar o tratamento até que acabasse de percorrer todo o território mineiro. Dedicado à causa do Partido Trabalhista Brasileiro, ele julgava que somente Vargas seria capaz de continuar a luta por um tratamento mais justo no que se referia aos trabalhadores, e de fomentar o desenvolvimento da agricultura e da educação.

Poucos dias antes, o senador tinha chegado a Congonhas. Embora fosse uma cidade pequena, politicamente ela era importante, pois estava situada bem no centro da região que explorava a mineração, e os mineiros enfrentavam uma luta penosa contra a pobreza e as condições deploráveis de trabalho.

Ele tinha ficado impressionado com o antigo presidente do sindicato, um jovem dinâmico de 32 anos de idade, que o recebera ao chegar na cidade. Ele se chamava José Pedro de Freitas, era forte como um touro, cheio de energia e um líder nato, dedicado à causa dos trabalhadores. Levou pouco tempo para descobrir que José Pedro era conhecido por todos como Zé Arigó, ou apenas Arigó, palavra que significa "caipira, tolo, simplório, rústico, matuto, as vezes ingênuo", mas era muito querido apesar disso.

O senador não demorou a reconhecer o magnetismo incrível e a boa índole de Arigó. Este, por sua vez, amargurado pelas sombrias condições trabalhistas dos mineiros, garantiu ao senador Bittencourt o apoio ao seu partido. Grato pela assistência, o senador convidou Arigó para levar um grupo de mineiros a Belo Horizonte, a fim de assistirem a um comício que seria realizado no dia seguinte.

Quando chegaram àquela cidade, ficaram sabendo que o comício fora adiado. O senador convidou Arigó para passar a noite no Hotel Financial, um edifício moderno, situado na avenida Afonso Pena, daquela capital em plena evolução. O médium, embora tivesse muito medo de elevador, concordou em ficar e permaneceu num quarto no mesmo andar do senador. Entretanto, insistiu em subir a pé os três andares. Naquela noite reuniram-se na Churrascaria Camponês, com outros membros do PTB, para saborear um churrasco bem temperado, acompanhado de feijão-preto e galinhada. Foi uma noite alegre, regada a muito chope. Arigó preferiu tomar duas taças de vinho, embora raramente bebesse.

As conversas prolongaram-se noite adentro. Apesar das preocupações com a doença, o senador juntou-se aos outros, bebendo várias canecas de chope escuro, seu preferido.

Depois da meia-noite, ele e Arigó regressaram ao Hotel Financial, caminhando pelas largas avenidas da cidade, desertas àquela hora da noite. O senador Bittencourt sentia dificuldade para dormir. O estresse da sua campanha política, aliado à preocupação com seu estado de saúde, roubava-lhe a tranquilidade.

Ele não se lembrava quanto tempo ficou revirando na cama, mas, quando estava quase cochilando, percebeu a porta do quarto se abrindo. À luz difusa do corredor, não podia ver claramente quem entrava. A silhueta robusta assemelhava-se à de Arigó e, quando a luz foi acesa, viu que realmente era ele.

Arigó estava ali, segurando uma navalha na mão. Seus olhos pareciam vidrados, o olhar distante, como se nada houvesse à sua frente. Aproximou-se da cama e o senador o fitou, mudo e estarrecido. Lembrava-se vagamente de sua visão ter ficado enevoada e o vulto de Arigó dissolver-se numa forma indefinível. Mas, por qualquer razão, não sentiu medo ou temor. Talvez estivesse sendo vítima de uma alucinação... Não gritou e nem tentou falar nada. E lembrou-se de ouvir a voz de Arigó dirigindo-se a ele num sotaque alemão muito pronunciado. A voz lhe dizia que se tratava de uma emergência e que seria preciso uma cirurgia.

Naquele momento, o senador Bittencourt perdeu os sentidos. Ao voltar a si, a luz continuava acesa e seu relógio marcava cinco horas da manhã. Não havia ninguém no quarto. Sentia-se muito fraco e abatido, mas sentou-se na cama quando se lembrou da figura de Arigó entrando no quarto. A princípio, aquela recordação era vaga, mas aos poucos foi tomando corpo em sua mente. Ele se lembrou perfeitamente do médium entrando no quarto com uma navalha na mão e dizendo num sotaque gutural que era preciso uma cirurgia de emergência. Recordou-se ainda de que não sentira medo. Infelizmente, porém, não se lembrava de mais nada a partir do momento em que desmaiara.

Rapidamente, o senador despiu o pijama e examinou o próprio corpo. Viu uma grande mancha de sangue no tecido do pijama e reparou que ele tinha sido cortado nas costas. Levantou-se muito trêmulo e dirigiu-se ao espelho. Virando-se de costas, percebeu claramente uma incisão perfeita na altura das costelas. Sobre ela, havia sangue coagulado.

Movendo-se lentamente por causa da fraqueza, ele se trocou. Agora estava realmente tremendo de medo, praticamente em pânico. Aquela calma inexplicável que se apossara dele, quando Arigó se aproximou com a navalha, tinha se desvanecido. E, deixando o pijama manchado de sangue em cima da cama, dirigiu-se pelo corredor até o quarto de Arigó. Com as pernas bambas, bateu na porta e o outro a abriu, ainda não totalmente acordado.

Bittencourt disse que necessitava muito de um remédio e pediu que o amigo o acompanhasse imediatamente a uma farmácia, que mais tarde explicaria por quê. Intrigado e confuso, o outro se vestiu e o acompanhou. Em silêncio, dirigiram-se a uma farmácia situada à avenida Afonso Pena, naquela hora sem clientes.

Logo ao entrarem na farmácia, Bittencourt pediu que lhe dessem algum remédio, explicando que não se sentia bem. Seus joelhos fraquejaram e ele desmaiou, desabando no chão. Arigó o socorreu, enquanto o empregado da farmácia saía correndo para a rua, à procura de uma viatura. Voltou em seguida com um policial. Bittencourt começara a recuperar a consciência e Arigó, achando que o senador tinha bebido demais na noite anterior, procurou explicar aquele mal-estar com base nessa suposição. Depois de tomar uma xícara de chá, o senador se sentiu melhor e se mostrou disposto a voltar para o hotel.

Enquanto caminhavam lentamente, ele contou a Arigó o motivo que o fizera desmaiar. Ele tinha visto o amigo entrar em seu quarto durante a madrugada e o operado nas costas. O médium ficou atônito. Acusou-o de ter bebido demais durante o jantar, mas Bittencourt continuou insistindo na história. Admitiu que, de início, presumira se tratar de uma alucinação, mas agora a lembrança era clara em sua memória. O pijama manchado de sangue e o corte nas costas provavam o que afirmava.

Arigó protestou, insistindo em dizer que não tinha feito nada daquilo. De volta ao quarto do senador, ele examinou o pijama cortado, a mancha de sangue e a incisão nas costas do senador. Não havia dúvida. Bittencourt fora realmente operado. O corte era recente e ainda estava ensanguentado. Mas Arigó insistia em dizer que não tinha nada a ver com o que sucedera. O senador Bittencourt, preocupado e nervoso, declarou que iria imediatamente para o aeroporto e tomaria o primeiro avião para o Rio de Janeiro, onde consultaria seu médico.

Arigó estava quase em estado de choque. Embora não pudesse se lembrar de ter ido ao quarto de Bittencourt, sabia que havia tempos era perseguido por vozes estranhas. Ele ajudou o senador a pegar um taxi, balbuciando quase de modo incoerente que, se realmente fizera uma coisa daquelas, não conseguia se lembrar de nada.

Depois de ter deixado o senador a caminho do aeroporto, Arigó tratou de pegar seu jipe para voltar a Congonhas. Estava tenso e nervoso. Independentemente do que tivesse acontecido, ele se conhecia muito bem e sabia que nunca faria nada por desonestidade ou imprudência. Todavia, se *de fato* praticara aquela temeridade, deveria estar à beira da loucura. Então ele rezou para que o médico do senador Bittencourt confirmasse que ele não tinha feito nenhum mal ao amigo, se é que realmente tinha feito alguma coisa.

Durante o percurso de uma hora e meia, entre Belo Horizonte e Congonhas, Arigó teve bastante tempo para refletir sobre o ocorrido. Pensando no que vinha lhe acontecendo nos últimos anos, ele se convenceu de que as coisas relatadas pelo senador Bittencourt podiam realmente ter ocorrido – embora ele não conseguisse se lembrar de nada.

Era difícil dizer quando tudo começara. Arigó tinha nascido na fazenda do pai, em 18 de outubro de 1918, e sua infância transcorrera normalmente. Eram oito irmãos, todos sadios e robustos, e a vida transcorria simples e farta. O pai, Antônio de Freitas Sobrinho, possuía vários lotes de terra e os cultivava com dedicação. Ele tinha sido deputado de Congonhas, até mesmo presidente da câmara municipal e continuava como um de seus membros. Alguns dos parentes de Arigó eram ricos, entre eles uma tia que possuía várias fazendas e um tio que estava para ser eleito prefeito da cidade.

Embora a maioria dos irmãos tivesse cursado faculdade, incluindo um que se diplomara em Direito e outro que se tornara padre, Arigó nunca fora bom aluno e abandonara os estudos ao chegar ao terceiro ano primário. Contentava-se em trabalhar na lavoura do pai e, vivendo uma infância mal estruturada, tinha tempo de sobra para esbanjar com os vários amigos que se juntavam à sua volta. Era também muito vigoroso para sua pouca idade. Seu nome de batismo, José Pedro de Freitas, fora substituído pelo de Arigó, que, embora significasse "caipira", era empregado afetuosamente pelos amigos. Ele não se importava com isso e sentia-se feliz com o apelido.

Mesmo em seu breve período na escola, ele já se sentia importunado pelo que descrevia como sendo "uma bola de luz tão brilhante que quase me cegava". Também sentia uma forma um tanto persistente de alucinação auditiva, definindo-a como se fosse "uma voz que falava num idioma estrangeiro". Isso ocorria esporadicamente demais para que ele desse importância ao fato, e aprendeu a conviver com a tal voz. Também evitava comentar o assunto com qualquer pessoa, até mesmo com a família.

Todos da família Freitas eram católicos praticantes e Arigó cresceu nessa tradição. A Igreja do Bom Jesus de Matosinhos situava-se no alto de uma colina, de onde se viam os telhados vermelhos das casas da cidadezinha. Ela era guardada pelas magníficas esculturas dos doze profetas, de Aleijadinho, que despertavam respeito e devoção até mesmo naqueles que não eram católicos. Arigó acreditava em seu credo e o professava com o mesmo fervor que devotava a tudo que fazia.

Ele costumava ser um sujeito franco e direto, indiferente a sutilezas e requintes de linguagem. Empregava muitas vezes um vocabulário grosseiro, mas fazia isso com um charme que impedia críticas. Dizia o que pensava sem titubear, espontaneamente. E às vezes era até extravagante. Entretanto, era um homem sensível e podia se emocionar até as lágrimas. Era muito afetuoso e costumava abraçar os amigos "com ardor", segundo o comentário de um deles. Demonstrava compaixão. Gostava de todos e especialmente das crianças. Era teimoso e firme em suas decisões, mesmo se elas o desfavorecessem.

Congonhas era uma cidade católica. Nela havia dois conventos situados quase no topo da montanha, sendo que às vezes só se conseguia chegar lá num jipe. A família de Arigó, muito devota, contribuía com generosos donativos tanto para a Igreja como para os conventos. Embora o Catolicismo no Brasil seja mais flexível e menos preponderante do que em outros países da América Latina, na época ainda representava uma força poderosa que atraía noventa por cento da população. No entanto, como enfatiza Pedro McGregor em seu célebre livro *The Moon and Two Mountains*, os grupos espiritualistas, vistos com suspeita pelos católicos, tinham 71 orfanatos, contra 73 católicos e 25 protestantes. E quanto aos asilos e albergues, os espíritas, sobrepujando seu espírito de caridade, tinham 125, contra os 81 dos católicos e os 25 dos protestantes. Os católicos de Congonhas sentiam-se particularmente incomodados com a intrusão dos "espíritas", quer se tratasse da Umbanda, da Quimbanda ou dos kardecistas, e preocupavam-se com quaisquer movimentos que pudessem advir desses credos.

Logo no início de 1943, Arigó começou a se interessar pela sua prima Arlete e acabou por se apaixonar por ela. Quando se casaram, no fim daquele ano, a família ficou muito feliz, pois Arlete também era uma católica fervorosa, além de ser uma moça simpática e inteligente. Na época, aos 25 anos, Arigó abandonou a lavoura do pai e foi trabalhar numa mina de ferro, onde sua força e compleição musculosa eram de muita utilidade.

Levantava-se às três da manhã, pois a mina ficava a mais de dez quilômetros de distância. Tanto ele como a maioria dos colegas de trabalho costumavam fazer o percurso a pé, na ida e na volta do trabalho. Seus esforços eram recompensados com um salário baixo e vários calos nas mãos, devido ao manejo da picareta o dia inteiro.

As condições de trabalho eram brutais. A maioria dos mineiros não conseguia sobreviver com o salário que ganhava. Segundo Arigó contou a um amigo, alguns deles levavam para a mina uma marmita vazia, para disfarçar o fato de não terem dinheiro para comprar comida. Arigó revoltou-se com a situação e sua indignação foi aumentando até que, depois de eleito presidente do sindicato na região, instigou os ânimos dos trabalhadores para que entrassem em ação. O resultado foi uma greve liderada por Arigó.

Embora a Constituição de 1946 protegesse o direito a greve, tanto o governo federal quanto o estadual se reservaram o direito de considerar a greve ilegal, sem a inconveniência de sofrer um processo na justiça. O raciocínio por trás dessa atitude era a ideia de que qualquer um que insuflasse uma greve provavelmente era comunista. Fosse ou não, era declarado como tal.

Arigó não era comunista, mas a polícia foi chamada mesmo assim. Ele foi despedido, mas resolveu que continuaria a lutar contra as injustiças sofridas por ele e os companheiros. A esposa, Arlete, concordava com sua luta e, para apoiá-lo, começou a trabalhar como costureira. O pai também passou a apoiá-lo e emprestou dinheiro ao filho para que montasse um bar e restaurante, que ficou conhecido como "Bar do Arigó".

Até certo ponto, o restaurante deu certo. A popularidade de Arigó contribuiu muito para isso, mas sua generosidade não o beneficiava. Não conseguia resistir quando um amigo lhe pedia dinheiro emprestado ou um desconhecido lhe pedia um prato de comida. Ele vendia fiado e sem muito critério. Todo dinheiro que emprestara do pai foi aplicado no restaurante. Restava-lhe muito pouco para as suas despesas pessoais, mas ele e a família, que começava a crescer, conseguiam sobreviver, na casinha velha da rua Marechal Floriano.

Arigó continuou em atividade, enquanto seu negócio subsistia graças aos muitos turistas que vinham ver as esculturas impressionantes de Aleijadinho. Mas, à medida que os filhos iam nascendo, um atrás do outro, ele começou a ter sonhos perturbadores e persistentes. Neles, a mesma voz gutural falava com ele num idioma que parecia alemão, língua que ele já ouvira antes, mas não entendia. Os sonhos às vezes eram acompanhados de uma dor de cabeça insuportável, que o despertava e para a qual não conseguia encontrar alívio. Chegou ao ponto de ter tanto medo da dor que tinha receio de dormir à noite.

Não queria contar a ninguém sobre aquela angústia, mas acabou contando a Arlete sobre a dificuldade que sentia para dormir à noite. Às vezes, ele chegava a chorar de desespero. E, para não incomodar a esposa, ele se levantava, se vestia e ia andar pela cidade, até que a dor passasse. Outras vezes, Arlete acordava e se deparava com o marido chorando ao lado dela, na cama.

Uma noite, ele teve um sonho tão vívido que não conseguiu tirá-lo da cabeça. Estava numa sala de cirurgia. Havia um grupo de médicos e enfermeiros em volta de um paciente numa maca e todos vestiam uniformes cirúrgicos. Pareciam estar manejando instrumentos cirúrgicos, com movimentos precisos e contínuos. Um homem calvo e robusto comandava o grupo, falando com o mesmo sotaque e tom de voz que o atormentavam havia tanto tempo. O que mais perturbou Arigó não foi a cena em si, mas quão real ela parecia. Ele não conseguia separá-la da realidade. E, noite após noite, o mesmo sonho voltava.

Apesar de tudo, era capaz de afastar aquele sonho dos pensamentos quando amanhecia. Seu estabelecimento comercial estava prosperando e assim ele pôde comprar algumas propriedades e aplicar algum dinheiro no negócio de compra e venda de carros usados, obtendo alguns resultados. Toda vez que o sonho se repetia, e com ele as dores de cabeça que só aumentavam, ele costumava subir a ladeira de pedras que levava à Igreja de Bom Jesus para rezar.

Não passou muito tempo até que, numa noite, o sonho deixou de ser só um pesadelo e se tornou uma verdadeira alucinação. O médico calvo e robusto identificou-se como sendo o Dr. Adolf Fritz. Contou que morrera durante a Primeira Guerra Mundial e que seu trabalho no plano terreno não estava terminado. Fazia muito tempo que vinha observando Arigó e estava a par de sua generosidade e seu amor pelo próximo. Escolhera-o como um instrumento vivo para continuar seu trabalho, com o auxílio de outros espíritos, que também tinham sido médicos antes de morrer. E caso Arigó desejasse encontrar paz novamente, teria que começar a servir aos doentes e sofredores que precisassem dele. Bastaria que ele segurasse nas mãos um crucifixo que fora encontrado havia algum tempo na fazenda do pai e, desse modo, poderia curar os doentes.

Aquele médico ali em pé na frente dele e as instruções que dava eram tão reais que o pavor se apossou de Arigó. Ele saltou da cama e saiu gritando, nu, pelo meio da rua. Dentro de poucos minutos, uma multidão se reuniu em torno dele e Arlete saiu correndo de casa, atrás do marido. Vários amigos atraídos pelos gritos também saíram na rua e conseguiram levá-lo de volta para casa. Ele soluçava e balbuciava palavras incoerentes.

A situação, evidentemente, parecia bem grave. De volta à sua casa, Arigó conseguiu se acalmar, enquanto mandavam chamar o dr. Venceslau de Souza Coimbra, médico da família. Como não encontrou nenhum problema físico, o médico receitou um sedativo. Recomendou, porém, que Arigó consultasse imediatamente um psiquiatra. O médium não contestou. Estava convencido de que sofria de alucinações e que era totalmente incapaz de combatê-las sozinho. Chamaram também o padre Penido, que começou a rezar com ele.

O sacerdote ouviu atentamente enquanto Arigó lhe contava seus estranhos sonhos e alucinações. Mas, se o padre Penido escutou com a máxima atenção tudo o que Arigó lhe dizia sobre o último sonho e do conselho daquele alemão estranho, para que saísse curando os doentes, é porque havia uma boa razão. A Igreja Católica de Congonhas, como a de qualquer outro lugar, não queria ver o Espiritismo se infiltrando entre os fiéis, quer ele incluísse rituais da Quimbanda ou o intelectualismo dos kardecistas. Até então, Congonhas tinha sido poupada daquela influência perniciosa e o sacerdote católico desejava ardentemente que a situação continuasse assim.

Aquilo que Arigó contava ao padre, sobre os sonhos e as alucinações, era alarmante porque demonstrava, segundo afirmavam os espíritas, um sinal do desenvolvimento da mediunidade. Arigó era um católico praticante. Sabia muito pouco ou talvez nada a respeito de Allan Kardec. Mas com seu carisma peculiar e natureza ingênua, poderia ser perigoso para a instituição católica, caso quisesse levar adiante seu trabalho de curandeiro ou médium. O padre avisou Arigó sobre o perigo que estava correndo e disse que providenciaria imediatamente para que ele fosse examinado por um clínico geral e por um psiquiatra de Belo Horizonte.

Arigó concordou sem demora. E, no dia seguinte, viajou para aquela cidade, onde se submeteu a um exame clínico completo, que incluiu radiografias e exames de sangue. Sua consulta com o psiquiatra foi longa. Nenhum dos médicos encontrou algo particularmente inquietante. A saúde física do homem parecia excelente e o psiquiatra não encontrou nenhum sintoma de uma psicose manifesta, nem mesmo de uma neurose. Exames posteriores confirmaram as conclusões originais.

No entanto, as dores de cabeça, os sonhos e as alucinações continuaram. Apesar da angústia e do sofrimento que ocasionavam, Arigó continuava se dedicando aos seus negócios e até começou a se envolver na política da cidade. Revoltava-se ainda contra as injustiças que sofrera quando trabalhava na mina e sentia que o único modo de combatê-las era apoiar a causa trabalhista. Continuou ouvindo os conselhos do padre Penido e de outros membros do clero, além de prosseguir com o tratamento médico. Nenhum sintoma físico foi encontrado. Ocasionalmente, durante o dia, sofria um desmaio rápido e, ao voltar, não se lembrava de nada. Convenceu-se de que estava enlouquecendo e suplicou ao padre e ao médico que não deixassem de ajudá-lo.

Por fim, devido à natureza das alucinações, sugeriram-lhe a possibilidade da possessão. O padre Penido decidiu que era necessário recorrerem ao ritual de exorcismo da Igreja e este foi realizado com base em todo o antigo cerimonial que caracterizou esse rito ao longo da história da Igreja Católica: a queima de incenso; a recitação das litanias e adjurações; a bênção da casa, a fim de livrá-la dos espíritos sofredores.

Aparentemente, os espíritos não foram muito receptivos, porque o ritual não surtiu efeito. Os sonhos e as alucinações, por outro lado, não pareciam ter relação com espíritos malignos. Pelo contrário, a atitude do suposto Dr. Fritz era benevolente. Arigó, porém, sentia-se completamente exausto de tanto resistir ao médico alemão do mundo espiritual. Independentemente do que os outros pensassem, os acontecimentos que transtornavam o médium eram absolutamente reais para ele.

Quase no auge do desespero, ele começou a imaginar o que poderia ocorrer se desse ouvidos às instruções inflexíveis daquele que se autodenominava Dr. Fritz. E não demorou muito até que tivesse a oportunidade de fazer essa experiência. Encontrou-se com um conhecido deficiente, que usava muletas e era visto com simpatia e compaixão por toda a cidade. Arigó se pegou falando sem pensar, naquele seu modo tosco e grosseirão: "Já é hora de você largar essas muletas!". Em seguida, arrancou as muletas do homem e ordenou que andasse. O outro obedeceu, conseguiu dar alguns passos trôpegos e, dali em diante, não usou mais as muletas.

Muito longe de se sentir aliviado, aquilo só deixou Arigó mais horrorizado. Caso tudo fosse verdade, era sinal de que ele tinha sido investido de uma responsabilidade enorme, que não tinha meios de sustentar de modo racional. Além disso, tinha sido avisado, pelo padre Penido, acerca dos males causados pelo Espiritismo e pela filosofia kardecista, e não queria, de modo algum, contrariar os dogmas da Igreja Católica. Apesar do medo que sentia, tentou novamente a experiência com outros amigos que se queixavam de vários problemas de saúde. Para isso, usava apenas uma ordem verbal. Eles começaram a espalhar que, qualquer que fosse o poder de Arigó, ele funcionava. Às vezes, as outras pessoas tinham que lhe contar que ele dera esses comandos, pois Arigó não se recordava de nada. Por mais estranho que fosse, as dores de cabeça e as alucinações cessaram logo depois das primeiras semanas em que deu vazão aos impulsos enviados pelo Dr. Fritz.

E não foi preciso muito tempo para que a notícia se espalhasse pela cidade, obrigando o padre Penido a logo aparecer na casa de Arigó. O sacerdote repreendeu-o com severidade, mostrando que suas atitudes se opunham à Igreja. Ele começou a ser chamado de *curandeiro*, palavra que muitas vezes era pronunciada com ironia, como sinônimo de impostor ou charlatão. Arigó ouviu atentamente o sermão que o padre lhe fez. Para a Igreja Católica, ele não passava de um rebelde. Além disso, era rechaçado por causa do que os padres já haviam lhe dito a respeito do Espiritismo: que era uma heresia de primeira ordem e ele devia evitá-la a todo custo. Arigó confessou sua fraqueza, dizendo ter cedido às instruções do Dr. Fritz e concordou em parar com tudo.

Uma de suas primeiras providências foi colocar na frente da porta de sua casa um cartaz bem grande, com os dizeres:

NESTA CASA SOMOS TODOS CATÓLICOS.
ESPIRITISMO É COISA DO DEMÔNIO.

Arlete, cuja preocupação era ainda maior do que a do marido, ficou muito satisfeita com essa providência. Talvez agora pudessem viver em paz.

Mas Arigó muito em breve teve que voltar atrás, quando os sonhos, as alucinações e as dores de cabeça recomeçaram com fúria, acompanhadas de lapsos de memória ao longo do dia, períodos em que ele não se lembrava absolutamente de nada. Arigó fez mais visitas a Belo Horizonte e, desta vez, consultou vários médicos e psiquiatras. A imagem do Dr. Fritz, porém, tornou-se ainda mais insistente.

Embora de início toda aquela confusão não afetasse seus negócios no restaurante, Arigó preocupava-se com o que poderia acontecer com suas ambições políticas. Ele conhecia bem seus motivos, para saber que suas aspirações políticas não visavam lucros pessoais, mas se originavam de um impulso verdadeiro e quase irresistível de auxiliar o próximo. E não era um impulso idealista casual. Na verdade, às vezes era como uma obrigação e ele se preocupava com isso. Arigó tinha muitos amigos que trabalhavam numa fábrica que passava por uma situação financeira difícil. Muitos deles se preocupavam com a possibilidade de perderem o emprego e Arigó lhes oferecia um crédito quase sem limites. Fazia o mesmo com muitas outras pessoas e não conseguia deixar de emprestar dinheiro a quase todos que lhe pediam. Como não era um bom negociante, depois de algum tempo de uma breve prosperidade, alarmou-se ao descobrir que estava à beira de um desastre financeiro. Apesar disso, em várias ocasiões, continuou a coletar e comprar roupas para as famílias mais pobres.

No momento, ele se deparava com um novo e inesperado impulso do Dr. Fritz e sua consciência vivia um conflito entre o ímpeto obsessivo de dimensões desconhecidas e a Igreja Católica, que o consideraria um herege caso ele sucumbisse àquele ímpeto indefinível. Em 1950, com a idade de 32 anos, ele vivia nesse estado de confusão, quando o senador Bittencourt chegou a Congonhas para lhe pedir apoio político.

A lembrança de todos aqueles acontecimentos caóticos ainda era viva em sua memória, enquanto Arigó dirigia seu jipe a caminho de Congonhas. Por mais profunda que fosse sua preocupação com o próximo, ele sempre dirigia com muito pouco-caso pela própria vida e pela sua integridade física. No Brasil, como em praticamente todos os países em desenvolvimento, as pessoas ainda não estavam convencidas do perigo mortal que podia representar um veículo, apesar dos acidentes fatais que ocorriam nas estradas. Arigó encontrava-se num estado de grande tensão e nervosismo devido ao que ocorrera no quarto do senador Bittencourt e, mais uma vez, sentia-se atormentado pelo medo de que estivesse à beira da loucura.

Enquanto fazia as curvas fechadas da estrada para Congonhas, cantando pneus, sua mente dava voltas, tentando se lembrar se ele realmente havia entrado no quarto do senador com uma navalha na mão e realizado aquela cirurgia. Não conseguia se lembrar de absolutamente nada e, quando arrumara a mala, a navalha estava no lugar de sempre, sem nenhum sinal de sangue. Ele tinha bebido apenas dois copos de vinho e se lembrava perfeitamente quando se deitara e caíra no sono. Depois disso, lembrava-se apenas do senador batendo em sua porta e pedindo que o acompanhasse até a farmácia.

O que o deixava ainda mais apavorado era pensar no que poderia acontecer depois que o avião do senador Bittencourt chegasse ao Rio de Janeiro. E se o senador resolvesse instaurar um processo contra ele? O que aconteceria se a "cirurgia" lhe causasse a morte? O que diria o médico quando visse o que tinha acontecido? Que o senador passara por uma cirurgia, isso era inegável. E com todos aqueles boatos sobre suas proezas como curandeiro, comentados pelos moradores da cidade e registrados pela Igreja e pelos médicos de Belo Horizonte, para eles seria lógico presumir que Arigó fizera a intervenção, mesmo que ele não conseguisse se lembrar de nada. Todo o problema atingira um novo patamar e ele não sabia como lidar com isso.

Foi confuso e transtornado que Arigó chegou a Congonhas, no final da manhã. Antes de tudo, ele precisava decidir se deveria contar a alguém sobre o que ocorrera. Tanto o padre Penido quanto Arlete ficariam extremamente perturbados se ele lhes contasse e haveria um verdadeiro alvoroço na cidade. Já havia boatos demais a respeito daquelas curas intrigantes que haviam resultado de seus atos anteriores. Pensou muito se falaria ou não, mas não conseguiu chegar a nenhuma conclusão.

Muito em breve, porém, a decisão seria tomada à revelia dele. Arigó recebeu notícias surpreendentes do senador Bittencourt. O político fora diretamente do aeroporto para o consultório do seu médico, no Rio de Janeiro. Ele o examinara, observara a cicatriz e tirara radiografias. Devido ao caráter sobrenatural do que acontecera no quarto de hotel em Belo Horizonte, a princípio o senador ficou constrangido em contar ao médico sobre a cirurgia espiritual, até que o exame fosse concluído. Apenas mencionou que tinha sido operado.

O médico carioca presumiu que a cirurgia tivesse sido feita nos Estados Unidos, conforme aconselhara, e ficou muito satisfeito com os resultados das radiografias. Explicou ao senador que o tumor tinha sido totalmente extirpado por uma técnica muito incomum e aparentemente desconhecida no Brasil. E só lhe cabia dizer que o prognóstico era excelente. Entretanto, antes da cirurgia, ele tinha sido muito pessimista, chegando mesmo a pensar que o senador não teria muito tempo de vida. O médico pediu exames adicionais, mas o quadro mudara por completo: de desespero total para o de otimismo irrestrito.

E foi então que o senador contou ao médico o que realmente acontecera. Ele ouviu, incrédulo. Não achava possível acreditar naquela história. O senador, porém, insistiu, e o médico foi obrigado a aceitar a explicação. Caso aquilo fosse realmente verdade, e ele confiava na veracidade das palavras do senador, seria preciso realizar alguma espécie de estudo, para verificar as habilidades daquele raríssimo curandeiro. Ou fariam o estudo ou então a Associação Médica Brasileira teria que instaurar um processo contra ele. Enquanto isso, só lhe restava afirmar que o senador Lucio Bittencourt era agora um homem sadio e, caso os exames futuros fossem favoráveis, conforme ele acreditava que seriam, o senador gozaria de uma ótima saúde dali em diante.

Os exames adicionais foram *de fato* favoráveis e Bittencourt não era homem de manter segredo sobre algo tão miraculoso. Depois de ter enviado aquelas notícias inacreditáveis para Congonhas, o senador começou a contar a história para todos que quisessem ouvi-la. Em poucos dias, ela estava nos jornais de todo o Brasil. Em Congonhas, Arigó tornou-se herói do povo da noite para o dia – para consternação tanto da Igreja quanto da sua família. O médium protestava, dizendo que não tinha certeza de ter realizado tal cirurgia e que, se ela realmente ocorrera, não representava senão um dos inúmeros fatos que só lhe traziam ansiedade e apreensão.

Toda aquela exposição causada pelo senador Bittencourt causou a mais veemente desaprovação da Igreja. O padre Penido tratou de entrar em contato com Arigó, para lembrá-lo da promessa que fizera de dar um fim àquele comportamento. As coisas já tinham ido longe demais. O médium protestou, dizendo que não era capaz de dar fim a algo de que não se recordava nem tinha consciência de ter feito. E garantiu ao padre, com toda a sinceridade, que nada fizera para quebrar a promessa. A situação apresentava um aspecto desconcertante que exigia toda a competência do padre Penido para tentar encontrar uma resposta viável. O problema era quase imponderável e ressuscitava o espectro do Espiritismo justamente onde ele era menos bem-vindo.

Embora preocupada, Arlete consolou, apoiou e procurou auxiliar o marido angustiado. A vida dele parecia ter se tornado uma sucessão de graves aborrecimentos, que afetavam os negócios, suas ambições políticas e sua estabilidade psicológica.

Enquanto isso, as alucinações relacionadas ao Dr. Fritz não cessavam e tudo indicava que isso não aconteceria tão cedo. Devido à honestidade e ao carisma de Arigó, a maioria de seus conterrâneos permaneceu tão leal a ele quanto Arlete. O senador Bittencourt voltou à cidade, fazendo muitos elogios às extraordinárias habilidades cirúrgicas de Arigó, o que encorajou um pequeno grupo espírita da cidade a se manifestar com mais veemência. Eles achavam que o Espiritismo era a única explicação possível para o suposto milagre que Arigó realizara. Na visão deles, o homem era um médium de boa-fé, embora ainda não tivesse alcançado todo o seu potencial.

Os espíritas foram ainda mais longe. Afirmaram que, em algumas das suas sessões mediúnicas (realizadas segundo as tradições kardecistas e sem nenhuma relação com os rituais da Umbanda), o Dr. Adolf Fritz se apresentara a eles. Dissera-lhes que levara dezesseis anos preparando Arigó para que pudesse realizar aquelas curas. O médico alemão desencarnado, segundo afirmaram por intermédio de um médium, declarou que estivera trabalhando no norte da Bahia com a colaboração de outro médium, mas que este não possuía as mesmas virtudes altruístas de Arigó, e tudo indicava que estivesse se aproveitando de seus dons mediúnicos para um enaltecimento pessoal, para não falar em vantagens comerciais. Considerando que uma das regras mais estritas da filosofia de Kardec é que nenhum agente de cura aceite qualquer remuneração pelo seu trabalho, o Dr. Fritz se voltara para Arigó, por ter certeza de que ele não violaria aquele princípio.

Quando Arigó soube dessa teoria, descartou-a. O pouco que sabia sobre médiuns tinha vindo dos conselhos pungentes do padre Penido e certamente o clérigo não concordaria com nada daquilo. Ainda angustiado, ele tentou continuar sua rotina, mesmo em face dos acontecimentos que se sucediam numa rapidez incrível, sobrecarregando sua vida.

Por mais difícil que fosse, ele procurava assumir uma postura de normalidade. Nem todos os padres católicos se mostravam tão severos quanto a postura oficial da própria Igreja. O padre Pascoal, que ensinara a Arigó as noções do catecismo, gostava muito dele e sentia que tinha qualidades espirituais de grande beleza e profundidade. Esse padre servira na Segunda Guerra Mundial como capelão e, nos campos de batalha, observara coisas estranhas que não podiam ser explicadas. Em resultado, estudara o hipnotismo e a parapsicologia. Estava convencido de que Arigó passava por uma espécie de experiência paranormal, que merecia um estudo mais aprofundado. Consolou o médium, pedindo que tivesse fé e coragem. E acrescentou: "Deus põe as coisas em seus devidos lugares e no momento certo. Ele escreve certo por linhas tortas".

O burburinho que se espalhou pelas ruas quando o senador Bittencourt apareceu com as notícias sobre sua cura repercutiu por toda parte. José da Cunha, o prefeito de Congonhas, crescera com Arigó naquela cidadezinha. Ele tentou reconstituir os antecedentes do amigo para explicar o fenômeno que parecia estar se tornando uma lenda urbana. Mas não conseguiu muita coisa para esclarecer as raízes dos misteriosos poderes de Arigó. Este sempre mantivera seus amigos fascinados com suas histórias e casos, parecendo ter sempre um ponto de vista atual sobre tudo. Vivia demonstrando seu eterno bom humor e fazendo piadas constantes com os amigos. O prefeito não podia resistir à tentação de imaginar se todos aqueles acontecimentos recentes não seriam mais uma das piadas de Arigó. Fosse como fosse, ele estava convencido da bondade do amigo e da afeição incondicional que sentia por todas as pessoas. O que sucederia após aquela estranha série de acontecimentos, nem ele nem ninguém na cidade poderia prever.

E o que ocorreu em seguida foi tão repentino que causou um dos maiores choques já vividos pelos habitantes de Congonhas.

A mulher estava muito doente. Sofria de câncer no útero. Já não havia mais esperanças e ela podia morrer a qualquer momento. Deitada na cama, estava cercada pelos parentes e amigos mais próximos. As velas estavam acesas no quarto silencioso e o padre já chegara para administrar a extrema-unção, a última cerimônia do ritual católico. Aquela família era muito amiga de Arigó, e ele e Arlete tinham ido até lá para prestar a última homenagem à moribunda. Era uma ocasião solene e triste.

O padre se retirou depois de dar a extrema-unção. No silêncio que se seguiu, Arigó, com a cabeça baixa, fazia uma prece silenciosa, como todos os outros. Logo em seguida, começou a experimentar uma sensação que já se tornara sua conhecida. Era uma vibração que começava na cabeça e se estendia pelas pernas. Foi invadido por um tremor e seus olhos ficaram enevoados.

E, sem aviso, ele precipitou-se até a cozinha e em seguida voltou para o quarto, com uma grande faca nas mãos. Com voz austera e tom autoritário, mandou que os presentes ficassem afastados. O grupo ficou aterrorizado e nem ousou se mexer. Afastando os lençóis, ele abriu as pernas da mulher e enfiou o facão diretamente na vagina, enterrando-o violentamente, retorcendo a lâmina e cortando a carne para alargar a abertura.

Uma das parentes gritou e saiu correndo do quarto. As outras pessoas permaneceram petrificadas. A moribunda manteve-se tranquilamente deitada e imperturbável, enquanto ele continuava manejando a faca sem misericórdia, dilacerando a carne. Em seguida, Arigó retirou a lâmina e introduziu a mão na abertura, fazendo um movimento violento de torção com o punho. Em questão de segundos, retirou a mão, após ter arrancado do útero um tumor enorme e sangrento, do tamanho de uma laranja pequena. Dirigiu-se à cozinha, atirou a faca e a massa sanguinolenta dentro da pia, e depois deixou-se cair numa cadeira que havia ao lado.

Tudo aconteceu tão depressa que os presentes simplesmente não puderam acreditar nos próprios olhos. Com exceção do sangue que saíra com o tumor, não havia nenhum sangramento. Um dos parentes murmurou que ia buscar um médico e saiu. Os outros, mudos, estarrecidos, olhavam para Arigó, que naquele momento estava com a cabeça entre as mãos, soluçando. Uma das irmãs da moribunda estremeceu, livrando-se do estado de paralisia, e correu para a cozinha, voltando com uma bacia de água quente e uma toalha. Arlete levantou-se, como que num sonho, e foi se ajoelhar ao lado do marido, com os olhos marejados de lágrimas.

Arigó parecia estar em outro mundo. Mal conseguia responder às perguntas de Arlete. Quando pareceu ter recobrado o controle, ela carinhosamente segurou-o pelo braço e o levou para fora da casa, ainda chorando.

O médico chegou logo depois e apressou-se a examinar a moribunda. A primeira coisa que fez foi observar se havia hemorragia, mas não havia. A paciente estava consciente, não sentia nenhuma dor e não tinha muita certeza do que ocorrera. O pulso e as batidas do coração estavam normais. Não sentira nenhum desconforto, durante ou após o sucedido, e no momento estava tomada de grande alívio. O médico virou-se para os presentes, pedindo-lhes uma explicação do que ocorrera. Eles contaram detalhadamente o que haviam presenciado.

O médico, então, examinou a massa tumoral. Não havia nenhuma dúvida de que se tratava de um tumor uterino, e mais ainda: pelo seu tamanho, não era considerado operável. Ele o embrulhou para levá-lo, com intenção de examiná-lo melhor mais tarde. Depois examinou outra vez a enferma. Aquele era, sem dúvida alguma, o caso mais estranho que já encontrara em toda a sua carreira como médico, até mesmo na história da medicina. Qual seria o prognóstico para sua paciente? Não tinha como afirmar.

Mas a informação que recebeu, por fim, alguns dias depois, foi a de que ela estava melhorando. Esse caso, logo depois daquele do senador Bittencourt, abalou toda a cidade. Dentro de poucos dias, as pessoas começaram a formar fila à porta da casa de Arigó, implorando para que ele as curasse. Sabendo o que representaria para o clérigo toda aquela confusão, Arigó tratou de procurá-lo em busca de ajuda, buscando na Igreja um refúgio contra os pedidos insistentes dos doentes. As autoridades eclesiásticas primeiro rogaram a Arigó, depois tentaram induzi-lo e, por fim, ordenaram que não cedesse àquelas súplicas. Ele tentou resistir, mas aquele impulso instigado pelo Dr. Fritz não lhe dava mais descanso. E, quando aquela mulher antes moribunda e a quem operara numa emergência voltou a ter vida normal, ele sentiu mais do que nunca aquele ímpeto irresistível de auxiliar os que suplicavam tratamento. Finalmente, numa bela manhã, quando uma centena de pessoas esperava à sua porta, Arigó abriu-a, deixando que entrassem, uma por uma.

No final do dia, porém, lembrava-se pouco ou quase nada do que fizera. Contaram-lhe que ele tinha até escrito receitas complicadas, usando os termos corretos da farmacologia, e que também fizera procedimentos cirúrgicos empregando uma faca de cozinha ou uma simples tesoura. Não perguntou nada a nenhum dos pacientes. Seu diagnóstico era instantâneo e dado no mesmo instante em que a pessoa dele se aproximava. Ou ele escrevia uma receita ou então pegava a faca para operar. E mais uma vez as pessoas não tinham sentido dor, não houvera sangramento e tudo fora feito sem nenhuma preocupação com a assepsia. Mas o que mais surpreendera as várias pessoas que lá se encontravam foi o fato de ele falar quase o tempo todo com um sotaque alemão.

E, dia após dia, Arigó continuou atendendo os doentes. Sua vida doméstica tornou-se um verdadeiro caos. Ele continuava a ter pouca ou nenhuma lembrança do que acontecia – um véu de amnésia descia sobre ele, desde o momento da entrada do primeiro paciente até o último se retirar. Mas desse caos surgiram dois resultados muito evidentes: suas alucinações e as dores de cabeça cessaram e, paciente após paciente, todos afirmavam que estavam curados – incluindo aqueles desenganados pelos médicos.

Era evidente que aquela situação não podia continuar. Arlete estava exasperada. A Igreja mostrava-se mais severa em seu propósito: Arigó tinha que parar com tudo aquilo ou considerar-se um elemento indesejável aos olhos da Igreja. Essa exigência por um fio não se converteu em excomunhão. O médium, ao ver-se livre das dores de cabeça e das alucinações, sentiu-se mais forte para agir segundo sua vontade. Ele continuava sendo um católico fervoroso, frequentava a missa regularmente e recebia a comunhão. Não queria abandonar a Igreja, mas sentia que era obrigado, de uma maneira inexorável, a continuar seu trabalho de cura. Precisavam dele – do contrário, por que haveria uma verdadeira multidão pelas ruas, dirigindo-se à casa dele, desde o raiar do dia?

Pouco tempo depois, Arigó recebeu a visita de um homem chamado Orlandino Ferreira, líder do grupo kardecista de Congonhas. Àquela altura, esse homem já não tinha mais dúvidas de que a comunicação anterior com o Dr. Fritz, por intermédio do médium do seu centro espírita, era legítima. Mostrou-se solene ao falar com Arigó, explicando nos termos da filosofia de Kardec o que estava ocorrendo.

Ferreira disse que, de acordo com a crença kardecista, o espírito do Dr. Adolf Fritz estava "incorporando" Arigó – um caso de "possessão" benigna, ao contrário da prática relativa à magia negra que conjurava espíritos malignos. Quando o espírito do Dr. Fritz o incorporava, ele praticamente assumia o comando, proporcionando qualquer diagnóstico ou procedimento cirúrgico necessário, para o caso em questão. Em outras palavras, não eram os dedos ou as mãos de Arigó que operavam, e tampouco era ele quem prescrevia as receitas complicadas, das quais, conscientemente, tinha pouco ou nenhum conhecimento.

No entanto, havia muito outros além do Dr. Fritz, acrescentou Ferreira. Existia todo um grupo espiritual que trabalhava em conjunto naquela causa. Mas sobre isso ele daria explicações posteriormente. Gostaria que Arigó conhecesse um pouco sobre os antecedentes referentes àquela questão, para que assim tivesse mais paz de espírito ao realizar tão importante trabalho. E Ferreira garantiu ao médium que, ao aceitar aquele fenômeno espiritual que lhe ocorrera de um modo tão desagradável, Arigó não teria que renunciar à Igreja Católica. Muito pelo contrário, a fé que o médium tinha em Jesus Cristo se tornaria ainda mais profunda. Ferreira sabia perfeitamente dos conflitos terríveis que deviam estar torturando seu espírito e garantiu que eles seriam amenizados, não agravados, se ele seguisse aquele chamado espiritual.

E o homem continuou explicando que certamente não haveria nenhum conflito na crença básica de Arigó. Kardec ensinara que ciência e religião não eram, de modo algum, campos inconciliáveis. A ciência simplesmente estava revelando as leis da natureza e, ao fazer isso, glorificava a Deus. Ela, porém, ainda tinha muito que evoluir, principalmente no campo da paranormalidade, que nem chegara a ser pesquisado. Os espíritas kardecistas acreditavam que o mundo espiritual é apenas menos denso que o material, o mundo conhecido da ciência. Porém, o mundo original da realidade é o espiritual, sendo o material, subordinado a ele. Como um polígrafo ou um eletroencefalograma poderiam registrar facilmente, os pensamentos e as emoções criam, no corpo físico, uma energia elétrica com padrões absolutamente reais e detectáveis. A vontade humana, ou a alma, faz o mesmo, mas, de acordo com os kardecistas, numa amplitude muito maior. E ele explicou mais. O maior trabalho da ciência, acrescentou, é explorar a relação entre a esfera espiritual e o mundo material.

Arigó, naquele momento, não estava em condições de absorver aquele tipo de filosofia, mas ela serviu para lhe abrir a mente para novas perspectivas, encorajando-o a prosseguir com seu trabalho de cura. Ferreira convenceu-o a reconhecer a possibilidade de ele ser médium e, como tal, um canal para esse estranho mundo novo, que ele não estava apenas conhecendo, mas vivenciando.

Arigó também tinha que reconhecer que estava na posição de um acrobata entre dois arames esticados – a Igreja de um lado e o Espiritismo de Kardec do outro. Não era uma posição cômoda e, contudo, sentia-se incapaz de pender para qualquer um deles. O maior problema era que normalmente ele não conseguia se lembrar de nada, depois que experimentava aquela estranha sensação de vibração, sinalizando o momento da "possessão", ou "incorporação" do Dr. Fritz.

E havia ainda os problemas mundanos que o atormentavam. Além da condenação da Igreja pelo seu comportamento, a vida familiar estava conturbada. E o restaurante estava à beira da falência.

E já surgiam rumores distantes de que a Associação Médica de Minas Gerais, juntamente com a Igreja Católica, estava abrindo um processo por intermédio da Divisão de Roubos e Falsificações do Departamento de Polícia do Estado de Minas Gerais.

4

A pressão feita sobre Arigó não foi atenuada pelos elogios do senador Bittencourt. Quanto mais o político insistia em falar sobre sua milagrosa intervenção cirúrgica, mais a imprensa brasileira divulgava a história. Em resultado, as pessoas começaram a vir de longas distâncias e formar filas desde cedo em frente à casa do médium. A multidão começou a se tornar mais cosmopolita. Já não se restringia aos pobres e necessitados. Nela, mesclavam-se os ternos sob medida de prósperos homens de negócios, o corte elegante de vestidos Dior, até as roupas empoeiradas dos mineiros e lavradores. Começaram também a aparecer, em profusão, carros com placas de países estrangeiros.

E Arigó atendia seus pacientes incansavelmente, murmurando o tempo todo palavras em alemão, um idioma que ele não sabia nem estudara, dando ordens em voz alta e num tom autoritário, pegando uma faca e dando estocadas em pacientes absolutamente passivos, que, por razões desconhecidas, nunca se esquivavam ou resistiam. O farmacêutico da cidade já encontrava dificuldade para manter o estoque daqueles muitos remédios novos e estranhos, dos quais ele nunca ouvira falar até então. A grande maioria deles, conforme ficou sabendo pelos representantes das indústrias farmacêuticas, era de origem alemã. Alguns, tão novos que não tinham nem chegado às farmácias do Rio de Janeiro ou de São Paulo. Outros, tão antigos que os médicos não receitavam mais. Entretanto, todos faziam parte da farmacologia moderna. As mãos de Arigó redigiam as receitas em questão de segundos, a caneta deslizando tão rápido pelo papel que elas ficavam prontas antes mesmo que o paciente tivesse tempo de estender a mão para pegá-las.

Os turistas que iam ver as estátuas de Aleijadinho muitas vezes permaneciam na cidade para consultar Arigó a respeito de uma enfermidade crônica. Voltavam para casa contando histórias fascinantes a respeito do que tinham visto e das experiências pelas quais haviam passado. Alguns deles acreditavam que houvesse uma ligação metafísica entre as esculturas daquele artista leproso e as curas milagrosas que Arigó parecia realizar. Os espíritas da cidade já haviam aceitado essa hipótese.

Apesar do respeito crescente que inspirava, Arigó não era nenhum santo e nem tinha pretensão de ser. Nunca cansava de afirmar que não era ele quem realizava as curas, mas sim a equipe de trabalho formada por Jesus Cristo e o Dr. Fritz. Ele condenava publicamente o "baixo espiritismo", tomando cuidado, porém, para evitar qualquer palavra contra os intelectuais kardecistas, que exerciam uma influência marcante na concepção de suas ideias. Ele costumava afirmar, no início dos seus trabalhos de cura, que ninguém deveria pagar nada e tampouco oferecer qualquer tipo de presente. E dizia: "Jesus nunca cobrou pelo que fez e nem eu vou cobrar, pois sou um pecador como vocês".

Embora a vida doméstica de Arigó estivesse sofrendo as consequências da sua fama, Arlete continuava suportando tudo em silêncio, aturdida e intrigada com aquela onda de acontecimentos. No fim de um longo dia, e noite, de trabalho do marido, tinha que limpar os vômitos e às vezes o pouco sangue das cirurgias. E o médium, inexplicavelmente, também podia vomitar, como se absorvesse alguma das doenças dos pacientes. Seus olhos lacrimejavam e um fluido claro e aquoso saía incontrolavelmente da sua boca.

As longas filas em frente à casa de Arigó tornaram-se um incômodo. Ele não tinha ninguém para auxiliá-lo. Arlete fazia o que podia para conciliar os cuidados com a família, que crescia cada vez mais, e as costuras que fazia para ajudar nas despesas. Ferreira, observando aquela multidão de doentes, que parecia crescer a cada dia, sugeriu a Arigó que abrissem um centro espírita para aliviar a carga da família. Planejaram a mudança da clínica para uma igreja vazia, do outro lado da rua, que havia muito não era usada e seria um lugar mais adequado para abrigar a multidão.

E foi nessa época que um homem chamado José Nilo de Oliveira, com 40 e tantos anos e voz suave e gentil, começou a ter problemas no olho esquerdo. Mais conhecido pelo apelido de "preto Altimiro", ele tinha se aposentado do cargo de escrevente do IAPETEC e trabalhava como tipógrafo das publicações da Igreja Católica. Como precisava ter uma visão boa para executar seu trabalho, andava cada vez mais preocupado. O médico lhe dissera que ele tinha catarata, que naquele tempo não era possível operar. Por isso não alimentava nenhuma esperança de que um dia pudesse fazer uma cirurgia corretiva.

Altimiro, bem como todos os habitantes da cidade, já ouvira falar de Arigó. Mas sabia perfeitamente da hostilidade crescente da Igreja contra ele e tratou de descartar a ideia ousada de visitar aquela lenda viva. Estava mais disposto a pensar que as notícias que se difundiam acerca do curandeiro não podiam ser verdadeiras. No entanto, ao saber que vários padres e outros representantes da Igreja tinham ido ver Arigó e confirmado suas curas, mesmo em pacientes desenganados pelos médicos, tomou coragem e entrou na fila.

O que presenciou, enquanto esperava sua vez, deixou-o assustado e ao mesmo tempo fascinado. Aquele homem enorme, com a compleição de um touro, falava num português gutural, intercalado por palavras que deveriam ser alemãs, ordenando que as filas andassem, repreendendo algumas pessoas, amparando outras, ao mesmo tempo que ia prescrevendo remédios e cortando os pacientes com sua faca de cozinha, sem fazer qualquer preâmbulo. Altimiro ficou hipnotizado diante daquele homem, admirado com sua habilidade, segurança e autoconfiança. No momento em que chegou na frente da fila, toda sua apreensão desapareceu como que por encanto.

Antes de Altimiro perceber o que estava acontecendo, Arigó, sem fazer nenhuma pergunta, puxou-o quase bruscamente, encostando-o à parede e pegando uma faquinha de cima de uma mesa ao lado. Por algum motivo inexplicável, Altimiro não sentiu medo. E sem proferir uma só palavra, observou a lâmina na mão de Arigó se aproximando do seu olho. Em seguida, sentiu uma dor muito leve, menor que a de uma picada de alfinete. Em alguns segundos, viu que ele apertava na mão um pedaço minúsculo de uma membrana gelatinosa. Logo após, ouviu-o dizer: "Vá com Deus".

Altimiro, perplexo, retirou-se da "clínica" e, na manhã seguinte, já conseguia enxergar perfeitamente com aquele olho, sem os óculos de lentes grossas, receitados para os casos de catarata. Quando foi consultar o médico, este não encontrou nenhuma explicação para o que ocorrera. Quando o cristalino de um olho é removido, presume-se que seja impossível que o olho se adapte e volte a focalizar adequadamente. E o dele agora podia fazer as duas coisas. Sentindo-se satisfeito com a cirurgia, deixou que a notícia se espalhasse. Aquele breve contato com Arigó fez com que decidisse trabalhar para ele, independentemente das circunstâncias.

A resolução de Altimiro já havia sido tomada quando ele levou o tio para ver Arigó. O tio sofria de câncer no estômago e fora desenganado pelo médico. Altimiro, quase sem poder acreditar, viu Arigó pegar um facão de cozinha, enterrá-lo nas vísceras do tio, depois enfiar a mão na ferida e tirá-la dali segurando uma massa tumoral. E, quando o sangue começou a escorrer, viu-o erguer os olhos para o teto e murmurar: "Jesus não quer que você sangre". Milagrosamente, o sangue estancou. E Arigó voltou a falar: "Dr. Fritz, por favor, feche o corte". Em seguida, ele passou um pedaço de algodão por cima da ferida aberta, limpando-a levemente. As bordas estavam unidas, sem nenhuma sutura. Altimiro estava quase em estado de choque quando a operação terminou, mas conseguiu dizer a Arigó que desejava trabalhar para ele, sem receber salário. O médium, como se tudo já tivesse sido previamente combinado, aceitou de imediato, sem fazer nenhum comentário.

Apesar de seus dramas de consciência, devido ao conflito entre a Igreja e Arigó, Altimiro tornou-se um auxiliar de valor inestimável. Não demorou muito para conseguir datilografar os garranchos quase ilegíveis que Arigó fazia ao redigir suas receitas. Além disso, Altimiro desenvolveu um sistema de senhas, que distribuía às pessoas que ficavam na fila. Assim, o primeiro a chegar era o primeiro a ser atendido.

Arigó não conseguira ainda a aprovação de toda a Igreja, mas isso era apenas uma questão de tempo. Reunira alguns simpatizantes, incluindo o padre Pascoal, que eram encarregados da estação de rádio da Igreja, situada no alto de uma colina, ao lado daquela da Igreja de Bom Jesus, à sombra das estátuas do Aleijadinho. Após terem feito algumas investigações sigilosas, convenceram-se de que Arigó estava obtendo resultados sem precedentes. Julgavam que, mais do que censuras, era necessário um estudo científico. Estavam inclinados a encarar o fenômeno mais pelo lado da parapsicologia do que do Espiritismo. E desse modo, o médium teria mais oportunidade de ser aceito pela Igreja.

Era verdade que um padre ainda jovem e muito agressivo, chamado Boaventura Kloppenberg, vinha atacando vigorosamente o Espiritismo por todo o país. Ele escrevera pouco tempo antes: "A Igreja Católica não proíbe o estudo da parapsicologia ou do fenômeno da mediunidade. Os católicos têm permissão para estudar tanto os fenômenos metafísicos quanto os parapsicológicos. Na realidade, os cientistas católicos em universidades deveriam estudar os dois".

E era essa a brecha que os amigos de Arigó pertencentes à Igreja vinham esperando, pois gostavam dele e desejavam que permanecesse na Igreja.

Havia, porém, outros, menos caridosos, naquela hierarquia. Eles já tinham entrado em contato com a Associação Médica de Minas Gerais para verificar como poderiam processar Arigó. Embora as curas do médium equivalessem à prática aberta e ilegal da medicina, teriam que agir cuidadosamente para que o caso fosse julgado. O julgamento certamente seria realizado em Congonhas e já se podia deduzir o que os habitantes da cidade diriam ao ver seu herói sendo tratado daquela maneira.

Arigó era incrivelmente popular – sempre fora, mesmo antes que a mística de suas curas milagrosas tivesse se propagado. Era conhecido como defensor dos oprimidos, pela sua dedicação à causa dos mineiros. E a sua súbita fama de curandeiro tornara-o tão respeitado quanto popular. Em todas as partes do país, as autoridades brasileiras eram obrigadas a fechar os olhos para as práticas espiritualistas afro-brasileiras, realizadas nas tradições da Quimbanda e da Umbanda. Não haveria cadeias suficientes para conter todos os seguidores daquelas religiões. Os espíritas kardecistas, porém, eram menos proeminentes e mais respeitados. Além disso, Arigó nessa época já contava, entre seus pacientes, com alguns chefes de estado famosos e figuras políticas brasileiras, graças à fama que tinha conquistado. Por isso, no momento era mais prudente que a polícia fizesse vistas grossas – embora sem saber quanto tempo poderia durar aquela situação.

Depois de ter finalmente vendido o restaurante, Arigó concentrou sua atenção no comércio imobiliário e na venda de carros usados, para poder prover o sustento da família. Decidiu também trabalhar com afinco para lançar sua candidatura à prefeitura da cidade. Ninguém podia compreender onde conseguia tanta energia para acrescentar mais essa tarefa à sua rotina já tão atribulada. Entretanto, continuava a priorizar seus trabalhos de cura, colocando-os na frente de qualquer outro compromisso.

Um retrato de Arigó começava a ser formado a partir de diversos pontos de vista. Muito lentamente, surgia uma tapeçaria, à medida que sua fama – ou má fama, dependendo do observador – espalhava-se por todo o país. Ela era tão confusa e variada quanto uma tela de Picasso, mas uma verdade emergia em meio aos seus paradoxos. Arigó era realmente uma criatura de várias personalidades, que demonstravam características incrivelmente contraditórias. Além de toda essa confusão, havia ainda a projeção subjetiva daqueles que estavam pintando o quadro.

Alguns referiam-se à sua aspereza. Outros o viam como um santo e ressaltavam essa santidade acima de tudo. Alguns, ainda, viam somente sua sensualidade, porque ele de fato era um homem sensual e havia várias histórias a respeito de suas reais ou supostas infidelidades. Alguns não acreditavam que fosse tão altruísta a ponto de recusar dinheiro ou presentes, embora nunca tivesse existido nenhuma prova que pudesse justificar essa acusação. Antes de começar uma sessão, ele declarava publicamente que ninguém teria que pagar nada. Não costumava aceitar nem mesmo uma xícara de café. Repetia isso tantas vezes que qualquer negociata clandestina teria vindo a público, insuflada pelos seus inimigos, e se propagaria tal qual um incêndio na mata.

As opiniões dos observadores que tentavam dissecar e analisar Arigó eram extremamente diversificadas. Afora os meros curiosos, a multidão que se reunia todas as manhãs em frente à porta do médium era impelida por um único problema: em seu caso, a medicina chegara ao seu limite e recuara. O problema podia ser menor e crônico, ou maior e fatal. Não valeria a pena – pensavam eles – tentar alguma outra coisa, mesmo que ela fosse absurda?

Um dos pontos de vista foi apresentado por uma relações-públicas da Agência de Informações dos Estados Unidos, situada em Belo Horizonte. Ela era brasileira, católica praticante e, como tal, supunha-se, evidentemente, que não acreditava na filosofia kardecista com respeito a curas milagrosas ou cirurgias espirituais. Tinha um filho de 9 anos que sofria com repetidos acessos de asma. O médico da família receitara antialérgicos e injeções, mas todos os medicamentos se mostravam completamente inúteis e os acessos continuaram e pioraram. Como última tentativa, ela resolvera levar o menino a Arigó.

Chegou à clínica logo cedo, mas já havia mais de cem pessoas na fila, a maioria trabalhadores e pessoas de aparência modesta. Enquanto esperava a vez dela, ficou impressionada ao observar Arigó. Estava chocada com a atitude rude e intempestiva do médium, mas sentiu que, por trás daquela aparência, havia uma bondade profunda. O tratamento do menino seguiu a rotina de costume: em alguns segundos, Arigó rabiscou uma receita. Praticamente não disse nada e nem fez perguntas. Ela foi levada à presença de Altimiro, que rapidamente datilografou a receita, pondo um ponto final à visita.

A relações-públicas teve vontade de doar algum dinheiro, porém, já havia sido avisada de que isso não era permitido. Hesitou muitas horas, antes de mandar aviar a receita, mas seu desespero superou o medo e, embora hesitante, dirigiu-se à farmácia. Seguiu as instruções cuidadosamente, preocupada com a possibilidade de que o remédio prejudicasse ainda mais a saúde do filho. Sentia-se pessimista porque, durante anos, experimentara inúmeras drogas receitadas por médicos conceituados e todas tinham se revelado inúteis. Como poderia aquele remédio receitado por um ignorante como Arigó ser melhor do que os outros?

Durante várias semanas, ela observou o menino com expectativa, sentindo-se aliviada ao notar que a medicação ao menos não causava nenhuma reação adversa. As semanas se transformaram em meses e os acessos de asma, tão alarmantes, nunca mais voltaram.

Sendo uma mulher inteligente e católica, não conseguia uma explicação para aquela cura. Tudo quanto podia dizer é que não duvidava mais de Arigó e sentia-se profundamente grata a ele. Continuou, porém, intrigada, sem compreender o que realmente acontecera.

Não muito depois de a fama de Arigó começar a ir além dos limites daquela cidadezinha mineira, H. V. Walter, cônsul da Inglaterra em Belo Horizonte, ouviu comentários sobre os poderes do médium. Sendo um homem culto e muito curioso, Walter ficou fascinado pelas histórias que chegavam de Congonhas.

E foi por intermédio do seu grande amigo Carlos Paranhos da Costa Cruz, um dentista cujo consultório ficava no mesmo edifício do consulado, que ele ouviu uma daquelas histórias. Um dia, o dr. Cruz apareceu no escritório do amigo, visivelmente abalado. Walter ofereceu-lhe uma dose de uísque e perguntou o que estava acontecendo. O outro contou que acabara de voltar de Congonhas, com o sogro e a cunhada, e não sabia nem como descrever o que ali ocorrera.

Sonja, sua cunhada, uma mulher instruída e de muitas posses, havia seis meses que sofria muito com dores nas costas. Além disso, ela estava emagrecendo rapidamente e havia a suspeita de que tinha um tumor nessa região. O caso acabou por ser diagnosticado por seus médicos – incluindo o próprio pai, que também era médico: um câncer no fígado. As esperanças eram poucas, pois este era um dos casos considerados inoperáveis. Sem opção, Cruz levou-a, com o sogro, para consultar Arigó.

O médium não fez perguntas e nem chegou a examinar a paciente. Bruscamente, chamou Cruz e o sogro de lado e disse que a moça tinha um tumor no fígado. Teria que ser operada imediatamente. Ambos se mostraram relutantes, mas Arigó insistiu em dizer que não havia alternativa.

Depois de alguns minutos, Sonja foi deitada no chão da salinha de Arigó, sobre folhas de jornal. Arigó trouxe um chumaço de algodão e vários instrumentos, incluindo tesouras e facas. Escolheu um canivete e com ele fez a incisão. Tanto Cruz quanto o sogro sabiam que era impossível cortar o fígado sem causar uma grande hemorragia, e nenhum deles soube explicar por que tinham permitido aquilo ou por que permaneciam impassíveis, enquanto Arigó operava Sonja com um canivete não esterilizado e sem anestesia. Talvez, pensaram mais tarde, fosse porque aquela era a última chance da moça, pois estava desenganada pelos médicos.

Esperavam ver o sangue jorrando, mas viram apenas um filete escorrendo pelas laterais da incisão. E Cruz contou um fato ainda mais estranho. Arigó enterrou a tesoura profundamente naquela abertura e, ao retirar a mão, a tesoura pareceu se mover sozinha. Cruz virou-se para o sogro, que balançou a cabeça enquanto trocavam olhares. Mais tarde, eles iriam comparar suas lembranças, para pelo menos se certificar do que haviam presenciado. Depois de alguns instantes, Arigó retirou a tesoura e, pela incisão, extraiu o tumor. Com um gesto teatral, atirou-o na mão de Cruz. Em seguida, pegou o algodão e limpou a incisão. Ao terminar, as bordas da ferida aderiram uma à outra, sem que fosse preciso suturá-las, e Arigó colocou um crucifixo sobre elas. Logo após, disse a Sonja para que se levantasse e ela obedeceu. Estava fraca e trêmula, mas não sentia nenhuma dor.

O trio saiu de Congonhas mudo e estarrecido. Cruz e o sogro, ambos profissionais da área da saúde, viam-se obrigados a acreditar no inacreditável e aceitar algo que a ciência julgava impossível. Para ambos, aquela fora uma experiência mais incrível do que qualquer uma já ocorrida em Lourdes, e isso porque aquela cirurgia tinha sido real, palpável e verificável, embora fosse um milagre.

O cônsul inglês ouviu atentamente o relato de Cruz. Ele ocupava aquele cargo havia cerca de dez anos e estava preparado para praticamente tudo. Acompanhou o caso com interesse. Embora a biopsia tivesse confirmado o câncer, o fígado se regenerou e Sonja recuperou os quilos perdidos, ficando completamente restabelecida. Carlos Cruz, decidido a descobrir como um acontecimento como aquele era possível, voltou a Congonhas várias vezes, levando Walter com ele. Embora fosse leigo, o cônsul tinha grande interesse pela medicina e observava, atônito, Arigó, enquanto ele cumpria sua rotina diária.

Cruz, constatando que suas novas observações sobre o médium confirmavam a capacidade inacreditável do homem, foi forçado a concluir que simplesmente não havia uma explicação científica para ela. Até mesmo o fato de ele empregar o idioma alemão já era surpreendente. Cruz esperava colher informações suficientes para persuadir às várias sociedades profissionais e até mesmo o Ministério da Saúde a realizar um estudo especial. Era óbvio que a Justiça não podia permitir que Arigó continuasse a sua prática e as autoridades estavam certas ao processá-lo. Até certo ponto isso fazia sentido, mas, se pudesse encontrar uma forma qualquer de levá-lo a ser submetido a um estudo científico controlado, a medicina talvez tivesse possibilidade de fazer alguma descoberta que desse origem a uma nova era na área da saúde.

H. V. Walter ficou pasmo e impressionado com o trabalho de Arigó, mas nem um pouco surpreendido com a aura religiosa que o envolvia. O cônsul era um realista obstinado e achava sinceramente que qualquer religião não passava de conversa fiada e que a devoção de Arigó pelo trabalho de cura era puro exibicionismo. Contudo, suas viagens pelo mundo tinham lhe ensinado que os instintos do homem primitivo eram muitas vezes mais sofisticados do que os do homem moderno. Carlos Cruz não tinha tanta certeza assim, mas não se preocupava com aquele aspecto religioso. Na opinião dele, o estudo científico realizado sob condições controladas era o mais importante e ele tinha esperanças de conseguir que ele fosse feito, antes que o inevitável acontecesse e Arigó fosse preso pela polícia.

Apesar da ameaça que pairava sobre Arigó, a multidão de doentes que chegava à cidade continuava a aumentar. Calculava-se que mil argentinos desembarcariam na cidade aquele mês. Um grupo chegou a fretar um avião de Belo Horizonte para Congonhas. Mas o transporte do Rio de Janeiro e de São Paulo era programado de acordo com os dias de trabalho de Arigó, com algumas viagens extras esporadicamente. A invasão de forasteiros naquela cidadezinha tinha vantagens e desvantagens. É evidente que a cidade estava progredindo, mas as acomodações ainda eram inadequadas e muitos habitantes queixavam-se, dizendo que estavam expostos a doenças que talvez fossem contagiosas.

Em certa ocasião, Arigó se levantou da cama depois da meia-noite, dirigindo-se para um local onde havia uma clareira, a vários quilômetros de distância da cidade. Ali encontrou um caminhão cheio de leprosos, que haviam marcado consulta com certa antecedência. Tinham saído furtivamente do leprosário e feito aquela peregrinação, depois dc saber que Arigó já tinha curado vários outros que sofriam do mesmo mal. O médium chegou em seu jipe antes do amanhecer e encontrou-os escondidos atrás do caminhão, à luz de fogueiras e velas bruxuleantes. Eram mais de vinte pessoas.

O grupo correu para abraçá-lo e ele aceitou os abraços sem nenhum receio, começando a tratá-los individualmente, com um método improvisado de "imposição das mãos". O dia já estava clareando quando ele tratou o último leproso. Arigó se sentou no jipe, com seu corpanzil cansado, e tratou de voltar à cidade. Durante o trajeto chorou copiosamente. Somente Altimiro é que sabia daquelas excursões clandestinas; caso fossem descobertas, a repercussão na cidade seria muito negativa.

A variedade de doentes que invadia Congonhas era uma amostra de tudo que havia na sociedade. Um almirante chegou com a esposa, para ser tratado de uma catarata; a cirurgia foi instantânea e seu sucesso, comprovado, conforme o dr. Cruz e o cônsul inglês puderam observar. A filha de uma das famílias brasileiras de maior projeção social no país foi levada até Arigó numa cadeira de rodas. Especialistas do Rio de Janeiro haviam declarado que a moça ficaria paraplégica devido a um acidente equestre. O médium puxou as pernas dela várias vezes com toda a força. Quando regressou ao Rio, ela conseguia caminhar normalmente e sua cura foi confirmada pelos mesmos especialistas que tinham dado o caso como perdido.

Estimativas do número de pacientes tratados diariamente por Arigó iam desde as extremamente exageradas até as mais cautelosas. Novos boletins com notícias sobre as proezas do médium muitas vezes interrompiam os programas de TV regulares, revelando que o número de pessoas que o procuravam chegava a mil diariamente. Fosse qual fosse aquela cifra, a verdade é que as multidões eram impressionantes; a estimativa mais moderada era de trezentas pessoas por dia, sem contar as famílias e os amigos que acompanhavam os doentes na viagem.

Alguns turistas que visitavam a cidade para admirar as obras de Aleijadinho ficavam surpresos ao saber da existência de Arigó. O alemão Armin Bauer ficou tão perplexo ao se deparar com aquele fenômeno incrível, que descreveu tudo que vira no jornal *Die Zeit*, após regressar ao seu país. Ele era um homem muito viajado, que já tinha feito vários safáris na África e conhecido toda a Ásia, numa volta ao mundo. Sem falar português, tivera alguma dificuldade para conhecer o Brasil, um país apaixonante, aos olhos dele e de outros turistas.

Bauer fora a São Paulo visitar um amigo, que era um dos diretores da Volkswagen. Ao ouvir falar da elegância e da beleza das esculturas de Aleijadinho, seguiu para Minas Gerais com a intenção de conhecê-las, bem como para visitar a região. Ficou admirado ao encontrar, numa das ruas de Congonhas, um outro alemão, acompanhado da filha. Eram os únicos, em toda a sua viagem, que falavam seu idioma, o que é sempre um prazer quando se viaja sozinho. Ficou surpreso quando o outro lhe contou o real motivo da sua visita a Congonhas. O fato é que a filha sofria de leucemia e ali estavam com a esperança de que ela fosse curada. A doença fora diagnosticada pelos médicos alemães e considerada incurável, por isso aquela era a última alternativa da família. Bauer, perplexo, perguntou o motivo pelo qual tinham escolhido justamente aquela cidadezinha montanhosa. O outro então lhe contou a respeito de Arigó, perguntando se não gostaria de acompanhá-los, para conhecer o médium.

Bauer ficou constrangido e pouco à vontade, mas aceitou o convite. Pareceu-lhe trágico que aqueles seus conterrâneos estivessem depositando sua confiança nas mãos de um curandeiro de aldeia, com qualificações, no mínimo, duvidosas. Embora julgasse aquilo uma tolice, acompanhou-os ao Centro Espírita Jesus Nazareno, onde o médium atendia na época.

Bauer ficou impressionado com o silêncio reverente que reinava no imenso salão e com a grande diversidade de pessoas, de todas as classes sociais, que esperavam para ser atendidas por Arigó. Conseguiu olhar por sobre o ombro de Altimiro, enquanto ele datilografava uma das receitas, não esperando descobrir nada além de uma lista de poções e ervas usadas em magia negra. Em vez disso, viu uma lista de medicamentos fabricados por laboratórios farmacêuticos, como Schering, Bayer, Squibb, Upjohn e outros tão famosos quanto esses. Surpreendeu-se também ao saber que muitas pessoas esperavam horas a fio na fila, simplesmente para dizer a Arigó que tinham voltado a Congonhas apenas para agradecer por terem sido curadas no passado. E, quando Arigó pegou uma tesourinha de unha e cortou um pterígio – uma pequena membrana que cresce na lateral do olho, indo desde a conjuntiva até a córnea –, notou que várias pessoas na fila desmaiaram, incluindo um jornalista estrangeiro. O paciente, porém, permanecia em pé, imperturbável, absolutamente calmo e consciente.

Ao voltar para a Alemanha, Bauer escreveu no jornal *Die Zeit*: "Realmente não acho que isso possa ser explicado pelo Espiritismo, conforme alguns brasileiros dizem. A atmosfera que cerca Arigó não é de misticismo. Esse fenômeno precisa ser investigado com urgência – requer um estudo especial. Os cientistas vão ter suas dúvidas, pois nunca viram nada semelhante. É preciso ver para crer".

Inúmeras pessoas proeminentes, tanto brasileiras quanto de países estrangeiros, solicitavam uma consulta com Arigó. O cônsul peruano telegrafou do Rio de Janeiro, marcando um horário com o médium, mas, como todas as outras pessoas, teve que esperar na fila – o primeiro a chegar era sempre o primeiro a ser atendido.

Da enxurrada de jornalistas que ia até Congonhas, vários se sentiam inspirados a escrever livros sobre o médium. Entre eles, estava Reinaldo Comenale, que chamou Arigó de "a oitava maravilha do mundo". Geraldo Serrano escreveu que Arigó estava muito longe de ser um santo, mas que os cientistas ficariam atemorizados diante do desafio que representava o médium, pois logo se convenceriam de que perderiam a batalha contra a racionalidade. Jorge Rizzini acabou publicando um livro sobre Arigó, contando suas próprias experiências com ele e fundamentando-o nas suas gravações. J. Herculano Pires, um conceituado professor de filosofia, produziu um livro cuidadosamente documentado, talvez o mais profundo já escrito sobre o fenômeno. O único problema de todos esses autores era a falta de comedimento ao elogiar Arigó.

Depois de observá-lo durante semanas, meses ou anos, eles acabavam exagerando nas palavras de adulação e admiração.

Considerando as circunstâncias, porém, isso era até compreensível. À medida que a fama de Arigó crescia, uma grande parte da classe médica começou a se interessar pelo médium, emitindo opiniões favoráveis ou desfavoráveis. E os médicos logo tiveram que enfrentar o mesmo problema: manter a objetividade mesmo diante de fatos empíricos absolutamente inacreditáveis. O dilema era distinguir o subjetivo do objetivo. Evidentemente, a fase mais importante do estudo era obter a prova objetiva, pois ela podia ser avaliada e compreendida.

Enquanto o clamor do povo e a confusão iam crescendo por todo o Brasil, Arigó continuava se esforçando para vencer seus problemas cotidianos, bem como aqueles relativos ao seu extraordinário poder de cura. Ele continuava decidido a se candidatar a um cargo público em Congonhas, pois esse era o único meio de combater as injustiças com as quais se defrontara quando era mineiro e defensor dos mais desprivilegiados. Aos olhos de alguns, sua ambição de entrar para a política era tão censurável quanto seu trabalho de cura. E Arigó acabou disputando contra o próprio tio, Lamartine de Freitas, na eleição para o cargo de prefeito.

Lamartine era conservador até os ossos. Católico fervoroso, não se deixava contaminar pelas pretensas heresias que Arigó vinha cometendo diariamente. Era também um grande latifundiário e o candidato favorito dos eleitores conservadores da cidade. Arigó, claro, era justamente o oposto. Em condições normais, isso talvez até contribuísse para que ele fosse o candidato favorito e angariasse a maioria dos votos populares. No entanto, a Igreja alardeava pela cidade que Arigó era um homem que não seguia os ditames da religião católica.

Além disso, seus inimigos políticos tinham espalhado o boato de que ele só abrira sua bizarra clínica para tratar dos pobres e doentes a fim de angariar votos e alavancar sua carreira política. Muitas histórias circulavam sobre ele: era um badérneiro (tinha provocado uma briga com um freguês mais violento no seu bar e o atirara para fora do estabelecimento), cobrava dos pacientes por baixo dos panos, recebia uma comissão das farmácias e dos laboratórios farmacêuticos, tinha uma amante e uma filha ilegítima em Belo Horizonte ou no Rio de Janeiro. Não havia nenhuma prova contra essas acusações, mas a oposição encarregou-se de espalhar o falatório.

Arigó perdeu a eleição por cerca de duzentos votos, mas seus correligionários contestaram o resultado, alegando que as urnas tinham sido violadas durante a noite, depois de ficarem guardadas na agência dos Correios da cidade, em vez de serem enviadas para a cidade de Conselheiro Lafaictc, onde seria feita uma apuração imparcial. Assim que o tio foi eleito prefeito da cidade, foram postas as cartas na mesa. Arigó foi chamado à sala de Lamartine e intimado a fechar sua clínica ou sair da cidade.

Arigó se recusou. As duas forças, tanto a do seu partido quanto a do partido dissidente, tomavam agora posições antagônicas mais definidas. O intuito era, obviamente, expulsar o médium da cidade, mas a multidão que continuava a convergir para Congonhas, a fim de se consultar com ele, só crescia. Isso fez com que o tio, por fim, recuasse, e Arigó continuasse a realizar suas curas com mais empenho do que nunca. Essa atividade parecia ser um capítulo à parte na vida do médium. Alguns supunham que ele só conseguia suspender suas funções mundanas quando tratava os doentes porque não estava completamente consciente do que fazia quando operava ou prescrevia remédios. Para os espíritas, a resposta era fácil: ele não era Arigó quando trabalhava na clínica. Era o Dr. Adolf Fritz, e o corpo de Arigó era só uma casca, um instrumento para realizar os anseios caridosos do falecido médico alemão, que desenvolvera habilidades maiores em sua vida além da morte do que possuía no plano terreno. Mas esse conceito parecia tão fantasioso que poucos conseguiam aceitá-lo. O que era realmente óbvio é que Arigó de fato era capaz de contrariar as leis da física, e até mesmo os mais céticos teriam que admitir isso, caso se dessem ao trabalho de observar o homem em ação. A maioria dos críticos, porém, não se incomodava em investigar. Simplesmente consideravam absurdas as histórias que ouviam sobre Arigó – uma atitude extremamente negligente diante de acontecimentos tão impressionantes.

Uma prova interessante da falta de conhecimento do próprio Arigó com relação ao trabalho de cura que realizava surgiu quando Jorge Rizzini lhe pediu que assistisse à gravação que fizera durante uma de suas cirurgias. Rizzini montou seu projetor na clínica, depois da saída do último paciente. O filme começou a rodar e a primeira cena mostrava Arigó cravando a faquinha no olho de um homem. O médium, que não estava no transe que parecia caracterizá-lo durante suas horas de trabalho na clínica, assistiu à cena com horror. Sua cabeça inclinou-se sobre o peito e ele desmaiou. Quando voltou a si, saiu da sala às pressas, dizendo aos brados que aquilo era horrível demais para alguém assistir.

Era evidente, no entanto, que Arigó não poderia interromper o trabalho na clínica, mesmo se quisesse. Tratava-se de uma compulsão de inconcebível magnitude.

Havia momentos em que ele conseguia se afastar da clínica e se recusava estoicamente a realizar qualquer trabalho nos fins de semana, quando ia com a família para a fazenda de uma tia abastada. Único membro da família que era espírita, ela o incentivava a continuar seu trabalho de cura. Na fazenda da tia, Arigó se entregava ao seu único hobby: cultivar rosas. Como tudo que fazia na vida, ele se dedicava com paixão aos milhares de botões que semeava e via crescer. Com auxílio financeiro da tia, despachava as rosas em caixas de papelão para os hospitais de Minas Gerais e outros lugares. Elas chegaram a constituir sua marca registrada. Quando, num fim de semana, algum paciente implorava para ser atendido, ele se irritava e respondia: "Acha, por acaso, que sou feito de ferro? Não sabe que tenho família?".

Enquanto os elogios ao trabalho de Arigó eram difundidos nos jornais e noticiários de todo o país, seus difamadores iam reunindo forças. O clero católico, evidentemente, liderava os ataques, junto com a maioria dos membros da Associação Médica do Estado de Minas Gerais. Também havia indivíduos que nutriam antipatia pelo médium, entre eles inimigos políticos. Antônio Maia Seabra, morador de Congonhas, era um deles. Acusava Arigó de ser um oportunista de primeira, que só visava os próprios interesses. Espalhou boatos acerca das cirurgias que ele fazia, dizendo que não passavam de truques. Afirmava também que as senhas distribuídas por Altamiro, na fila, custavam quinze cruzeiros cada uma e que ele dividia os lucros com Arigó. Também espalhava outras calúnias, afirmando que qualquer paciente tratado na clínica era obrigado a assinar uma ficha, comprometendo-se a votar nele nas eleições. E insistia em dizer que Arigó costumava beber uma ou duas garrafas de vinho a cada refeição.

Os ataques de Antônio Maia não eram os únicos. Havia também os de dois médicos da cidade, ambos certamente ressentidos com a intrusão de Arigó em seu campo de trabalho. O dr. Coimbra, médico e amigo da família havia muitos anos, não tolerava mais o fato de o médium estar exercendo a medicina ilegalmente e não fazia segredo sobre sua opinião. Mas ele ia além dessa crítica legítima e alegava motivos que os amigos de Arigó eram unânimes em dizer que eram falsos. O dr. Coimbra acusava-o de praticar magia negra e dizia que a única razão que o motivava a continuar aquela prática ilegal era o desejo de se tornar famoso para, assim, conquistar poder político.

Mas a maioria desses difamadores de Arigó admitia que ele era trabalhador, um bom pai e um bom chefe de família – apesar dos boatos que corriam sobre suas infidelidades conjugais. Altamiro, que na época era alvo das mesmas críticas da Igreja, também era tido em alta conta pela comunidade. Evidentemente, qualquer defesa contra a prática ilegal da medicina era impossível, mesmo apresentada pelo mais apaixonado defensor de Arigó. A pior parte era a tentativa de várias pessoas, principalmente daquelas movidas por razões políticas, de procurar motivos escusos que não existiam naquele homem.

O ressentimento também era causado pelo grande número de visitantes ilustres que faziam a longa viagem até Congonhas somente para ver Arigó, ignorando os políticos da região. Corria o boato de que Juscelino Kubitschek, eleito presidente da República pouco tempo antes, já marcara a data em que a filha consultaria o médium, para se tratar de pedras no rim que, segundo especialistas da Europa e da América do Norte, não podiam ser extraídas por meio de cirurgia. Essa visita só seria confirmada posteriormente, mas, na ocasião, o mero boato já serviu para intensificar o ressentimento dos inimigos de Arigó. Kubitschek era extremamente popular em todo o Brasil e já iniciara a construção de Brasília, a nova e fantástica capital, que daria um novo impulso à região inculta do centro geográfico do país.

Entre os pacientes de Arigó também estavam: o motorista particular do presidente Kubitschek, o agente da polícia encarregado da segurança pessoal do presidente, um juiz eminente, o capitão da polícia estadual de Minas Gerais e vários generais do exército brasileiro. Essas e outras personalidades formavam um arsenal formidável, que servia para intimidar os críticos de Arigó e sem dúvida atenuava o ímpeto dos processos legais que estavam para ser instaurados.

Além disso, um grupo de médicos de Conselheiro Lafaiete, uma cidade vizinha, estimulado pela onda de boatos que invadia todo o país, deu início a uma investigação informal sobre Arigó. Desse grupo participavam o dr. José Damásio, o dr. Antônio Castanheira e um tal de dr. Viterino. A eles se juntou o dr. João Ranulfo de Melo, de Congonhas. Juntos, eles observaram duas cirurgias de catarata e duas de cisto no ovário, uma por via abdominal e outra por via vaginal. Depois de examinar cuidadosamente esses casos, antes e após as cirurgias, concordaram que as operações eram absolutamente válidas e tinham sido bem-sucedidas, ou seja, a membrana da catarata e os cistos de fato tinham sido extraídos, sem que restasse nem sinal de cicatriz. Como de costume, não se usou anestesia ou antissépticos, nem se observou sangramento significativo, dor ou suturas. Quanto ao crucifixo que Arigó depositava sobre as regiões operadas, ao término do procedimento, os médicos não fizeram nenhum comentário. Concordaram, no entanto, que não havia nenhuma explicação natural para o que tinham observado, que nenhum médico comum poderia ter realizado o que Arigó realizava e que deveriam iniciar imediatamente um estudo científico profundo sobre ele, caso conseguissem os fundos necessários para isso.

O impulso inicial para aquele surpreendente fenômeno tinha sido, evidentemente, o senador Lúcio Bittencourt, e seus contínuos elogios só lhe davam mais ímpeto. A saúde do senador continuava excelente e ele era uma testemunha viva dos poderes inexplicáveis de Arigó. Um dia depois de atender uma longa fila de pacientes, o médium encontrou seu amigo Gabriel Khater, um jornalista que trabalhava em Minas Gerais como correspondente de vários jornais brasileiros. Arigó sentia-se inquieto e pouco à vontade. Khater lhe perguntou o que o levava a se sentir assim e o médium explicou que tinha visto naquele dia, com os olhos do espírito, um crucifixo preto, e isso o deixara muito preocupado. Pressionado pelo amigo, ele confessou que, toda vez que isso ocorria, alguém muito próximo a ele morria. Khater tentou animá-lo, aconselhando-o a desviar os pensamentos daquele símbolo sombrio. Mas isso de pouco serviu, pois Arigó voltou para casa tão angustiado quanto antes.

Na manhã seguinte, Khater estava se preparando para seguir sua rotina habitual, em que lia vários jornais em busca das melhores notícias, quando se deteve logo no primeiro. A manchete era: SENADOR LÚCIO BITTENCOURT MORRE EM DESASTRE DE AUTOMÓVEL.

Arigó ficou arrasado com a perda do amigo, mas o que o deixou ainda mais abalado foi saber da sua capacidade de prever quando uma tragédia acorreria. Aquilo o deixou deprimido e preocupado. Mesmo assim, prosseguiu com sua rotina exaustiva.

Passaram-se apenas alguns dias antes de ele receber outro golpe. Enquanto atendia seus pacientes, foi tomado por uma sensação repentina. Parou a caneta no ar, largando-a em seguida.

Sentado diante da máquina de escrever, Altimiro notou a atitude incomum de Arigó. Viu-o se afastar da sua mesa, atravessar todo o salão e se dirigir a um homem que estava na fila.

"Você é policial?", perguntou.

O homem disse que sim.

"Venha comigo", disse Arigó.

Depois de se dirigir à sua salinha, pediu abruptamente que os outros pacientes esperassem no salão. Mandou que Altimiro ficasse com ele e fechou a porta. O olhar de Arigó era ardente, como o amigo nunca vira.

"Você veio aqui", disse ele ao policial, "me pedir uma receita, porque quer levá-la ao juiz, não é isso?"

O homem balançou a cabeça, concordando.

"Dessa maneira conseguirá uma prova para que abram um processo contra mim, correto?"

O policial olhou para ele assustado, mas tornou a assentir com um movimento de cabeça.

"Em primeiro lugar", continuou Arigó, "você devia cuidar melhor da sua família. Já não a vê há muito tempo. Está se esquecendo dela. Não é verdade?"

O homem murmurou alguma coisa, mas acabou confirmando.

"Seu dever é cuidar da sua família em primeiro lugar", insistiu Arigó. "Só depois você deve se preocupar com o juiz e o tribunal. Agora vou lhe dar uma receita. Vai fazer o que estiver escrito nela?"

O policial concordou.

Arigó pegou uma folha de papel e escreveu rapidamente: LEIA A BÍBLIA LOGO PELA MANHÃ, À TARDE E NA HORA DE SE DEITAR. FAÇA ISSO, SEM FALTA, TRÊS VEZES POR DIA.

Entregou o papel ao policial, que estava vermelho de vergonha. O homem leu o que estava escrito, aquiesceu e deixou a sala. Arigó continuou seu trabalho.

5

Naquela época, início da década de 1950, muitas preocupações pairavam sobre o globo. Para os Estados Unidos, a maior delas era Guerra da Coreia, ao passo que o desenvolvimento da bomba de hidrogênio era algo que apavorava o mundo todo. A bomba era o principal fruto da física dos meados do século XX, mas a explosão da biologia levava o homem ao limiar da matéria viva, com a descoberta da estrutura da molécula do DNA, por James Watson e Francis Crick.

A medicina continuava a dar passos gigantescos com o desenvolvimento da cortisona, da vacina de Max Theiler para combater a febre amarela, da estreptomicina, da vacina de Jonas Salk contra a pólio e de outras novas drogas milagrosas, de efeitos mais abrangentes.

A evolução da física processava-se com tamanha rapidez que a impressão que se tinha era que o estudo das partículas elementares chegaria a um ponto em que a ciência começaria a se fundir com a metafísica. Não menos interessante era a descoberta, na Universidade da Califórnia, do antipróton, que sugeria o conceito quase absurdo da antimatéria.

Esse conceito claramente levava a pragmática física ao limiar do paranormal. Até mesmo sugeria a possibilidade de que existissem estrelas ou galáxias inteiras no universo feito de antimatéria. Nenhum escritor de ficção científica poderia ter concebido uma ideia mais fantasiosa e, no entanto, a descoberta da antimatéria, idêntica à matéria normal, exceto pelo fato de que prótons e elétrons apresentavam cargas opostas, estava ocorrendo desde o MIT (Instituto de Tecnologia de Massachusetts) até o Cal Tech, o famoso Instituto de Tecnologia da Califórnia. Ao colidir com prótons e elétrons normais, a antimatéria causa a destruição total de ambos.

Para explicar o novo fenômeno, o físico Leon Lederman, do Brookhaven National Laboratory, disse claramente: "Acredita-se que haja uma nova e mais profunda simetria entre mundo e antimundo, na qual o antimundo não só tem antipartículas em vez de partículas, como também é a imagem refletida do nosso mundo". E acrescentou: "Agora não é possível desaprovar a grande especulação de que esses antimundos sejam habitados por criaturas pensantes".

Tais conceitos revolucionários estavam abalando os pontos de vista convencionais da ciência e isso inspirava alguns cientistas, no início da década de 1950, a estudar campos que a ciência até então tinha menosprezado. Esses cientistas, na época, nada sabiam sobre o que estava acontecendo com Arigó, na cidade de Congonhas. O que eles sentiam, como grupo, era que a pesquisa sobre acontecimentos paranormais e o fenômeno da transferência da energia estava sendo completamente negligenciada, à luz dos principais avanços da física e da ciência médica.

Um desses grupos era formado por um grande número de médicos, engenheiros, cirurgiões, neurologistas, executivos e catedráticos, que trabalhavam em setores variados, incluindo universidades, hospitais, órgãos do governo e indústrias, além daqueles que estudavam por conta própria. Entre eles havia um experiente pesquisador do campo cirúrgico, um gerente do departamento de astroeletrônica de uma grande corporação, um eminente professor e pesquisador do campo da psiquiatria, um professor de cirurgia, um professor de filosofia, um neurologista e outros, que atuavam em diversas instituições altamente respeitadas, entre elas a Universidade Stanford, a Universidade de Nova York, o Massachusetts General Hospital, a Universidade de Pittsburgh e a Radio Corporation of America. Essas entidades, por fim, se uniram e formaram uma organização à parte, conhecida como Essentia Research Associates, com sede em Nova York.

Por volta da mesma época em que Arigó se tornava notícia no Brasil, graças ao seu trabalho de cura, alguns desse grupo iniciavam estudos experimentais no campo da telepatia, com o patrocínio de departamentos do governo dos Estados Unidos, entre eles a NASA e a Força Aérea norte-americana. Na sua grande maioria, porém, os progressos desses grupos eram irregulares e o orçamento, difícil de obter. O Essentia Research podia fazer apenas investigações primárias em relação ao paranormal, incluindo a transferência não sensorial de informações.

O dr. Henry Puharich, que posteriormente se juntaria a Henry Belk em sua viagem ao Brasil, para estudar Arigó, era um dos cientistas da Essentia Research. A ele se associou John Laurence, que pertencia a um grupo semelhante, chamado Life Energies Research, uma organização cujo maior interesse era o uso de complexos sensores eletrônicos para localizar e identificar os sistemas de energia que circundam o corpo humano. Essas energias ainda mal definidas tinham sido pouco estudadas no passado, mas ainda era necessário aguardar o desenvolvimento de uma aparelhagem mais adequada para se empreender estudos mais avançados. Havia um interesse evidente em vários departamentos do governo, desde o Pentágono até a NASA e a Comissão de Energia Atômica, e Puharich e outros tinham sido convidados para palestrar em várias conferências. Contudo, esse interesse pelo assunto ainda continuava a passos lentos e era insuficiente para gerar os fundos necessários a uma pesquisa que rendesse resultados esclarecedores.

Se, em meados de 1950, o trabalho de Arigó tivesse recebido a devida atenção dos Estados Unidos, certamente o mundo teria obtido um esclarecimento maior sobre o assunto. Mas do modo como a situação se apresentava, qualquer estudo científico teria que superar as pressões exercidas por pessoas que desejavam que a Justiça interrompesse suas práticas para sempre.

Felizmente, havia no Brasil um número crescente de médicos e cirurgiões altamente qualificados que estavam começando a considerar Arigó com seriedade suficiente para examinar os fatos. Um pouco desse interesse, no entanto, repercutiu de maneiras peculiares. Um cirurgião tentou usar a hipnose para reproduzir, no olho de um paciente, aquilo que Arigó fazia com a faca. E para isso empregou uma espécie de espátula, sem corte, a fim de atenuar o mal que poderia ocasionar. Mas, embora tivesse hipnotizado o paciente, os resultados foram desastrosos. Mal ele tocou o olho com o instrumento, o paciente recuou, apavorado. Aparentemente, nada do que Arigó fazia estava ao alcance de um cirurgião comum.

O ressentimento dos médicos contra ele era perfeitamente compreensível, não apenas sob o ponto de vista da concorrência, mas também do amor-próprio. Os requisitos necessários para a formação de um médico no Brasil, bem como nos Estados Unidos, já eram extensos na época e incluíam cursos preparatórios, a faculdade de medicina, o período passado como interno e residente num hospital – tudo isso exigindo um investimento substancial de tempo e dinheiro. Um "caipira", que nunca fora além do terceiro ano primário, despertar atenção de um país inteiro e atrair cidadãos proeminentes do mundo todo evidentemente era algo que espicaçava o orgulho de todos eles. Por outro lado, os médicos cuja curiosidade era maior do que o ressentimento eram tomados por uma admiração reverente diante daquilo que presenciavam.

Um desses médicos, o dr. Ladeira Marques, do Rio de Janeiro, que já estava ficando cansado de tanto ouvir e ler a respeito de Arigó, resolveu partir para Minas Gerais, a fim de descobrir mais alguma coisa a respeito daquele mito. Levou com ele outro colega também do Rio de Janeiro, que preferiu permanecer anônimo, e ambos se prepararam para o pior.

Alguns meses antes que os dois médicos tivessem reunido coragem suficiente para enfrentar as críticas mordazes dos colegas, uma mulher chamada Maria Silveiro foi procurar seu médico em Vitória, capital do Espírito Santo. Ela vinha sofrendo de dores constantes no abdômen e estava começando a ficar preocupada.

Seus temores foram confirmados pelo médico, que imediatamente mandou-a para um especialista. E não foi preciso muito tempo para que o diagnóstico viesse. Tratava-se de um câncer no ovário, que precisava ser operado quanto antes. Ela e o marido, Ismênio Silveiro, um proeminente militar de Vitória, tomaram todas as providências para que a cirurgia fosse realizada no melhor hospital da cidade.

A cirurgia foi realizada, mas verificou-se que ela não foi bem-sucedida. O prognóstico foi devastador: restava-lhe apenas alguns meses de vida. Os médicos consultados foram unânimes ao afirmar que ela estava desenganada.

Ismênio Silveiro contou a um amigo, Virgílio Mendes Ferraz, sobre a doença da esposa. Este, que era um dos homens mais ricos da região, um latifundiário conhecido em todo o estado, ao ouvir as queixas de Silveiro, contou-lhe sobre o caso da sua própria esposa, que era semelhante. Depois do diagnóstico de câncer no útero, também fora desenganada por todos os especialistas. Ao ouvir falar de Arigó, como último recurso ele a levara a Congonhas, sem muita esperança. O médium a operara totalmente consciente e, após algumas semanas, ela se restabeleceu e passou a gozar de ótima saúde.

Ferraz ficou tão grato com aquela cura milagrosa que enviou um cheque de 50 mil cruzeiros a Arigó. Ficou muito admirado quando o cheque foi devolvido, com a explicação de que não costumava aceitar pagamento, nem presentes.

Ferraz insistiu para que o amigo levasse a esposa a uma consulta com Arigó, dizendo que não tinha nada a perder, considerando o prognóstico apresentado pelos médicos. O casal chegou a Congonhas justamente no dia em que o dr. Ladeira Marques e seu colega anônimo chegavam do Rio de Janeiro.

Um tanto constrangidos, os dois médicos cariocas foram levados até a salinha que ficava nos fundos da clínica de Arigó e ao lado daquela onde ele trabalhava diariamente. Aquele cômodo era reservado para as cirurgias mais complexas. O local quase não tinha mobília. Só havia uma porta velha, apoiada em dois cavaletes e que servia de mesa cirúrgica. Havia também uma pequena cama de madeira, usada nos pós-operatórios, caso Arigó julgasse necessário – embora raramente isso ocorresse. Os médicos do Rio de Janeiro foram convidados a permanecer ao lado da mesa, para observar à vontade.

O médium comportou-se como sempre – meio rude, meio brusco, quase arrogante. Através de uma janela larga, luz suficiente entrava no aposento, enquanto os dois médicos preparavam-se para ver Arigó entrar em ação. Maria Silveiro adentrou a sala acompanhada do marido e o médium assumiu o comando. Ele conduziu a paciente para a tal porta que servia de mesa cirúrgica e estava coberta com folhas de jornal. Pediu a Altimiro que trouxesse seus instrumentos, que, como de costume, estavam guardados numa velha lata de alumínio. Havia uma pinça, dois bisturis, uma faca de descascar frutas e algumas tesouras. Arigó já estava em estado de transe, que caracterizava a troca de personalidade com o Dr. Fritz. Essa mudança de personalidade era tão evidente que os repórteres e até mesmo outros médicos já passavam a se dirigir a ele chamando-o por esse nome, em vez de Arigó.

Falando com aquele sotaque gutural germânico, ele se virou para o marido – ignorando a angústia e a preocupação do homem – e lhe perguntou se preferia que a operação fosse feita por meio de uma incisão no abdômen ou por via vaginal. Ele respondeu que preferia a segunda opção. Arigó então lhe pediu que erguesse o vestido da mulher e imediatamente iniciou a cirurgia, com uma rapidez extraordinária. Os dois médicos cariocas observavam incrédulos.

Em qualquer cirurgia desse tipo, é imprescindível o uso de um espéculo. Esse instrumento cirúrgico serve para distender os tecidos e as aberturas do corpo, permitindo uma inspeção mais profunda e a introdução de instrumentos sem nenhum impedimento. Mas o instrumental cirúrgico de Arigó não incluía tais requintes. Observaram quando ele introduziu na vagina três tesouras e dois bisturis, imprimindo um movimento violento em cada um deles. Os dois médicos voltaram os olhos para a paciente. Tinham certeza de que ela deveria estar sentindo uma dor excruciante com a brutalidade dos movimentos. A mulher, no entanto, continuava calma e imóvel, sem esboçar nenhuma reação. Ao descrever, posteriormente, o que aconteceu a seguir, o dr. Marques disse:

"Arigó segurava a metade de uma das tesouras. Então, vimos a outra metade se movendo sozinha. Era como se outra mão tivesse pegado a parte que ficara livre, enquanto começava a fazer movimentos perceptíveis, cortando o tecido. Ouvia-se perfeitamente o ranger do metal e o ruído da carne sendo cortada. Dentro de alguns instantes, o 'Dr. Fritz' retirou as tesouras e, ao ver que o sangue começara a escorrer, disse: 'Deus, permita que o sangramento pare'. A hemorragia cessou e ele continuou a cirurgia.

"Então pegou a pinça. Monopolizando toda a nossa atenção, ele a introduziu na abertura vaginal, retirando dali um tumor de tamanho surpreendente. A paciente continuou completamente relaxada e serena durante toda a operação, que durou apenas alguns minutos. Não parecia sentir nenhuma dor. Arigó não tinha administrado nenhuma anestesia, esterilizado nenhum instrumento e tampouco usado qualquer antisséptico."

Tempos depois, ela deu à luz um filho sadio e recobrou a saúde.

Ambos os médicos se viram obrigados a aceitar aquilo que tinham visto com os próprios olhos, reconhecendo-se "escravos dos fatos", conforme disse um deles. No entanto, sabiam que estariam se expondo a críticas, caso reconhecessem publicamente o que haviam testemunhado. Dr. Marques não titubeou, e relatou o fato com detalhes aos colegas e a outras pessoas. O problema todo, claro, era a credibilidade – e o que o relato desses fatos podia fazer para acabar com a reputação de um médico que tivera a coragem de divulgar suas convicções publicamente.

Não era uma decisão fácil para um profissional da área médica. As associações médicas já tinham deixado bem claro a que conclusão haviam chegado: Arigó era um curandeiro e um charlatão, quiçá um praticante da bruxaria. Aquele era um caso muito simples, e a Associação Médica de Minas Gerais estava impaciente com a morosidade da Divisão de Roubos e Falsificação para dar andamento ao processo e concluir o caso. Eles presumiam – provavelmente com razão – que no caso em questão deveriam estar envolvidos oficiais do governo, cuja vida ou a de seus parentes inexplicavelmente tinham sido salvas por Arigó, e, portanto, não se interessavam em contribuir para a prisão de um homem ao qual tanto deviam.

Talvez essas pessoas influentes fossem responsáveis pela peregrinação de muitos médicos a Congonhas, que estavam dispostos a se expor à crítica dos colegas.

Fosse qual fosse o dia em que os médicos chegassem à cidade, sempre encontravam casos representativos, pois todos os dias o médium enfrentava um espectro tão amplo de doenças e distúrbios que qualquer médico poderia encontrar algo de interesse, relativo a algum problema da medicina.

Alguns médicos, porém, dirigiam-se a Congonhas devido a casos que vinham acompanhando com interesse. Entre eles, estavam os pacientes desesperados, que iam procurar Arigó como último recurso, depois que a medicina não lhes dava mais esperanças. O dr. José Hortência de Medeiros foi um dos que resolveu observar o médium por esse motivo. Ele era radiologista do Instituto de Cardiologia do Estado e muito amigo de um jovem austríaco, que estava muito preocupado com a moléstia da esposa, uma polonesa que nem completara 30 anos. Embora o dr. Medeiros já praticasse a medicina havia vários anos, depois de uma especialização de dois anos em raios X na Suécia, não havia mais o que pudesse fazer por ela.

Em São Paulo, ela fora levada a um pronto-socorro em estado desesperador, com sintomas de obstrução intestinal. Depois de examinada, as radiografias demonstraram que precisaria de uma cirurgia de emergência. Durante o procedimento, descobriram que o cólon transverso estava bloqueado por um tumor. Ele foi retirado e foi feita uma colostomia, procedimento em que o cólon é ligado à parede abdominal e os resíduos do sistema digestório são desviados para uma pequena abertura no abdômen e coletados por uma pequena bolsa.

O tumor foi imediatamente levado para um laboratório, onde fizeram um exame patológico, embora os cirurgiões já tivessem certeza de que se tratava de um câncer agressivo. Também foram constatados um aumento no volume dos gânglios do peritônio e um nódulo no fígado. O exame de laboratório confirmou a existência de um carcinoma.

Com a confirmação da malignidade, a jovem foi desenganada. Todos os médicos consultados foram unânimes em afirmar que não havia esperança. No entanto, resolveram fazer uma última tentativa e ela deu entrada no Hospital Central do Câncer, em São Paulo, para passar por uma nova cirurgia. O prognóstico não era otimista, mas o marido e o dr. Medeiros julgavam que tudo deveria ser tentado.

Abriram novamente o abdômen da moça e desta vez o caso lhes pareceu ainda mais grave. O câncer tinha se espalhado por toda a região abdominal e ali foi descoberto um novo tumor, do tamanho de um ovo. A essa altura, a paciente já perdera muito peso. Devia estar com uns 35 quilos, quando antes pesava em torno de 67. O relatório do cirurgião do Hospital do Câncer foi ainda mais pessimista do que o anterior. Deu o caso como liquidado e completamente fora do alcance da medicina.

Foram realizados mais dois exames no tecido metastático, um deles pelo chefe de anatomia patológica do Hospital do Câncer. O diagnóstico foi mais uma vez confirmado, carcinoma metastático mucocelular. A paciente fora tomada por uma invasão carcinogênica. O prognóstico era de que ela teria, na melhor das hipóteses, mais dois meses de vida. O dr. Medeiros reviu todos os relatórios e chegou à conclusão de que nada mais podia ser feito, a não ser aceitar o prognóstico.

Vendo a esposa definhar, o marido foi procurar o dr. Medeiros com uma última, e provavelmente fútil, sugestão. Gostaria de levá-la a Congonhas, para se consultar com Arigó. Ele reconhecia que a ideia podia parecer ridícula, mas, se o médico julgasse que a jovem aguentaria a viagem, desejava tentar.

Medeiros já tinha ouvido falar de Arigó e seu interesse fora despertado pelos relatos vindos de Congonhas. Também estava a par da opinião das associações de medicina com relação ao curandeiro, mas por ser um médico curioso e cheio de compaixão, não via nenhum mal em se fazer mais essa tentativa, mesmo que se revelasse inútil. E como era muito amigo do casal, resolveu acompanhá-los, pelo menos para evitar que a jovem sofresse muito durante a viagem.

Ele sabia que seria desastroso se tentassem fazer a viagem de carro ou de ônibus. Então decidiram fretar um pequeno avião, que os levaria até o aeroporto de Conselheiro Lafaiete, o mais próximo de Congonhas. A moça agora pesava menos de 35 quilos.

Ela foi carregada pelo marido até a sala de Arigó e o casal foi acompanhado pelo dr. Medeiros. No silêncio da clínica antiquada, o sotaque germânico de Arigó ecoou, lançando ocasionalmente algumas frases em alemão. O marido, por ser austríaco, tomou coragem para dirigir-se a ele nesse idioma e recebeu algumas respostas. O médium não deu nenhuma atenção especial à mulher em estado desesperador. Ela era simplesmente mais uma entre várias centenas que passavam por aquela mesa. De repente, ele a fitou com os olhos vidrados, que caracterizavam o estado de transe cada vez que ele incorporava o Dr. Fritz. A mão dele rabiscou uma receita na velocidade habitual e ele lhe disse muito simplesmente: "Tome isto e ficará boa".

O trio foi levado até Altimiro, que rapidamente datilografou a receita. Duas horas depois, estavam de volta a São Paulo. No avião, o dr. Medeiros analisou a receita. Embora incluísse medicamentos modernos para a época, julgou a composição completamente irracional. Além disso, as doses prescritas eram muito superiores às de qualquer receita normal. As drogas incluíam Canamicina, Olobintina, Neurorubina e Dexteascina, sendo todas marcas registradas, encontradas em qualquer farmácia do Brasil.

A Canamicina era um remédio de origem japonesa, fabricado no Rio de Janeiro sob licença especial. Basicamente, era um antibiótico empregado principalmente nas infecções intestinais. Às vezes causava sérios efeitos colaterais. A Olobintina, uma antiga fórmula alemã, também fabricada no Rio, destinava-se a aumentar as defesas do organismo e presumia-se que tivesse eficácia principalmente nas bronquites fétidas e na gangrena pulmonar. Era um medicamento injetável. O dr. Medeiros não encontrava nenhuma razão para que tivesse sido receitado, mas já ouvira outros médicos afirmando que as receitas de Arigó reagiam de um modo bastante peculiar, apesar dos absurdos que continham. Também ouvira dizer que, quando outros médicos tinham tentado prescrever para os mesmos casos aquelas composições nada convencionais, as drogas mostravam-se ineficazes. A Neurorubina também era fabricada no Brasil e consistia num complexo de Vitamina B, com uma grande dosagem de vitamina B12. A razão para o emprego da Dexteascina permanecia obscura.

Apesar do seu pessimismo com relação à eficácia daquelas drogas no caso da jovem, o dr. Medeiros concordou em assumir os riscos, uma vez que nada mais restava senão frustração e desespero. Ao chegarem a São Paulo, ele ministrou as doses altas daqueles medicamentos, sentindo-se muito pouco profissional ao agir assim.

Dentro de uma semana, a paciente desenganada pelos médicos melhorou a ponto de se levantar da cama e caminhar pelo quarto. No fim da segunda semana, já ganhara oito quilos e, após seis semanas de tratamento, pesava quase três quilos a mais do que na época em que adoecera. O dr. Medeiros mal podia conter sua surpresa. Concordou em voltar a Congonhas com a paciente e o marido, para uma nova consulta.

Agora estava realmente ansioso para continuar a observar o trabalho do médium e interessado principalmente em confirmar aquela aparente cura. Na opinião dele, a paciente parecia estar em franca recuperação. Ainda usava a pequena bolsa de colostomia, que servia para a defecação. Arigó não dissera nada sobre a retirada da bolsa e no momento o dr. Medeiros não via nenhum motivo para não seguir o tratamento do médium, em face daquele sucesso inacreditável.

Quando chegaram a Congonhas, Arigó declarou que a paciente estava fora de perigo e lhe apresentou mais duas prescrições tão pouco convencionais quanto a anterior. Um dos novos medicamentos era um antibiótico usado nos tratamentos das infecções no trato urinário. O dr. Medeiros julgou que podia pelo menos concordar com aquela lógica, pois a colostomia e a obstrução intestinal tinham tido efeitos perniciosos sobre o sistema urinário.

A paciente tornou a consultar Arigó pela terceira vez, sendo que nessa visita estava acompanhada da mãe. Ele a declarou curada e deu-lhe instruções para que "revertesse a cirurgia", referindo-se à colostomia. Ao voltar a São Paulo com as novidades, ela logo tratou de tomar providências para ser operada, a fim de reverter a colostomia, fechando a abertura na parede abdominal.

A cirurgia foi efetuada num grande hospital de São Paulo, por um cirurgião de renome. O dr. Medeiros esperava ansiosamente, para saber o que o cirurgião encontraria, ao abrir o abdômen de sua paciente pela primeira vez, depois de ser desenganada.

O médico não encontrou nenhum tumor, tudo que restava era uma formação inofensiva de um tecido fibroso. As partes do intestino voltaram a ser conectadas e o órgão passou a funcionar normalmente. Onze meses depois, ela não apresentava nenhum sintoma da devastadora doença.

Como o dr. Medeiros tinha seguido o caso desde o início até o seu desfecho e conhecia todos os detalhes, não hesitou em divulgar publicamente o resultado de suas observações. Muitos de seus colegas tinham passado pelas mesmas experiências com Arigó e seus pacientes, mas haviam hesitado em relatar os casos em publicações médicas ou para o público. Em vista do processo que corria contra o médium, tanto a Igreja Católica quanto as associações médicas viam declarações com aquela com reprovação. Apesar disso, o dr. Medeiros voltou várias vezes a Congonhas. Nas cirurgias que observou, o que mais o impressionava era a formação aparente e quase instantânea da cicatriz no lugar da incisão, com a ausência total de suturas. Esse era outro fenômeno inexplicável que, na maioria das vezes, testemunhava-se na técnica cirúrgica de Arigó.

O outro médico de renome que desejava insurgir-se contra aquela onda de opiniões oficiais era o dr. Ary Lex. Professor de Clínica Cirúrgica da Universidade de São Paulo, com a especialidade em cirurgia do estômago e do aparelho digestório, ele exercia sua profissão no Hospital das Clínicas, um dos maiores da América do Sul. O que o intrigava era que, embora a Igreja e as associações médicas tentassem descobrir alguém – qualquer pessoa – que declarasse ter sido prejudicado por Arigó e testemunhasse contra ele nos tribunais, não tinham sido bem-sucedidas na sua busca.

Caso essas pessoas de fato existissem, não queriam se fazer conhecer. Pela lógica, pacientes supostamente prejudicados pelos procedimentos grosseiros ou pelas prescrições absurdas de Arigó àquela altura já deveriam ter aparecido. Havia médicos e padres em número suficiente com o desejo de desmascarar, e até mesmo destruir, o médium, e seria fácil para eles encontrar alguém que pelo menos *tivesse a impressão* de ter sido prejudicado pelo médium. O dr. Lex achava que o fato de nenhuma pessoa ter aparecido era uma prova animadora da eficácia de Arigó.

Como antigo presidente do departamento de cirurgia da Associação Paulista de Medicina, Lex estava consciente do perigo que corria, ao realizar um estudo sobre aquele homem. Era conhecido por sua batalha contra qualquer espécie de charlatanismo ou práticas antiéticas. No decorrer do exercício da sua profissão, havia descoberto inúmeras fraudes e charlatães, e fora bem-sucedido ao denunciá-los. E, para ele, tornou-se evidente que Arigó era uma história diferente.

O médico foi para Congonhas sozinho, sem nenhum dos seus colegas, porque duvidava muito que conseguiria descobrir alguma coisa sobre Arigó. Ficou surpreso e satisfeito ao deparar-se com dois outros professores de medicina na cidade, que tinham tido a mesma ideia. E quando, no primeiro dia, observou o que ocorria na clínica do médium, deu graças a Deus por ali se encontrarem os outros dois profissionais.

Juntos, assistiram a quatro cirurgias no período de meia hora, realizadas em meio a cerca de trinta casos não cirúrgicos. Como o dr. Lex nunca tinha encontrado um médium curandeiro que resistisse ao seu escrutínio ao ser testado, enquanto Arigó trabalhava, ele observou tudo cuidadosamente. A única gentileza que o médium demonstrou para com os três célebres visitantes foi convidá-los a se aproximar o máximo possível, para observarem melhor. O dr. Lex logo percebeu que, enquanto Arigó parecia estar em estado de transe, não tentava empregar nenhuma técnica de hipnose nos pacientes e tampouco aplicava qualquer passe com as mãos ou outros métodos de sugestão. Aquilo o deixou particularmente interessado, pois sentia que o fato poderia explicar, em parte, o sucesso do médium. Agora estava convencido de que os pacientes não estavam nem ao menos num estado de transe parcial.

Na primeira cirurgia, Arigó drenou um cisto sinovial, sem nenhum preparo cirúrgico ou anestesia, como de costume. Ela foi concluída com sucesso em questão de minutos. Na segunda cirurgia, o médium lhe perguntou se ele queria segurar o braço do paciente. O médico concordou, pois assim poderia ver de perto a extração de um lipoma. Arigó fez isso em menos de 30 segundos. Mas o que mais interessou o dr. Lex foi a técnica empregada. Em vez de cortar a pele com o bisturi, o médium esfregou-a com a parte de trás da lâmina, até que ela de repente se abrisse. Em seguida, pressionou o local com as mãos e o tumor gorduroso saiu inteiro.

Na terceira cirurgia, Arigó deparou-se com o mesmo problema e procedeu da mesma maneira. E, na quarta, ele permitiu que o dr. Lex segurasse a cabeça do paciente, enquanto se preparava para operar um pterígio. Para retirar a membrana gelatinosa que crescera por sobre o olho e aderira firmemente à córnea, Arigó usou uma tesourinha de unha não esterilizada, enquanto o dr. Lex observava incrédulo. Tinha certeza de que ninguém poderia suportar uma incisão feita diretamente no globo ocular sem estar completamente anestesiado. Mas, como de costume, o paciente se manteve acordado, enquanto o médium introduzia as pontas da tesoura dentro do olho com uma brutalidade inacreditável, cortando o tecido ocular e falando com aquele sotaque alemão, enquanto operava. O pterígio foi totalmente removido, mas o olho começou a sangrar muito e o sangue escorreu pelo rosto do homem.

Arigó olhou para o teto e ordenou que a hemorragia cessasse. Depois, pegando um chumaço de algodão não muito limpo, comprimiu-o contra o olho do paciente. Depois de esfregá-lo por alguns segundos, ergueu o algodão. O sangramento havia estancado completamente.

Questionado posteriormente por J. Herculano Pires, o dr. Lex assim disse: "Os únicos dois adjetivos possíveis que consigo encontrar para definir aquilo são 'espetacular' e 'espantoso'".

E acrescentou: "Durante todas aquelas cirurgias, falei com os pacientes, perguntando-lhes se sentiam dor. Estavam conscientes, calmos, não reagiam e disseram que não sentiam nada. Arigó agia de um modo perfeitamente natural e confiava tanto nele mesmo que, num certo momento, chegou ao ponto de limpar violentamente o bisturi na cabeça de meu colega. Ele, o médico, também não sentiu nada, apesar da violência do gesto".

O dr. Lex também teve oportunidade de observar vários exames de Arigó, efetuados com a "faquinha pontuda", durante os quais ele a movimentava na parte interior da cavidade orbital, sem nem mesmo olhar para o paciente e ao mesmo tempo que conversava com outras pessoas, enquanto procedia o exame.

"Algumas vezes Arigó deixava o globo ocular do paciente tão proeminente que ele parecia querer saltar da órbita", contou o dr. Lex a Herculano Pires. "E tudo isso sem anestesia e sem que o paciente demonstrasse qualquer sinal de dor."

Mas por mais admiração que ele sentisse pelo método cirúrgico empregado por Arigó, ficava indignado com suas receitas. "Elas me assustavam", ele dizia. "Considerava-as o maior dos absurdos. Não pareciam fazer sentido algum. A Olobintina e a Canamicina são, na verdade, drogas obsoletas. Ambas têm efeitos colaterais perigosos e reações adversas."

O dr. Medeiros evidentemente concordava com isso, embora já tivesse constatado a eficácia das receitas e, até onde sabia, não havia nada que indicasse que eram prejudiciais. Ele reconhecia que uma pesquisa adequada sobre o tema seria uma tarefa árdua e o problema era mais intrigante do que nunca. Tanto o dr. Lex quanto o dr. Medeiros concordavam numa coisa: era preciso realizar uma pesquisa séria sobre Arigó – longa, profunda e completa, e sob um controle médico rigoroso.

"Apesar dos erros", comentou o dr. Lex, "ele é um fenômeno notável. Não critico Arigó apenas. Parece-me que ele merece uma atenção mais profunda por parte das diversas entidades científicas. O fato de não haver nenhum controle científico sobre as atividades do médium faz com que ele e seus pacientes fiquem expostos a uma série de situações perigosas. Existe ainda o perigo de ele fazer mau uso de suas faculdades. No momento, não há nenhuma prova científica e é evidente que isso deveria ser providenciado. No entanto, posso afirmar com certeza que essa foi a primeira vez que observei um autêntico caso de fenômeno paranormal no meu próprio campo da medicina."

Tempos depois, o dr. Lex voltou a encontrar Arigó, para observar um caso confirmado de câncer no fígado, no qual o médium retirou o tumor com as mãos – um procedimento jamais visto. A biopsia confirmou a malignidade do tumor, e o restabelecimento total do paciente foi também confirmado. Tratava-se de um advogado abastado, materialista convicto e pragmático. Depois de recuperar a saúde, tornou-se espírita.

Muitos outros médicos visitaram Congonhas, abertamente ou sem expor sua identidade. Alguns foram para escarnecer, mas a maioria saiu dali completamente convencida de que havia encontrado um dos mais estranhos casos da história da medicina. O consenso era de que Arigó era um caso inacreditável, embora a prova fria e empírica do sucesso de suas cirurgias os deixasse sem escolha a não ser acreditar no inacreditável.

Não havia, porém, um número suficiente deles para apresentar uma oposição eficaz diante da atitude das associações de medicina. Até mesmo aqueles que estavam convencidos da legitimidade de Arigó achavam que ele não podia continuar a exercer sua prática abertamente e sem nenhum controle. Inspirados por ele, os charlatães inescrupulosos poderiam se multiplicar pelo país, com resultados muito mais desastrosos. A anarquia médica poderia se instaurar. Qualquer um que pareça ir contra as leis da física se depara com problemas sérios e preocupantes. Entre os vários enfrentados por Arigó, havia mais uma complicação: ele era considerado, aos olhos da Igreja Católica, como um blasfemo e herege.

Por fim, depois de uma longa demora, a engrenagem dos processos judiciais se pôs em movimento. No dia 1º de agosto de 1956, um oficial chamado Helvécio Arantes, da divisão de Roubos e Falsificações do Departamento da Polícia, sentou-se à sua escrivaninha e escreveu:

> Executando ordens da Secretaria da Segurança Pública do Estado de Minas Gerais, para verificar os fatos relacionados com a prática ilegal de medicina pelo indivíduo conhecido como Zé Arigó, cujo nome de batismo é José Pedro de Freitas, e investigar a prática ilegal da medicina.
>
> Arigó e todas as pessoas a par desses fatos devem ser intimadas. Uma prescrição escrita por Arigó pode ser encontrada na Farmácia Congonhas Limitada.

Os primeiros investigadores da polícia que chegaram à cidade foram imediatamente detectados pelos moradores. Arigó já tinha sido avisado por um dos seus defensores. Os habitantes de Congonhas não eram menos observadores e os investigadores toparam com a resistência da maioria deles. Apesar de avisados de que ocultar informações era contra lei, poucos falariam contra Arigó. A maior parte se recusou a dar os nomes daqueles que tinham sido pacientes dele. É evidente, porém, que havia os inimigos do médium, que se apresentaram voluntariamente para testemunhar. Mas, visto que nenhum deles fora paciente de sua clínica, havia muito pouco de concreto a ser relatado.

Quando se espalhou a notícia de que os adversários de Arigó estavam dando informações à polícia, iniciou-se um movimento, entre seus defensores, para que todos testemunhassem a favor do médium. Declarariam publicamente que ninguém nunca fora prejudicado pelo trabalho de cura de Arigó e que milhares tinham recuperado a saúde. O que eles não percebiam era que, mesmo que se desfizessem em elogios ao médium, estavam, na verdade, cavando a cova dele. Todo testemunho a favor do trabalho de cura o condenava, aos olhos da lei. A polícia não estava interessada em saber se ele era capaz de curar ou não. Tudo que precisavam era provar que ele estava praticando medicina ilegalmente.

Mesmo com a polícia se infiltrando na cidade, Arigó continuou seu trabalho. A longa fila formada logo nas primeiras horas da manhã em frente à clínica, com todo seu fardo de doenças e desespero, compunha-se de pessoas de Belo Horizonte, São Paulo, Rio de Janeiro, Argentina e várias outras partes do mundo.

Uma noite, após um longo dia de trabalho, Arigó se deitou ao lado de Arlete, que já estava meio adormecida. Ele não disse nada, mas, ao fim de alguns instantes, ela o ouviu murmurando algo baixinho.

Ele estava rezando por seus inimigos.

6

Por uma estranha coincidência, foi em Congonhas que surgiu a ideia de construir a extraordinária cidade de Brasília. Foi também nessa cidadezinha que os caminhos de Arigó e do presidente Juscelino Kubitschek se cruzaram pela primeira vez. E este foi um acontecimento que afetaria a vida de ambos.

Kubitschek, um homem alto, forte, de personalidade marcante, com espessos cabelos pretos e um carisma todo especial, viajava pelo Brasil, trabalhando em prol de sua campanha para o cargo de presidente, nas eleições de 1955. Era extremamente popular em qualquer lugar que fosse. Tinha sido um forte defensor da política do presidente Getúlio Vargas e garantia com eloquência, ao seu eleitorado, que lhe daria cinquenta anos de progresso em apenas cinco. Muito mais do que desejavam, seus adversários tinham que admitir que ele costumava cumprir suas promessas. Mas, mesmo antes de ser eleito, muitos se queixavam da extravagância de suas ideias.

Os antecedentes de Kubitschek eram tão impressionantes quanto a sua aparência. Médico competente, especializara-se em cirurgia em Paris e no Oriente Médio, e posteriormente servira como oficial da polícia militar durante muitos anos, em vários departamentos do governo. Sentia-se, porém, atraído pelo glamour da política. Exerceu sucessivamente os cargos de deputado federal, prefeito de Belo Horizonte, chegando a governador do estado de Minas Gerais. Era um cosmopolita, que falava francês e inglês fluentemente e sentia-se à vontade em qualquer capital estrangeira.

Quando, por ocasião da sua campanha eleitoral, visitou Congonhas, seu comício foi muito comentado, pois ele prometeu à multidão reunida na rua Marechal Floriano que, se fosse eleito, respeitaria a Constituição religiosamente. Só assim, dizia ele, haveria paz no Brasil. E, dirigindo-se ao povo, prometeu: "Vou obedecer a todos os preceitos da Constituição, artigo por artigo".

Nesse momento, um dos espectadores aproximou-se do palanque e perguntou: "Se está mesmo disposto a obedecer à Constituição, artigo por artigo, está preparado para obedecer àquele que exige a construção de uma nova capital no centro do Brasil?".

A pergunta pegou Kubitschek de surpresa. Ele ficou em silêncio por quase meio minuto. Havia anos que os estadistas brasileiros estavam tentando encontrar um meio de desbravar o agreste e vasto interior do país. Desde que fora descoberto, o Brasil parecia uma roda-gigante, sem eixo. A população em peso concentrava-se no litoral, tal qual uma carga pesada e desequilibrada que tornava inacessíveis as riquezas das terras férteis do interior. Kubitschek naquele momento sentiu que não podia voltar atrás na promessa que acabara de fazer, quanto a obedecer religiosamente à Constituição. Mas realmente esquecera-se do artigo que se referia à construção de uma capital na região central. Olhando diretamente para o homem que fizera a pergunta, ele disse: "O senhor tem razão. Não tinha pensado nesse assunto. Mas o senhor está certo, eu construirei Brasília!". Tempos depois, a cidade de fato foi erguida naquela região inculta, para assombro do mundo todo. E, apesar das pesadas acusações sobre os altos gastos e corrupção feitas contra ele, até mesmo os críticos agora admitem que a cidade ajudou no desenvolvimento do interior do país.

Kubitschek naturalmente já ouvira falar de Arigó – quase todo mundo, no Brasil, já tinha ouvido falar dele. Mas, naquele dia em Congonhas, quando observou o médium em ação, ficou estarrecido.

"Não compreendo", ele disse mais tarde. "Já ouvi muitas celebridades falarem do grande prestígio desse médium e do que ele fez por elas. Mas, sendo eu mesmo um médico e um cirurgião, eu o achei tão extraordinário que não encontrei palavras para me expressar. O povo tinha fé em Arigó e ninguém podia deixar de ter. Ele era um deus!"

Kubitschek ficou tão impressionado que ele e a esposa aceitaram o convite do médium para almoçarem em sua casa. Arlete, como sempre, estava de bobes no cabelo (aliás, era assim que costumava se apresentar sempre) e serviu uma refeição frugal. Kubitschek e Arigó naquele dia iniciaram uma amizade que durou anos e que se tornou decisiva para o político, quando uma de suas filhas teve que ser levada aos Estados Unidos para se submeter a uma operação na coluna vertebral, em consequência de uma grave deformação. A cirurgia foi tão delicada que a moça teve que permanecer imobilizada durante meses.

"Por causa disso", contou o próprio Kubitschek, "ao regressar ao Rio de Janeiro, ela estava com duas pedras enormes no rim. Minha esposa estava muito nervosa, pois essa complicação era grave e poderia acabar sendo fatal. Ela então me perguntou se eu não poderia pedir a Arigó que fosse ao Rio, ver o que podia fazer pela nossa filha. Concordei e telefonei para ele. Contei-lhe que nossa filha estava muito doente, mas não lhe disse do que se tratava.

"De Congonhas até o Rio de Janeiro, leva-se seis horas de carro, mas, logo na tarde seguinte, Arigó chegou à nossa casa e, sem sequer me dar uma chance de contar o que ocorria, entregou-me uma receita escrita numa folha de papel. Por ser médico, compreendi imediatamente que se tratava de um remédio específico para eliminar as pedras. Mas como poderia ele ter adivinhado o que estava acontecendo com ela? Como não exerça minha profissão havia algum tempo, levei-a ao meu médico para que examinasse a receita. Ele me disse que não a considerava muito eficiente, mas que não haveria nenhum mal em experimentar. As receitas de Arigó eram conhecidas por terem um efeito maior do que o normal. Ela tomou o remédio e ficou completamente curada."

Daquele dia em diante, em suas viagens o presidente Kubitschek e a esposa sempre davam um jeito de parar em Congonhas e fazer uma visita informal a Arigó. Ofereceram-lhe um relógio de pulso de ouro maciço, mas ele recusou, explicando que não podia aceitar nenhum presente ou dinheiro.

Congonhas passou a ficar sempre tão cheia, com os doentes e moribundos se aglomerando nas ruas, que Walter de Freitas, um dos irmãos de Arigó, resolveu construir um hotel modesto ao lado do centro espírita onde ele fazia suas consultas. Não se tratava propriamente de uma obra de arte arquitetônica, mas alguma coisa tinha de ser feita na cidade para aumentar o número de acomodações, que já tinha chegado ao seu limite. O hotel evidentemente exigia a atenção do médium, que agora trabalhava como recepcionista no IAPETEC, a fim de poder sustentar a família. Esse emprego e mais as curas que fazia na clínica lhe obrigavam a trabalhar um total de dezesseis horas por dia, exceto nos fins de semana, quando ele muitas vezes trabalhava como corretor de móveis ou cuidava das suas queridas roseiras.

Os repórteres continuavam a divulgar histórias milagrosas, que tinham se proliferado a tal ponto que se tornaram corriqueiras. Roberto Freire, um jornalista que escrevia para a revista *Realidade* e também era médico, começou a acusar Arigó em seus artigos, insinuando que ele devia estar recebendo comissões das farmácias que aviavam suas receitas, embora não houvesse nenhuma prova disso.

Arigó insistia em dizer que aquilo não era verdade. Admitia que sua fama como curandeiro às vezes ajudava na venda dos imóveis, mas não ia além disso. Acrescentou que estava decidido a fazer com que seus filhos recebessem uma boa educação, bem diferente daquela que ele tivera, e que recebia com satisfação a ajuda financeira que lhe era oferecida ocasionalmente, por alguns membros mais abastados da família.

O repórter lhe perguntou: "O hotel pertence ao seu irmão? Dizem que vocês são sócios e que você não trata ninguém que não se hospede nele".

Arigó reagiu irritado: "Eu costumava tratar meus pacientes em minha casa e uma das queixas que faziam contra mim é que eu estava contaminando todas as pensões e hotéis da cidade. Meu irmão Walter construiu aquele hotel sozinho. Não dei nenhuma sugestão nem nada. Você deve ter visto que, durante as consultas, peço que os pacientes tenham fé, rezem e tomem os remédios. Deixe que meus inimigos provem que meu irmão e eu somos sócios. Deixem que examinem minha conta bancária. Deus não me ajudaria a curar se eu fosse desonesto".

Quando o repórter ia saindo, Arigó, que já não estava mais irritado, perguntou a ele: "É católico?". O outro respondeu que sim. "Ótimo, então nosso Cristo é o mesmo. O resto não interessa."

Na delegacia de Congonhas, o inspetor regional Helvécio Arantes preparava-se para interrogar as testemunhas do caso de Arigó. Estava um pouco preocupado com os relatórios que iam chegando e demonstravam que os cidadãos de Congonhas não estavam muito interessados em responder aos interrogatórios. Apesar disso, tinha certeza de que o caso logo seria resolvido. Alguns dos inimigos do médium estariam dispostos a falar e tudo de que precisava era um punhado deles, para que a questão fosse liquidada.

Quando Antônio Maia Seabra, naquele 1º de agosto de 1956, chegou à delegacia, o inspetor Arantes iniciou o interrogatório sem demora. Após algumas perguntas preliminares para confirmar se ele morava na cidade de Congonhas, tinha 42 anos e era um bom cidadão, pediu-lhe que contasse o que sabia sobre Arigó.

Seabra respondeu: "Eu o conheci quando ele tinha o bar e restaurante. Isso já faz muitos anos. Agora ele trabalha no IAPETEC".

"Que tipo de pessoa ele é?"

"Bem... é um homem muito esperto, sempre pensando nele próprio e tentando vencer na política. Procura tirar vantagem de qualquer coisa que o ajude a conseguir isso."

"E o que tem a dizer a respeito das curas que ele faz? O que sabe a respeito?"

"Bem, soube que ele iniciou a prática ilegal de medicina um tempo atrás. As pessoas começaram a ir à casa dele e ele dava a elas uma folha de papel, com nomes de remédios, prometendo que ficariam curadas."

"E o senhor notou mais alguma coisa?"

"Sim", disse Seabra. "Começou a operar as pessoas, aquelas que estavam realmente muito doentes. Que tinham sido desenganadas pelos médicos."

"E elas ficavam boas?

"Isso não posso dizer. Não sei."

"E já teve oportunidade de assistir a alguma dessas operações?"

"Não. Francamente, nunca assisti nenhuma."

"Só ouviu falar delas?"

"Sim, só ouvi falar. A gente ouve todo tipo de coisa a respeito delas. Se comenta por toda a cidade."

"E o que ouviu falar?", perguntou o inspetor.

"Diziam que não passavam de um truque. Truques feitos com tripas de galinha ou de porco. Isso é o que dizem."

"Mas nunca viu com os próprios olhos?"

"Não, mas ouvi dizer que Altimiro cobra quinze cruzeiros pela senha distribuída na fila. É o que dizem."

"Tem certeza disso?"

"Isso é o que todo mundo diz. E também ouvi dizer que as pessoas têm que assinar uma ficha comprometendo-se a votar em Arigó, do contrário ele não as atende."

"O que mais sabe a respeito dele?"

"Que tem um grande apetite e costuma beber uma garrafa de vinho a cada refeição."

"Mas não viu nada disso pessoalmente?"

"Não, mas muita gente viu."

"Muito bem, acho que é tudo", disse o inspetor. "Agora pode assinar esta declaração e se retirar."

Seabra assinou e saiu. O inspetor Arantes sabia perfeitamente que aquilo não serviria como prova, mas indicava que poderia conseguir outras declarações mais drásticas, que serviriam de prova quando o momento chegasse.

Mas as poucas testemunhas que vieram depois foram estranhamente vagas, muito embora houvesse entre elas alguns inimigos de Arigó. Um dos bilheteiros da estrada de ferro apresentou-se, dizendo que alguém lhe contara na estação que o médium lhe cobrara cem cruzeiros pelo tratamento, mas depois descobriram que o homem atendido pelo médium era louco e não tinha pago nada.

E foi só depois que o dr. Carlos Cruz, o dentista de Belo Horizonte cuja cunhada fora operada com sucesso de um câncer no fígado, testemunhou a favor de Arigó que o inspetor resolveu seguir uma estratégia. Muitos dos que tinham sido salvos pelo médium após um prognóstico fatal estavam mais do que ansiosos para testemunhar a favor dele, e era justamente nessas testemunhas de defesa que a verdadeira prova contra ele poderia ser encontrada.

Uma vez que o artigo 284 do Código Penal determinava que o simples ato de receitar, operar ou usar técnicas de hipnose era ilegal, todas as histórias de sucesso de Arigó confirmariam as convicções do inspetor.

Iludidas de que estavam auxiliando Arigó, as testemunhas de defesa compareceriam em massa, para dar seus alegres depoimentos, até que houvesse uma pasta cheia dessas declarações. Contudo, algo estava atrapalhando a instauração do processo: ninguém podia provar que Arigó tivesse recebido dinheiro ou que alguém tivesse sofrido algum dano com o tratamento. E o mais exasperante é que praticamente todos tinham que concordar que ele era um bom pai, um bom chefe de família e era um homem de caráter. Nem mesmo os boatos sobre seus encontros amorosos tinham fundamento.

Foi nessa época que começou a ocorrer uma série de incidentes misteriosos, que nunca puderam ser explicados. Numa ocasião, tarde da noite, depois de uma daquelas sessões particularmente longas com seus pacientes, no centro espírita, Arigó estava voltando para casa sozinho, caminhando pelas ruas escuras e estreitas, quando, da sombra do vão de uma porta, um homem saltou sobre ele sem aviso. Felizmente, a força de Arigó fez com que ele conseguisse se defender e afugentar o agressor.

Logo se espalhou pela cidade a história de que o vagabundo tinha sido contratado pelos inimigos políticos de Arigó, mas o caso permaneceu sem solução. Tempos depois, a casa do médium foi invadida várias vezes por oficiais da Justiça, que não conseguiram, no entanto, encontrar nada que pudesse incriminá-lo. Apesar disso, Arlete contou às amigas que o marido não fizera nada, a não ser continuar rezando por aqueles que estavam contra ele, insistindo em dizer que eram criaturas desorientadas e mereciam perdão. Seus defensores na cidade não demonstraram a mesma generosidade. Revoltaram-se, e o inspetor Arantes compreendeu que arranjaria problemas se fosse afoito demais em suas investigações. E no dia 11 de setembro de 1956, ele escreveu o seguinte relatório:

> Tentei conseguir testemunhas que pudessem dar informações completas para a instauração do processo, fundamentando nossas acusações. Temos o testemunho de muitas pessoas que falaram a respeito das cirurgias que assistiram, citando inclusive o uso de algodão e a remoção de "tecido" do corpo dos pacientes. Algumas afirmaram que essas cirurgias não deixavam cicatrizes. Creio que temos um grande número desses testemunhos.
>
> A meu ver, é possível que tenhamos diante de nós um caso de emprego de hipnose e psicoterapia. Muitas pessoas, quando hipnotizadas, sofrem alucinações, perdendo a noção da realidade. Muitos médicos qualificados empregam esses métodos em seus pacientes. Isso não é nenhuma surpresa para os cientistas. Inúmeras pessoas já foram curadas graças ao poder da sugestão.
>
> Mas, independentemente desse fato, não existe nenhuma dúvida de que Arigó está praticando ilegalmente a medicina, pois não tem diploma de médico. Segundo o Código Penal, ele está praticando acintosamente uma profissão para a qual não tem nenhuma qualificação. Entretanto, é preciso dizer que Arigó não aceita nenhuma espécie de remuneração pelo que faz.

Havia, contudo, algumas questões delicadas de direito a se considerar. Embora o artigo 284 considerasse crime as curas espirituais, era somente porque Arigó fosse considerado muito superior aos outros curandeiros do Brasil inteiro que ele estava na mira da Justiça. Os outros não eram suficientemente influentes para que os tribunais se importassem com eles.

Uma outra complicação advinha do fato de que o artigo 141 do Código Penal garantia liberdade de religião a todo e qualquer cidadão, assegurando que não lhe seria negada a proteção da lei devido à religião que praticasse. Além disso, a prática ilegal da medicina acarretava uma penalidade muito mais branda do que o charlatanismo ou a feitiçaria. Isso viria a representar um fator muito importante para o futuro de Arigó.

A lei contra a feitiçaria afirmava com muita clareza: "A feitiçaria é condenável para a proteção do indivíduo e do povo. Se uma pessoa sem diploma de medicina faz diagnósticos baseados em sintomas; se, mesmo não sendo diplomada, faz cirurgias nos pacientes; se afirma estar em transe, sob o domínio de um 'espírito'; se prescreve medicamentos ou realiza cirurgias ou ministra ervas aos pacientes; se emprega 'passes' ou determinados gestos, frases ou preces, para facilitar um parto, trazer alívio contra os sintomas de um resfriado, combater mordidas de cobra, câncer, febres altas, hemorragias, cataratas, surdez e outras condições, essa pessoa representa um grande perigo para a saúde e segurança de muitos cidadãos, que dependem do Estado para sua proteção". Se a lei tinha uma certa lógica quando se referia à proteção do cidadão comum, ela falhava por não abranger uma anomalia da grandeza de Arigó.

O jornalista Gabriel Khater, que morava em Congonhas, após vários anos de observação profunda, havia mudado radicalmente de opinião e deixado de ser um completo cético para se tornar um crente convicto. Embora encarasse o espiritismo com algumas reticências, a razão de sua nova crença baseava-se naquilo que sentia ser o fundamento da parapsicologia. Khater voltara inúmeras vezes ao centro espírita, para observar Arigó em ação. E, por fim, após entrevistar vários médicos visitantes, tinha sido obrigado a reconhecer que o médium podia fazer coisas que a ciência moderna não tinha, nem de longe, tecnologia para reproduzir.

Khater estava convencido de que, em de vez de ser processado, Arigó deveria receber auxílio financeiro para se submeter a um profundo estudo científico. Dessa maneira, ele ficaria sob o escrutínio de médicos qualificados – providência necessária para evitar que o charlatanismo se difundisse livremente –, mas ainda seria capaz de beneficiar toda a sociedade, o que ele vinha fazendo até então.

Os artigos de Khater despertaram o interesse dos médicos de todo o Brasil com relação ao trabalho de Arigó. Isso, porém, não foi o bastante para conter a maré encabeçada pelo inspetor Arantes e a polícia estadual.

Eles tinham vencido a resistência e ficaram felizes quando puderam entregar o caso aos tribunais.

No dia 5 de outubro de 1956, o caso estava nas mãos do promotor Afonso Infante Netto. Em seu relatório entregue ao tribunal, ele afirmava que, de acordo com o Código Penal, o médium tinha praticado os crimes de charlatanismo, feitiçaria e a prática ilegal da medicina. O réu foi intimado a comparecer diante do juiz para uma audiência preliminar. Seria acareado com testemunhas escolhidas a dedo e cujo depoimento mais o comprometia.

Sentado em frente a uma mesa, na sala esparsamente mobiliada do Tribunal de Congonhas, Arigó, vestindo uma camisa escura, de mangas curtas, parecia uma triste e patética figura diante do juiz Soares e do escrivão do tribunal. Seu espírito de luta parecia ter se esvaído e ele se mostrava estranhamente passivo. Embora aquela fosse uma sessão informal, a saleta estava repleta de espectadores, que observavam com expectativa, enquanto Arigó, herói da cidade e mito internacional, era interrogado pelo juiz. O médium, com olhos úmidos e expressão de tristeza, respondia às perguntas como se ali estivesse apenas parte do seu ser e a outra estivesse ausente.

"O senhor confirma seu testemunho anterior?", perguntou o juiz.

"Sim", respondeu ele, "confirmo."

O juiz mostrou-lhe uma lista de testemunhas arroladas que deporiam contra ele.

"Conhece estas testemunhas?"

"Sim", confirmou ele, depois de passar os olhos pela lista. "Todas, exceto uma. Mas quero frisar que as acusações contra mim não são verdadeiras."

"Nesse caso", observou o juiz Soares, que era um homem impaciente e sem muita consideração pela sutileza do caso, "devo lhe pedir que apresente uma prova que confirme o que acaba de dizer."

"Essas acusações são feitas contra mim e todas foram registradas em seus documentos oficiais, mas devo dizer que nem eu mesmo sei se pratico ilegalmente a medicina ou não. Tudo quanto sei é que todas as vezes que sou procurado por qualquer pessoa precisando de auxílio material ou espiritual tento ajudá-la. Não posso mandá-la embora. Digo-lhe para pedir a Deus que lhe restitua a saúde."

"E como é que faz isso?"

"Começo rezando um padre-nosso e desse momento em diante não vejo nem tenho conhecimento de mais nada. Não me lembro do que faço. Minha memória não registra nada. Me contam que prescrevo remédios para as pessoas, mas não me recordo de fazer isso. Não sei que tipo de remédio prescrevo e não compreendo por que isso acontece. Não vejo nada enquanto estou escrevendo."

"E o que me diz das cirurgias mencionadas pelas testemunhas?", perguntou o juiz.

"Digo o mesmo. Não posso dar nenhuma informação sobre elas. Fico num estado que para mim é incompreensível. Me contaram que tenho feito essas coisas e eu ficaria muito feliz se soubesse como explicá-las."

"Tem testemunhas em sua defesa?"

"Sim", disse Arigó. "Meu advogado vai apresentá-las ao senhor." Ele citou várias: um conhecido industrial de Belo Horizonte, um grupo de médicos e alguns funcionários públicos proeminentes.

"Tem antecedentes criminais?"

"Fui parar na delegacia somente uma vez. Tomei uma faca de um dos fregueses no bar. Ele teria matado alguém se eu não tivesse feito isso. Fui declarado inocente e me soltaram no ato."

"E quanto às testemunhas que falarão contra o senhor. Entre elas, encontram-se amigos ou inimigos seus?"

"Uma delas é um inimigo, mas não alimento nenhum rancor contra ele."

"E quem é?"

"João Hilário da Cunha, um inimigo político. Também é médico e irmão do homem que concorreu comigo nas eleições para prefeito. Nós não nos falamos."

"O senhor já viu isso antes?", perguntou juiz, mostrando-lhe uma cópia da única receita que a polícia conseguira apreender. Não tinha assinatura.

"Sim. É uma das receitas que me mandam escrever para auxiliar as pessoas que me procuram."

"O senhor é católico, não é?"

"Sim senhor", respondeu Arigó.

"Está a par da posição da Igreja com relação ao que está fazendo? Que está realizando o trabalho de um curandeiro, um charlatão?"

"Mas não sou charlatão", afirmou Arigó em voz baixa. "Fiz o que os padres queriam que eu fizesse. Consultei médicos e psiquiatras e eles disseram que eu gozo de saúde perfeita. Quero apenas auxiliar os que precisam e tenho que fazer isso."

"Mas está praticando aquilo de que é acusado, não está?"

"Não sou eu quem faz isso", insistiu o médium. "Sou apenas um intermediário entre um espírito e as pessoas. O espírito do Dr. Fritz. Ele insiste que devo ajudar as pessoas e estou fazendo somente aquilo que Deus deseja que eu faça."

"Então o senhor é espírita?"

"Eu não sabia nada a respeito do Espiritismo ou da mediunidade. Alguns já me disseram que sou médium. Não recebo nenhum pagamento, donativos ou presentes pelo trabalho que faço. Não poderia receber nem mesmo se quisesse, porque então não seria possível ajudar a curar os que precisam. Já estaria muito rico se fizesse isso. Não faço isso por motivos políticos. Já tentei abandonar tudo e pensei que ia enlouquecer."

"O senhor já foi notificado pela polícia de que deveria fechar o centro espírita onde trabalha, não é verdade?"

"Só posso fechar o centro se o espírito do Dr. Fritz mandar que eu feche", respondeu Arigó.

"O senhor compreende as coisas em que está nos pedindo para acreditar?"

"Compreendo apenas aquilo que tenho que fazer e o modo como devo auxiliar as pessoas."

O juiz já estava chegando ao limite da sua paciência.

"Se assim é, por que não faz com que esse seu Dr. Fritz apareça agora mesmo aqui neste tribunal?"

Arigó não respondeu. Uma névoa parecia toldar seus olhos. Permaneceu em total silêncio, enquanto o juiz o olhava fixamente. E depois de alguns minutos, juntando os papéis disse-lhe: "O caso continuará numa próxima sessão a ser marcada".

O caso foi se arrastando, enquanto o advogado de Arigó, o dr. Alfredo Figueiredo, de Belo Horizonte, ia arrolando testemunhas favoráveis àquele seu cliente *sui generis*. Essa parte não foi difícil, visto que havia mais voluntários renomados do que ele poderia interrogar. O problema era preparar uma defesa para um cliente que era um criminoso aos olhos da lei e um santo aos olhos do povo. O juiz Soares era evidentemente um pragmatista, que não levaria em conta nenhuma daquelas nuanças. Além do mais, não havia como fazer uma defesa real, no sentido convencional da lei.

Como julgar um caso sem precedentes, esse era o enigma. Os testemunhos veementes dos médicos, a favor das façanhas de Arigó, teriam um valor dúbio. Talvez eles próprios acabassem por levá-lo à derrocada. Entretanto, havia uma pequena chance de que pudessem ajudar um pouco, pelo menos para tornar a sentença mais leve.

O advogado percebeu que provavelmente seria inútil tentar conseguir o testemunho do dr. Carlos Cruz, do dr. Ary Lex e de todos os outros médicos que estavam convencidos da autenticidade de Arigó. Os depoimentos dessas pessoas poderiam sugerir apenas a necessidade de se fazer um estudo científico para se chegar ao âmago daquele fenômeno. A lei, porém, era rígida e essa sugestão talvez não representasse nada. A Justiça podia ser racional ao reprimir o charlatanismo, mas também podia se revelar irracional se mandasse o médium para a cela de uma prisão sórdida, onde certamente ele apodreceria.

As penalidades prescritas no Artigo 284 do Código Penal eram severas. Arigó corria o risco de passar um ano na prisão e ter que pagar uma multa pesada, que deixaria Arlete e os filhos praticamente sem recursos. E a prisão seria algo extremamente cruel para um homem sensível como Arigó, que, apesar da sua natureza rude, comovia-se facilmente a ponto de chorar.

Era evidente que tanto o juiz quanto o promotor estavam, emocionalmente, do lado da Igreja e dos adversários políticos de Arigó. A única coisa que parecia contê-los era o medo da opinião pública.

Quando a primavera de 1956 dava lugar ao verão e a promotoria juntava mais pregos para fechar o caixão do médium, o advogado de defesa, o dr. Figueiredo, refletia e buscava estratégias. Ele conseguira trazer de Belo

Horizonte um influente juiz aposentado, que seria uma testemunha excelente. Ele era um defensor ardente de Arigó e não somente afirmaria que o médium nunca recebera dinheiro pelo seu trabalho de cura, mas também que seu trabalho tinha de ser resultado de algum poder superior, para obter os resultados inacreditáveis que já demonstrara.

O dr. Figueiredo também conseguiu o apoio do dr. João Ranulfo de Melo, médico de Congonhas, que daria seu testemunho a respeito do caso incrível do cisto ovariano e das operações de catarata que presenciara. Afirmaria simplesmente que elas nunca poderiam ter sido efetuadas por um ser humano comum e que o tribunal estava lidando com fatos resultantes de manifestações sobrenaturais.

Vários médicos de Conselheiro Lafaiete juntaram-se ao dr. João Ranulfo de Melo, afirmando que não hesitariam em arriscar sua reputação para testemunhar a favor de Arigó. O depoimento deles fortaleceria o de outros médicos, que defendiam a necessidade de um estudo científico formal, e que em qualquer outro país que não fosse o Brasil isso já teria sido feito. Também testemunhariam que o médium, quando realizava as cirurgias, não era ele mesmo, mas era possuído pelo poder inspirador de algo externo. Além disso, os médicos confirmariam que Arigó era responsável por muitas curas documentadas, realizadas em pacientes terminais, com doenças como câncer ou leucemia, e desenganadas pelos médicos.

Todos testemunhariam que não havia provas de que algum dos milhares de pacientes tratados por Arigó houvesse sofrido algum dano físico, infecção, hemorragia ou reações adversas graves devido aos remédios que ele receitara. De acordo com uma estimativa conservadora, até aquele momento, o médium já tinha atendido meio milhão de pacientes em cinco anos. E caso houvesse controvérsia sobre esse número, seria porque ele estava bem abaixo da realidade. A tudo isso acrescentariam sua convicção de que se tratava de um caso de parapsicologia, uma ciência que ainda dava os primeiros passos e que se beneficiaria de grandes avanços caso Arigó fosse estudado.

Tecnicamente, toda essa defesa era muito frágil do ponto de vista da lei, e Figueiredo sabia disso. O promotor afastara-se temporariamente do cargo, o que dava uma folga para a defesa, porém temporária. Ela nada mais poderia fazer senão esperar que o caso fosse a julgamento, o que ocorreria em março de 1957.

No dia 17 de março, Figueiredo teve uma chance de testar suas frágeis teorias. As testemunhas da defesa se saíram bem e ele fez um discurso simples e eloquente, apesar da sutileza do caso. Além do artigo 284, Arigó era acusado de vários outros crimes do labiríntico Código Penal brasileiro. As leis no Brasil são moldadas, quase que totalmente, com base no antigo Direito romano e contêm muitas ambiguidades.

Diante do irritadiço juiz Soares, Figueiredo imediatamente exigiu que o caso fosse arquivado, alegando que não havia prova nenhuma de charlatanismo e que, em várias ocasiões, ele, como advogado de defesa, não fora notificado quando testemunhas hostis tinham sido ouvidas. Nessas circunstâncias, nem ele nem Arigó tinham apresentado uma defesa. Além disso, o advogado insistiu no fato de que o afastamento do promotor, na ocasião, tornava o julgamento automaticamente nulo.

"Além do que", prosseguiu Figueiredo, "os atos do réu deveriam ter resultado em danos físicos a terceiros. Nenhum dano físico ou qualquer outro resultou das atividades de Arigó e, portanto, é evidente que não existe nenhum crime."

Ele sabia que o artigo 284 não incluía esse resultado em sua definição, mas a lei tinha outros dispositivos que permitiam essa defesa. E ele continuou: "É impossível chamar-se Arigó de criminoso. Deixando de lado o fato de não haver nenhum crime, ficou evidenciado que Arigó é um cidadão honesto e trabalhador, um membro responsável da comunidade, e respeitado por todos – até mesmo as testemunhas de acusação tiveram que concordar com isso. Apenas uma pessoa tenta chamá-lo de criminoso, o promotor deste tribunal. Ele nem sequer apresentou uma prova ao fazer tal acusação, porque ela não existe".

Figueiredo então começou a enveredar por um terreno menos firme. Usou, porém, de subterfúgios convolutos e eloquência magistral. A única prova que o tribunal conseguira fora um pedaço de papel, no qual estava escrita uma receita de Arigó, e ela não estava nem sequer assinada.

"Como pode o promotor afirmar que Arigó prescrevia remédios, quando tudo o que ele tem é um pequeno pedaço de papel, sem assinatura e que, de maneira alguma, pode provar que tenha partido de Arigó?", perguntou ele ao tribunal.

Apesar dessa insignificante prova material, não havia praticamente um só jornalista, no Brasil, que não soubesse que o médium distribuía centenas de receitas por dia. Essa não era exatamente uma defesa honesta, mas o advogado procurava se agarrar no que podia. Contudo, ainda restava um argumento mais importante. Para provar a acusação de feitiçaria, era necessário comprovar que o réu dava às pessoas, pessoalmente, uma poção de raízes e ervas. Isso evidentemente era uma coisa que Arigó nunca fizera. Ele receitava apenas remédios legítimos, de grandes laboratórios farmacêuticos, a maioria conhecida no mundo inteiro. O mistério todo residia no fato de que esses remédios só faziam efeito, nos pacientes, quando ministrados por ele, e não surtiam nenhum efeito se prescritos por um médico comum. Uma das drogas era conhecida somente em Nova York, pois ainda estava em fase experimental, e mesmo lá era pouco conhecida na época. O próprio Arigó nem sabia explicar como ele a conhecia.

Ao comentar esse fato, Figueiredo mencionou que farmácias espalhadas por todo Brasil aplicavam frequentemente injeções de penicilina e outras drogas, o que tecnicamente constituía um ato ilegal, sendo que nunca tinham sido citadas diante dos tribunais. Por que Arigó seria o único?

Lembrando o juiz de que o Artigo 284 proibia o uso de gestos ou passes com as mãos, Figueiredo acrescentou:

"Gostaríamos de pedir ao tribunal que leve em consideração este fato: se os gestos e passes no Brasil podem ser julgados como crimes, então a Igreja Católica inteira, incluindo todos os membros do clero, cometem diariamente esses crimes. Os sacerdotes abençoam usando a mão e persignam-se quando rezam.

"E ainda há mais", continuou o advogado de defesa, imprimindo à voz grande emoção. "Costumamos chamar a todos de irmãos, porque todos somos filhos de Deus. Se qualquer pessoa fosse procurar Arigó, pedindo-lhe auxílio por estar sofrendo, ele pegaria uma pequena cruz, olharia para o céu, apertaria a mão da pessoa e pediria a Deus que tivesse compaixão desse irmão. É isso que Arigó quer fazer. Só deseja auxiliar o próximo."

Embora aquilo fosse realmente verdade, Figueiredo evitou dizer que o médium também pegaria uma faca enferrujada e cortaria com habilidade o corpo do paciente. Mas não havia necessidade de lembrar esse fato ao juiz; ele já sabia muito bem.

"Gostaríamos de perguntar ao digníssimo juiz", ele continuou, "se é crime rezarmos pelos nossos irmãos e desejarmos que tenham saúde? Devemos entender isso assim? Se o juiz disser que é crime, podemos chegar à conclusão de que todas as pessoas inocentes estão presas e todas as culpadas estão soltas. Pois não rezamos pela saúde e pelo bem-estar das pessoas? Se isso é crime, então somos todos criminosos!"

A essa altura, Figueiredo estava começando a exagerar. De certo modo, ele não tinha muita escolha. Em termos legais, o caso contra Arigó era muito simples. Se aquele juiz inflexível não conseguisse ver além da lei e não considerasse as particularidades sem precedentes do caso, então restava muito pouco a ser alegado pela defesa. O único recurso seria pedir uma suspensão condicional da pena, pedindo que Arigó fosse posto sob a custódia de um grupo de médicos competentes, que trabalhariam com ele, tentando desvendar o mistério dos seus poderes. Esse argumento, porém, não foi apresentado pela defesa. Diante da atitude hostil do juiz, esse pedido provavelmente seria uma perda de tempo.

Compreendendo que a situação era delicada, Figueiredo concluiu: "Se Vossa Excelência não aceita esses argumentos, peço considerar o fato de Arigó ser um homem de bem, de boa família, um pai exemplar e um marido extremoso. Se esses argumentos também não são válidos, solicito então que a decisão de Vossa Excelência seja ao menos contrabalançada por essas considerações e que seja dada a mais branda das penalidades".

E, depois da defesa, foi dada por encerrada a instrução do processo. Todos os jornais do Brasil fizeram um grande alarde em torno do caso. O intransigente juiz Soares não ficou satisfeito ao ver o que acontecera. As redações dos jornais foram invadidas por cartas de leitores bem-intencionados, em defesa de Arigó. Uma dona de casa escreveu ao *Diário de Minas*:

"Meu marido teve uma úlcera perfurada e foi desenganado pelos médicos. Depois de consultar o médium, foi operado por ele e atualmente está ótimo. Arigó lhe disse que a cirurgia não tinha sido feita por ele, mas por Deus. Meu marido, porém, deseja agradecer publicamente a ele por intermédio deste jornal, pois Arigó foi a única pessoa que lhe devolveu a saúde. Restituiu-lhe seus sonhos, depois que os médicos e a medicina afirmaram que já não havia mais nada que pudessem fazer por ele".

Era um testemunho esplêndido, mas contava como mais um da acusação. E por falta de visão do juiz, Arigó estava numa armadilha.

J. Herculano Pires, o eminente professor de Filosofia, assim se expressou nos jornais: "É simplesmente ridículo negar a existência do fenômeno Arigó. É também completamente anticientífico afirmar que o médium é algum tipo de paranoico ou psicótico. Médicos, jornalistas famosos, intelectuais, estadistas proeminentes e aqueles que foram curados depois de serem desenganados, todos eles tiveram amplas oportunidades para testemunhar o fenômeno em Congonhas. Eles simplesmente não podem ser negados ou interpretados indevidamente. Se, por um lado, não se organizaram grupos de cientistas para verificar os inúmeros casos, muitos cientistas conceituados tiveram a iniciativa de verificá-los individualmente. Entre eles estão alguns dos que testemunharam no tribunal. Negar as capacidades paranormais de Arigó é simplesmente um ato de teimosia extrema.

"Podemos querer examinar o trabalho de Arigó com um olhar crítico. Podemos querer restringir suas atividades, assim como vários médicos fizeram no banco das testemunhas. O que provavelmente não podemos negar é a realidade absoluta de seus feitos e a sua mais completa sinceridade."

Em 17 de março de 1957, quando o advogado Figueiredo acrescentou um adendo à sua contestação, seus argumentos excederam muito o escopo do arrazoamento anterior. O problema naquele caso era que as duas partes estavam tentando tratar racionalmente o que era irracional. O tribunal estava no controle da situação, porque já tinha decidido abordar a questão apenas do ponto de vista legal, deixando de lado as sutilezas e nuances do caso. Qualquer interpretação literal automaticamente condenaria Arigó. O único ponto era saber se seria possível abalar a indiferença do juiz Soares a ponto de ele admitir uma condição especial. Por exemplo, Arigó poderia conseguir uma sentença mínima, que depois poderia ser suspensa, para que ele ficasse sob a supervisão de estudiosos do campo da medicina.

Figueiredo fez o possível para conseguir justamente isso. Ele argumentava em sua nova defesa que a capacidade de ser curandeiro, mesmo ilegal, tinha de ser levada em consideração. Os mais abastados e proeminentes nunca se dariam ao trabalho de ir até a modesta clínica do médium, como estavam fazendo, se ele não tivesse comprovado sua capacidade de cura. E essa capacidade era maior do que a de qualquer outro médium. Arigó fazia curas sem nem mesmo saber o que estava fazendo. Não era responsável por seus atos, por mais benevolentes que fossem. A Igreja Católica reconhecia a validez da parapsicologia. A única solução possível era iniciar um estudo científico sob a direção do tribunal. Arigó auxiliava somente àqueles pelos quais a medicina nada podia fazer. Agia sob o comando de um elemento invisível que dele se apossava, para que auxiliasse as pessoas em nome de Deus. A Igreja reconhecia a realidade da "possessão", que no caso de Arigó era benigna.

O médium realizava seu trabalho sem encantamentos ou gritaria. Não praticava rituais do baixo espiritismo. Acreditava que o espírito do Dr. Fritz era um espírito de luz. Acreditava que deveria curar as pessoas com o dom que Deus lhe dera. Queria que as pessoas se tornassem menos materialistas, mais espiritualistas e paracientíficas.

E o advogado prosseguiu, dizendo que Arigó não tinha solicitado que aquele espírito o incorporasse; na verdade, ele lutara contra isso, procurando inclusive o auxílio de médicos e psiquiatras. Mas, segundo esses profissionais, ele não sofria de doença alguma. E sua propensão para o Espiritismo era lícita, estava protegida pela Constituição Brasileira, pois essa era considerada uma religião legítima, amparada pelas autoridades públicas.

A única coisa que Arigó fazia era restituir a vida àqueles que tinham seus dias contados. Pessoas consideradas desenganadas pela ciência moderna. Ele as auxiliava sem causar nenhum dano físico e sem cobrar, e essa era a prova de que não era nenhum criminoso.

Figueiredo prosseguiu, fazendo citações de poetas latinos, de William James, Arthur Conan Doyle e do papa Leão XIII. Concluiu mencionando as palavras de São Paulo, de que aquele que julga o seu irmão está julgando a si próprio.

É improvável que, em toda a história da jurisprudência brasileira, tenha existido uma defesa tão estranha e tortuosa, embora ela não estivesse em desacordo com a complexidade do próprio julgamento. Durante toda aquela argumentação, o juiz Soares manteve-se sentado tal qual uma esfinge, paralisado no tempo e no espaço, defrontando-se com mistérios quase imponderáveis – assim como todos os outros presentes.

A defesa não conseguiu abalar o juiz Soares ou o promotor Afonso Infante Netto, já de volta à sua rotina de trabalho e pronto para concluir o caso. Foi inútil também a presença de última hora do secretário do Tesouro do estado de Minas Gerais, que voluntariamente apareceu para depor em defesa do médium. Contou ao juiz que fora testemunha de uma cirurgia em que Arigó extraiu um tumor canceroso de um amigo que havia sido desenganado, e que um grupo dos melhores médicos de Minas Gerais tinha confirmado o estado do paciente, a cirurgia e o restabelecimento dele.

No dia 26 de março de 1957, menos de dez dias após Figueiredo ter esgotado todos seus argumentos, Arigó foi intimado a comparecer ao tribunal. Estava acompanhado de Arlete, que desta vez apareceu com os cabelos bem penteados. Também pelos pais, amigos e simpatizantes, que encheram a sala, pequena para conter toda aquela gente. Os repórteres e fotógrafos invadiram o tribunal, procurando se acomodar da melhor maneira que podiam para registrar a decisão final.

Arigó foi conduzido até uma cadeira em frente ao juiz. Usava terno preto e gravata. Devido ao calor excessivo, ele abriu o colarinho, afrouxando a gravata. Sentou-se com os braços cruzados, esperando que o juiz se manifestasse. Estava calmo e submisso, uma figura triste e solitária; os ombros vergados sob o peso da resignação. Logo que o juiz se sentou, os olhos do médium se toldaram novamente. E segundo seus amigos contaram, ele ficou do jeito que costumava ficar quando o Dr. Fritz incorporava nele; um estado indefinível de transe, que se sobrepunha à sua personalidade rude e jovial. Mas, em vez de assumir um ar autoritário e de aspecto germânico, ele mostrou-se passivo e distraído.

O juiz, com sua atitude severa e inflexível, fez uma breve revisão do caso. O réu tinha admitido sua culpa diante do tribunal. As testemunhas, tanto da defesa quanto da acusação, haviam fundamentado as acusações. Em verdade, a testemunha mais forte de defesa, o dr. João Ranulfo de Melo, oferecera a prova mais prejudicial ao réu. Admitira ter assistido a várias cirurgias.

Arigó ainda seria considerado culpado, mesmo não tendo conhecimento do que fazia, mesmo sendo possuído por um espírito estranho. Não havia nenhum argumento, na filosofia ou na religião, que pudesse defender o médium. A lei não estava nem um pouco interessada naquilo. A única solução seria aplicar o Código Penal, sendo ele muito específico. Arigó cometera crimes e era culpado. Não podia ser excluído da lei por ser considerado um místico ou um médium, ou mesmo uma pessoa idealista ou alma caridosa, imbuída de boas intenções. Aos olhos da lei, Arigó era culpado.

A sala do tribunal caiu no mais profundo silêncio. O médium, como se estivesse em transe, não disse nada. Olhava vagamente para o espaço, com seu corpanzil curvado na cadeira. Arlete começou a chorar e seus soluços ecoaram pelo recinto. O juiz pediu ordem e disse:

"Eu o condeno a um ano e três meses de prisão, pena a ser iniciada imediatamente a partir desta data. Fica também estabelecida a multa de 5 mil cruzeiros e mais as custas do processo, devendo tudo ser pago no prazo de três dias, ou seja, 29 de março de 1957".

Aquela era uma sentença extremamente severa. Ninguém esperava por ela. Arlete, arrasada, foi levada para fora da sala chorando, onde suas lágrimas converteram-se em soluços. Isso aumentou ainda mais o murmúrio de animosidade entre os presentes.

Arigó continuava em transe, mas o advogado de defesa se ergueu, protestando, e disse que os termos da condenação eram inacreditáveis, que iria apelar imediatamente, que aquela sentença deveria ser suspensa e que a multa e as custas do processo eram completamente irracionais. Arigó tinha esposa e filhos para sustentar e aquela multa representava quase um ano de seus vencimentos, no órgão do governo onde trabalhava.

Com evidente relutância, o juiz declarou que concederia um adiamento da sentença para o dia 1º de abril. Não levando em conta qualquer apelação, a multa teria que ser paga até aquela data.

Furioso, Figueiredo encarou o juiz dizendo: "Lembro-me agora de uma oração que aprendi quando estudava Direito; ela dizia: 'Deus misericordioso, é um sonho ou realidade que tantas coisas horríveis possam acontecer diante dos olhos de Deus?'".

O juiz levantou-se e saiu do recinto, Figueiredo pegou Arigó pelo braço, levando-o para fora do tribunal. Entre os espectadores, muitos não saíram de seus lugares e ouviam-se ainda os soluços ecoando pelo corredor.

7

Na cidadezinha, havia dois lugares onde as notícias se espalhavam como fogo de palha: a barbearia de Fernando dos Santos e a estação ferroviária. Mas, naquele dia, quando a notícia se espalhou por Congonhas, cada esquina, cada loja e cada bar parecia ter emudecido. O juiz Soares permaneceu o mais imperceptível que pôde, pois se tornara inimigo do povo. O clima da cidade assemelhava-se ao de um motim em alto-mar. Até mesmo aqueles que defendiam a prisão de Arigó revoltaram-se contra a severidade da sentença. Na Associação Médica de Minas Gerais, as opiniões ficaram divididas e a divergência dentro da Igreja atingiu o ponto máximo.

Tanto a Igreja quanto a Associação Médica tinham permanecido nos bastidores do julgamento. Isso, porém, não enganava ninguém. A maioria sabia que ambas as instituições estavam por trás daquele processo e talvez até mesmo da sentença. Os espíritas da cidade imediatamente mostraram sua solidariedade ao médium. Auxiliados por donativos provindo das fontes mais inesperadas, levantaram a soma da multa excessiva, imposta ao médium.

Naquela hora de desespero, ele estava completamente calmo, aconselhando seus conterrâneos a manter o raciocínio lúcido, insistindo em dizer que o juiz devia ser perdoado. Figueiredo e os advogados do seu escritório logo recorreram da sentença, reiterando seus argumentos, embora fossem tecnicamente fracos. O advogado apelou diretamente ao ministro da Justiça do estado, apresentando argumentos veementes a fim de salvar Arigó da ruína.

O promotor contra-atacou, declarando Arigó culpado e acusando-o de ter motivos políticos. Mostrou-se incansável em suas acusações, a ponto de muitas pessoas pensarem que se tratava de uma vingança pessoal.

Levou dois meses para que a decisão fosse dada pelo tribunal. Arigó e seus partidários aguardaram ansiosamente aquele resultado. E quando ele chegou, não foi favorável. A corte superior confirmava a condenação, mas admitia que, naquelas circunstâncias, a sentença tinha sido severa demais. A sentença foi reduzida de quinze para oito meses de prisão e a multa sofreu uma diminuição considerável. E o que era mais importante, o tribunal concedeu sursis pelo período de um ano, antes de ser iniciado o prazo para seu encarceramento, contanto que o réu permanecesse sob a custódia do tribunal.

Apesar daquele novo alento, a terrível perspectiva de ir para a prisão e abandonar a família pairava sobre a cabeça de Arigó. As condições da custódia eram quase tão restritas quanto as da prisão.

Ele teria que interromper imediatamente o atendimento aos pacientes. Não poderia ir a lugar nenhum e tampouco sair da cidade, sem autorização do juiz. Teria que obedecer ao toque de recolher e não poderia frequentar nenhum hotel, bar ou restaurante, ou se sentar a uma mesa do lado de fora de qualquer um desses estabelecimentos. Não poderia se comunicar com nenhuma pessoa estranha que viesse de outra cidade, tanto em sua casa como em outro recinto. Teria que receber autorização do juiz para assistir a qualquer sessão espírita. Teria que se apresentar ao juiz no fim de cada mês. Além disso, a polícia o seguiria para onde quer que fosse e vigiaria o que quer que estivesse fazendo. Ele se tornaria praticamente uma "propriedade" do tribunal.

Arigó parecia um homem sem perspectivas. Continuou trabalhando no IAPETEC e também como corretor de móveis, além de cultivar seu roseiral e brincar com os filhos menores. Continuou indo à missa com Arlete, porém, não comungava. Teria que esperar até meados de agosto de 1958, para ser preso como um criminoso comum. Arlete fazia o que podia para consolá-lo e voltou a trabalhar como costureira para ajudar nas despesas da casa e juntar um pouco de dinheiro que a ajudasse a sustentar a família quando ficasse sem o marido e provedor da casa.

O ano foi transcorrendo morosamente. Quando maio chegasse, era evidente que as poucas economias que haviam obtido com as costuras de Arlete seriam insuficientes para sustentar a família, enquanto Arigó estivesse preso. Agora eles tinham seis filhos, todos meninos, e nenhum deles tinha idade para trabalhar; todos precisavam de alimento, abrigo e educação.

Além de todas as preocupações com o que iria acontecer à família, a compulsão de Arigó para socorrer os enfermos tornava-se insuportável. A cidade mudara. Já não se via mais o burburinho dos ônibus pelas ruas, cheios de pacientes vindos de Belo Horizonte, Rio de Janeiro, São Paulo ou até mesmo da longínqua Argentina – o que antes acontecia toda semana.

Arigó amargurava-se com os termos da sentença que lhe fora imposta, mas nada tinha a dizer contra seus inimigos. Suas dores de cabeça voltaram, tal como antes, quando tentara deixar de realizar curas. Mesmo abdicando das cirurgias, começou aos poucos a atender àqueles que o procuravam, pedindo auxílio, e fazia isso da maneira mais discreta possível. A polícia logo descobriu que ele reiniciara seus tratamentos clínicos, mas fez vistas grossas. Quase todos eram seus amigos. Sabiam também que lhe restava um curto período de liberdade, pois aproximava-se a data em que teria que ir para a prisão.

Os dois últimos meses que antecederam o dia em que seria preso, foram os mais difíceis para ele e Arlete. Nada mais restava para ambos, a não ser o desespero.

No Rio de Janeiro, o presidente Juscelino Kubitschek andava ocupadíssimo, enfrentando uma infinidade de problemas. Eram vorazes as críticas que ele recebia por causa da construção de Brasília, no remoto estado de Goiás. Mas a nova capital já estava surgindo em toda a sua majestade, bem no centro do Brasil, a mais de mil quilômetros do Rio de Janeiro, de São Paulo e de Salvador, os três centros metropolitanos mais próximos.

Tratava-se de um conceito de criação urbana planejada sem paralelos com nenhuma outra cidade do mundo. Kubitschek sabia disso e se comprazia. Sua arquitetura moderna era surpreendente – e dispendiosa. Decidido a terminar a construção da cidade antes do término dos seus cinco anos de gestão (na época a reeleição não era permitida por lei), Kubitschek investiu nela grandes somas de dinheiro, suor e sonhos, chegando até mesmo a transportar material pesado em aviões. A nova cidade já despontava na paisagem avermelhada e inculta da região central, tal qual uma miragem. Tratava-se de uma obsessão gloriosa de Kubitschek e do arquiteto Oscar Niemeyer; e para seus opositores, representava um golpe inadmissível na economia do país.

Kubitschek também tinha outros aborrecimentos e preocupações: a ameaça de um golpe militar, um programa sem precedentes para o desenvolvimento da economia e um novo sistema rodoviário que superaria todo o progresso obtido desde o descobrimento do país. Com a inflação em alta, os militares agitados e hostis e o tesouro público sofrendo com a carga pesada, Kubitschek dispunha de muito pouco tempo para pensar em outra coisa que não fossem os problemas do país.

Mas, em maio de 1958, ele ficou sabendo que Arigó esperava o machado da Justiça cair sobre seu pescoço. Kubitschek não perdeu tempo para entrar em ação. Em poucos minutos, redigiu um indulto a favor do médium, remetendo-o às autoridades de Congonhas. Nele constava que, como presidente da República, o Artigo 87 da Constituição conferia-lhe o direito de perdoar José Pedro de Freitas, mais conhecido por "Arigó", e que, mediante ordem presidencial, o réu deveria imediatamente ser liberado da pena a que fora condenado.

O perdão oficial foi recebido pelo severo promotor Afonso Netto, no dia 22 de maio de 1958. Por razões que nunca foram explicadas, o documento permaneceu esquecido no gabinete do promotor, sem que nenhuma providência fosse tomada, continuando assim à medida que a data da prisão de Arigó se aproximava. Foi somente no dia 29 de julho que o promotor Afonso Netto achou conveniente transmitir a notícia ao juiz Soares e este, por sua vez, só no dia 6 de agosto, resolveu comunicá-la a Arigó.

Retirada a espada de Dâmocles de sobre a cabeça do médium, a alegria invadiu Congonhas e não se limitou à cidade, mas transbordou pelo Brasil inteiro e pela Argentina. Arigó, que durante todo esse tempo continuava a sentir as estranhas dores de cabeça, desde que parara quase completamente seu trabalho de cura, reiniciou suas atividades. Os ônibus recomeçaram a rodar pela cidade e os pacientes novamente passaram a formar filas em frente ao centro espírita. E o médium, que nunca conseguira recusar ajuda quando alguém o procurava, voltou à mesma rotina de trabalho. Num mês, o volume de pacientes voltou a atingir a cifra anterior, que era superior a trezentos por dia.

Sabendo, no entanto, que a polícia o vigiaria, ele não realizava grandes cirurgias. Satisfazia-se em dar suas receitas pouco ortodoxas, em abençoar seus pacientes e aconselhá-los severamente, exortando-os a orarem a Deus. Diziam que ele, na verdade, tinha voltado a fazer cirurgias, mas nunca abertamente ou com a mesma frequência de antes. Parecia não considerar cirurgias as cataratas, os abscessos, os lipomas, os hidroceles, os cânceres de pele e outros males que não envolviam as vísceras. Todos esses tratamentos ele fazia, assim como seu nada convencional "exame do olho", quando introduzia a faca na órbita ocular, a fim de retirar pus ou algum tumor maligno.

Kubitschek, tanto como cirurgião quanto como presidente, juntamente com muitos outros estadistas, intelectuais, cientistas e médicos, afirmava abertamente que Arigó não representava um caso de polícia.

Anos depois, falando sobre ele, o presidente Kubitschek assim se expressou: "Para ele era impossível ficar sozinho, estando no Brasil. O povo ia aonde Arigó estivesse. Mesmo que ele fosse para os confins do Amazonas, tê-lo-iam seguido. Não consigo compreender a força e o poder extraordinário desse homem. As pessoas mais importantes do Brasil iam procurá-lo".

E os meses transformaram-se em anos e a volta do médium aos seus velhos hábitos não perturbava as pessoas mais ilustres, exceto aqueles que queriam controlá-lo e observá-lo. Mas as chamas do ressentimento da Igreja e das associações médicas continuavam ardendo, embora abafadas pelo indulto de Kubitschek e a exultação pública causada pela retirada da ordem de prisão.

Porém, o mandato de Kubitschek um dia chegou ao fim. Embora ele fosse um homem extraordinariamente popular, não podia ser reeleito. Dizem que, se pudesse, ainda seria presidente por muitos anos, sem ter que fazer um só comício. Tinha concluído Brasília, um monumento lírico extravagante à sua coragem e imaginação, e até mesmo seus adversários tiveram que reconhecê-la como sendo uma catálise necessária para o desenvolvimento do interior do Brasil.

Mas ele não era mais o presidente. Jânio Quadros elegeu-se em 1960 e, sete meses depois de ter assumido a presidência, renunciou. O vice-presidente, João Goulart, substituiu-o, ficando no governo até fins de 1964, quando uma junta militar assumiu o controle do país no dia 1º de abril daquele ano. O apoio que Arigó recebeu, proveniente das camadas superiores, desapareceu. E, mais uma vez, a oposição entrou em ação. Novamente as histórias publicadas pela imprensa começaram a ultrapassar os limites de Congonhas, com monótona regularidade. E o médium recomeçou a realizar algumas cirurgias de vulto. Mais uma vez, as histórias sobre seu sucesso não puderam ser mantidas em segredo.

Uma dessas histórias de sucesso era a respeito do primeiro filho de Roberto Carlos. O cantor era febre no Brasil, rivalizando com a popularidade dos Beatles na Inglaterra, e em muitos lugares do Brasil até a excedia. Se, na época, tivessem posto em votação as figuras mais populares no Brasil, certamente os três eleitos seriam: Pelé, o rei do futebol, internacionalmente conhecido; Juscelino Kubitschek e Roberto Carlos – com Arigó concorrendo em quarto lugar.

O filho de Roberto Carlos nascera com um grave caso de glaucoma, uma doença caracterizada pela elevada pressão intraocular, que provoca lesão no nervo óptico e comprometimento visual.

Roberto Carlos e a esposa imediatamente levaram a criança para consultar especialistas na Europa, que consideraram o caso incurável. Ao voltar para o Brasil, o cantor fretou um avião e voou para Conselheiro Lafaiete, fazendo de carro o restante do trajeto até Congonhas. Os detalhes sobre a cirurgia realizada por Arigó não foram divulgados, mas, em poucos dias, o menino começou a enxergar.

Daquele dia em diante, o cantor tornou-se um grande amigo de Arigó e aquele acontecimento serviu para atrair ainda mais a atenção do país inteiro para o médium.

Quando insistiam com ele a respeito do que andava fazendo, após ter escapado por um triz de ser preso, o médium costumava dizer: "Acredito no amor e na caridade. Não posso negar auxílio àqueles que me pedem. A Bíblia ensina que, quando alguém bate à nossa porta, temos de abri-la".

O assistente do prefeito de Congonhas, dr. Mauro Godoy, estava angustiado e frustrado com a perseguição que Arigó enfrentava e continuaria a enfrentar. Ele estudara Medicina Interna e Psiquiatria na Faculdade do Rio de Janeiro e continuava a exercer ambas as especialidades. Tivera mais oportunidade para observar o médium em ação do que todos os médicos brasileiros que tinham investigado suas curas. O consultório do dr. Godoy ficava a poucos passos da clínica de Arigó e ele muitas vezes visitava o médium, num esforço para encontrar uma explicação científica para o que via.

O dr. Godoy sabia dos riscos que corria atraindo a atenção para as recentes atividades de Arigó após seu julgamento; contudo, estava decidido a convencer os colegas da Associação Médica a estudá-lo em vez de persegui-lo. Ele registrara várias cirurgias do médium – muitas delas realizadas num período de tempo muito mais curto do que o exigido pelos métodos cirúrgicos convencionais.

Como psiquiatra, o dr. Godoy acreditava que a escola moderna podia se beneficiar muito com o estudo de técnicas primitivas. Embora Arigó fosse qualquer coisa menos primitivo, e pertencesse a uma categoria à parte, ultrapassando qualquer disciplina conhecida, o dr. Godoy estava convencido de que somente um estudo extenso e bem fundamentado poderia solucionar aquele quebra-cabeça. Argumentava que Arigó não poderia ocasionar nenhum dano às pessoas, porque a maioria dos seus pacientes tinha sido desenganada pelos médicos.

O dr. Godoy tinha demorado a aceitar o trabalho de Arigó. Inicialmente, ele atribuíra o sucesso do médico a uma espécie de hipnotismo, mas, depois de dois anos de observação e estudo quase diários, excluiu essa hipótese. O médium entrava em transe, mas os pacientes eram diagnosticados e operados quase que instantaneamente, sem que houvesse ao menos um contato visual ou verbal, sem nenhuma sugestão, sem preparação psicológica, cirúrgica ou qualquer outra.

O médico também estava intrigado com a personalidade do médium. Reconhecia que, quando estava perto de Arigó, durante as curas, sentia um ambiente diferente na sala. Parecia ficar sobrecarregado de uma emoção inexplicável. Quando ele cortava com sua faquinha e o sangue não escorria, a cena era inacreditável. A resposta mais simplista era que se tratava de um caso em que o espírito dominava a matéria – mas o que significaria aquilo? E não havia nenhum meio de explicar por que, nas inúmeras cirurgias realizadas por Arigó, não havia ocorrido nem um só caso de septicemia. E o dr. Godoy sabia, por experiência própria, que qualquer lapso no procedimento cirúrgico inevitavelmente causaria essa condição.

Arigó era qualquer coisa menos uma figura simples. Sua personalidade quando em ação era completamente diversa da que normalmente se via. No entanto, não havia nenhum sintoma que indicasse psicose, esquizofrenia ou paranoia. Ele controlava perfeitamente ambas as personalidades, dependendo daquela que assumia. Suas pequenas fraquezas eram muitas e variadas, mas não se afastavam da norma de uma neurose aceitável. Seu medo de elevador e avião não prejudicava nem destruía sua capacidade de curar e amar as pessoas. Sua vida familiar era razoavelmente normal, quando tinha tempo para desfrutá-la; sua dedicação por Arlete era tão sincera quanto a dela por ele.

Toda a síndrome do Dr. Fritz e de seus supostos colegas espirituais era difícil de se apreender. Não havia critérios pelos quais avaliá-la. A mudança de personalidade de Arigó era marcante e real quando ele encobria sua psique. Contudo, quando fazia isso, sua personalidade era equilibrada e coerente – e perfeitamente racional dentro do que se propunha. A ideia de um conjunto de espíritos desencarnados, todos com uma notável perícia para a prática da medicina, todos com capacidade para ajudar o médium em suas habilidades especializadas, era completamente inaceitável à luz da ciência moderna. Entretanto, para os espíritas kardecistas, aquele assunto já era muito conhecido. Às vezes, o dr. Godoy sentia-se tentado a aceitar, momentaneamente, a ideia de que aquela fosse a explicação. Mas uma vez aceita a hipótese, como iria proceder dali para a frente? Concordava sinceramente com uma declaração que o dr. Pires fizera pouco tempo antes: "No caso de Arigó, os aspectos predominantes são o *fenômeno objetivo*. É muito mais fácil rotular o médium como um paranoico do que encarar com seriedade o que ele está fazendo".

Todas essas perguntas exigiam respostas. Mas as informações reunidas pelo dr. Godoy, a partir de seus colegas menos interessados, não ajudaria a respondê-las. E mais uma vez a Associação Médica de Minas Gerais passou a demonstrar seu descontentamento. O médico começou a encarar a situação como uma corrida entre o esclarecimento a respeito de um fenômeno raro e inacreditável e a força implacável de mentes retrógradas.

Não foi preciso esperar muito pelo novo ataque da Associação Médica. Em 29 de agosto de 1961, três anos depois de o juiz Soares, com muita relutância, comunicar a Arigó que ele tinha recebido um indulto do presidente Kubitschek, o dr. Fernando Megre Velloso, de Belo Horizonte, presidente do Conselho Regional de Medicina do estado, ditou a seguinte carta ao secretário da Segurança Pública do estado de Minas Gerais.

> Senhor Secretário,
> De acordo com minhas responsabilidades para com a Associação Médica Brasileira, da qual tenho a honra de ser presidente, desejo chamar a atenção de Vossa Excelência para as atividades do muito conhecido cidadão José Arigó, relativamente à prática do curandeirismo – feitiçaria.
>
> Como esse cidadão está sendo acusado de tais práticas, as quais realmente podem ameaçar e desmoralizar os direitos dos cidadãos, peço a Vossa Excelência que abra um inquérito, a fim de esclarecer os fatos em questão. Se realmente forem reais, o caso contra José Arigó deveria ser reaberto, dando-se início a um novo processo.
>
> Estou certo de que dará atenção imediata ao assunto. Permita-me apresentar a Vossa Excelência meus cumprimentos, da maior estima e consideração.

Depois de alguns dias, os boatos ressurgiram. Investigadores da polícia começaram a aparecer. Os mexericos que partiam da barbearia e da estação de trem já os tinham precedido e já eram esperados. Os detetives recebiam respostas pouco cordiais de todos os interrogados. A nova investigação originou-se na cidade vizinha de Conselheiro Lafaiete, o que dava uma certa segurança às autoridades. Como antes, os investigadores ficaram intrigados ao tentar conseguir cópias das receitas, tanto nas farmácias de Congonhas, como nas de Belo Horizonte. Um deles assim escreveu: "O farmacêutico informou que um dos pacientes de Arigó prometera nos dar uma receita escrita por ele, mas não conseguiu encontrá-la em lugar nenhum e disse que certamente deveria tê-la perdido. Caso a achasse, ele nos enviaria".

Outro investigador teve dificuldade para conseguir informações numa farmácia de uma praça em Congonhas. O farmacêutico jurou que nunca vira o nome de Arigó em nenhuma receita (era evidente que ele nunca as assinava) e que não costumava perguntar nada a esse respeito aos seus clientes. Desconhecia tudo a respeito de Arigó, embora o médium morasse a um quarteirão da farmácia.

Quase todas as testemunhas que poderiam apresentar alguma informação importante esquivavam-se e se valiam de evasivas para não responder às perguntas. Mas, por fim, os investigadores conseguiram vencer aquela guerra de contradições e conseguiram provas suficientes de que Arigó recomeçara suas práticas. Um dos detetives disse: "Observamos que todos na cidade já estavam esperando nossa chegada. Encontramos várias testemunhas idôneas, mas que não queriam falar e se recusavam a nos dar qualquer auxílio. Porém, com nossa técnica e experiência, conseguimos finalmente romper aquela resistência. E concluímos que o médium continua realizando suas curas, apesar de negar que esteja praticando a medicina ilegalmente, embora já tenha sido processado e perdoado". Se os resultados da investigação fossem insuficientes para provar o caso, isso até pareceria um milagre, pois as filas em frente à clínica continuavam se formando diariamente, diante dos olhos dos policiais.

O objetivo do processo agora era provar que Arigó estava praticando feitiçaria e não meramente a medicina ilegal. Com o orgulho espicaçado pelo vexame que haviam sofrido com o perdão concedido pelo presidente Kubitschek, as autoridades agora estavam decididas a conseguir uma pena muito maior, acusando-o de praticar feitiçaria. Todos os testemunhos colhidos visavam isso. Se uma testemunha declarava que Arigó impunha a mão em sua cabeça, isso significava que ele ia muito além da medicina ilegal; já era feitiçaria, quer realmente fosse ou não. Caso ele lesse a Bíblia ou desse sua bênção a um paciente, isso era interpretado como sendo bruxaria.

Com exceção desse aspecto, o segundo processo era quase uma cópia do primeiro. Mas ele levou tempo e o mecanismo da lei era moroso, principalmente ao se deparar com a resistência das testemunhas. A investigação se prolongou de 1961 até meados de 1963.

Durante esses dois anos, Arigó continuou fazendo suas curas, como se nada estivesse acontecendo. Suas negativas baseavam-se em sua convicção inabalável de que era o Dr. Fritz e não ele mesmo quem realizava as curas. Essa era a sua justificativa – esta, e a ideia fixa de que não podia deixar de atender aqueles que precisavam dele.

"Talvez digam que estou errado", Arigó declarou ao repórter Reinaldo Comenale, "mas, aos olhos de Deus, eu não estou. Muitos amigos me procuram para dizer que querem me ajudar. Tenho um lugar especial para eles no meu coração. Mas continuo rezando pelos meus inimigos. Eles são os que mais precisam de orações e de amor. Se desejam que eu vá para a prisão, podem me colocar atrás das grades. Se o tribunal quer me acusar porque ajudo os doentes e me julgar por isso, então irei quando quiserem. Mas tenho certeza de que Deus me dará liberdade. Não sou puro, mas procuro ser. Se pratico a caridade e eles consideram isso um crime, então podem me pôr na prisão e me deixar lá".

Nesse ínterim, os defensores de Arigó também se mobilizavam. Cerca de trezentos assinaram uma petição e a apresentaram ao implacável juiz Soares. Nela estava escrito que os pacientes provinham de todas as classes sociais e pediam a ele que perdoasse e esquecesse. As palavras, porém, não caíram em solo fértil e a instauração do processo prosseguiu.

Em agosto de 1963, o processo ainda continuava e Arigó seguia trabalhando, embora de forma discreta. E foi nessa ocasião que o dr. Henry

Puharich e Henry Belk chegaram a Congonhas, naquele micro-ônibus, para estar entre os primeiros norte-americanos a testemunhar em primeira mão o fenômeno Arigó.

Ao regressar aos Estados Unidos, tanto Puharich quanto Belk arregaçaram as mangas para defender Arigó. Antes de deixarem o Rio de Janeiro, ficaram sabendo, em conversas com médicos brasileiros interessados no caso, que as atividades do médium estavam correndo perigo, não apenas devido ao novo processo iminente, mas pela indiferença da ciência em ajudá-lo a descobrir a fonte do seu estranho poder. Dois desses médicos, solidários à causa, solicitaram à dupla de norte-americanos que organizassem em seu país um grupo de estudo, composto por médicos americanos dispostos a apoiar seus próprios esforços para combater a oposição das associações médicas. Isso, porém, teria que ser feito a toque de caixa.

O próprio Puharich era uma pessoa de pensamento independente e muitas vezes questionara os princípios sacramentados da Associação Médica Americana, ao se defrontar com um fenômeno desconhecido. O que eles não podiam, no entanto, era questionar sua proficiência científica. Já acumulara experiência suficiente, na pragmática escola das pesquisas de laboratório e no avançado instrumental da biomedicina, para se sentir seguro e confiante ao pisar no desconhecido terreno dos fenômenos paranormais. Aquilo que Puharich agora teria que descobrir havia afetado sua vida a tal ponto que ele acabara se lançando precipitadamente em novas explorações acerca do paranormal, as quais alguns dos seus apoiadores não puderam acompanhar. Isso, no entanto, não podia invalidar as evidências que se acumulavam com relação ao trabalho de Arigó.

Nem Puharich nem Belk tinham interesse em defender uma fantasia. Mas, no caso de Arigó, onde terminava a realidade e começava a fantasia? Esse era o xis da questão, e, se era tão difícil explicá-lo, muito mais seria ignorá-lo. Se fosse ignorado, toda a sua etiologia, ou causa-raiz, continuaria sendo um mistério. Porém, toda tentativa de respondê-la, com base nas próprias teorias do médium sobre o Dr. Fritz e seus aliados, faria com que toda a investigação fosse alvo do escárnio da classe médica.

O problema resumia-se em provar o óbvio. Uma faca pode causar dor até mesmo quando corta uma unha na carne ou uma verruga, o que dizer então de uma lâmina raspando o globo ocular ou sendo cravada na órbita de um paciente consciente, sem nenhuma anestesia? No entanto, não havia dúvida de que Arigó fazia isso todos os dias – além de cirurgias muito mais complexas.

Puharich sabia que teria que apresentar suas descobertas do modo mais convincente possível ou suas recomendações para que se fizesse uma pesquisa dispendiosa e detalhada sobre o assunto seriam descartadas com escárnio por seus associados. Relatos de segunda ou terceira mão sobre um fenômeno tão assombroso quanto Arigó não eram o método ideal para uma apresentação científica. O cientista tinha de estar preparado para lançar um desafio, um desafio dos grandes, o que evidentemente era necessário.

O próprio Puharich já desafiara Arigó ao se submeter àquela operação do lipoma. A princípio, essa já seria, por si só, uma prova muito razoável da premência de estudos posteriores sobre ele. O mesmo poderia se dizer das gravações. Mas tudo isso ainda não era suficiente para atender às exigências dos jornais e revistas científicas, que, em suas publicações, requeriam mais do que referências estruturais, nas quais uma teoria poderia ser baseada e aceita. Levara décadas, por exemplo, para que a acupuntura fosse considerada merecedora de um estudo científico. E as curas de Arigó iam tão além da acupuntura que chegavam a ficar muito distantes do alcance da imaginação.

O médium tratava casos de angústia excruciante, de desespero e de total falta de esperança. A dor e a doença representavam a realidade básica daqueles que sofriam suas vicissitudes. Ali estavam pessoas – literalmente centenas delas por dia – que conheciam e viviam aquela horrível realidade. Não tinham outra escolha.

A grande maioria daqueles que faziam a peregrinação para consultar Arigó não ia procurá-lo com um sentimento de curiosidade, fé ou fetichismo. Iam porque se sentiam totalmente desesperados, num sentido prático, literal e objetivo. A medicina moderna desistira de salvá-los, bem como os melhores especialistas do mundo. A quem mais podiam recorrer?

Embora o médium fizesse uma breve oração com seus pacientes todos os dias e sempre se despedisse deles com um "Vá com Deus", não havia o mínimo aspecto de misticismo ou cura pela fé que acompanhava os casos de Lourdes. Em todos os aspectos, o tratamento do médium era tão mecânico e clínico quanto o de um médico, num pronto-socorro.

Desesperados, muitos se recusavam a aceitar a sentença de morte declarada pelos médicos. Dentro de seu raio de ação, os médicos estavam certos. Para eles, não havia nenhum outro curso de ação objetivo ao qual pudessem recorrer.

Arigó oferecia esperança onde já parecia não haver nenhuma. Os desesperados seguiam para Congonhas e a maioria ficava milagrosamente curada. Só uma porcentagem mínima não obtinha sucesso, e Arigó não hesitava em lhes dizer que, no caso deles, nada podia ser feito. Mas praticamente todos achavam que valia a pena correr o risco.

Era uma verdadeira tragédia que as forças inexoráveis da Justiça se reunissem contra aquele homem simples e enigmático, sem sequer fazer um estudo sobre os seus trabalhos de cura. O maior obstáculo era o precedente que poderia ser aberto se Arigó saísse impune. Sem padrões disciplinares bem estabelecidos, qualquer impostor poderia, sob o disfarce da benevolência, achar que tinha o direito de fazer o mesmo que ele. Mas certamente isso não duraria muito. Ao primeiro impacto do canivete no globo ocular de uma paciente, o impostor certamente seria levado para uma delegacia e dali aos tribunais. É claro que, se Arigó tivesse causado qualquer dano ou sofrimento, em pouco tempo teria sido obrigado a abandonar seu trabalho.

O que mais intrigava o dr. Puharich, ao regressar aos Estado Unidos, era o canivete de Arigó, ou a faquinha de descascar, que ele usava nos seus exames oculares. E fazia esse exame com frequência, mesmo quando o olho parecia perfeitamente normal. Essa era uma coisa totalmente bizarra, nunca vista na medicina convencional. Ele muitas vezes retirava uma bola de pus da parte posterior do globo ocular, mesmo quando não havia nada que justificasse aquela suspeita. Na opinião de Puharich, o médium fazia aquela manobra, de revolver a lâmina na órbita às vezes com violência, só para demonstrar, de um modo dramático, que podia realizar certas coisas que iam muito além do normal, conquistando assim tanto a confiança do paciente como das pessoas que assistiam enquanto esperavam sua vez.

Para complementar seu trabalho experimental em cardiologia, Puharich havia trabalhado muitas vezes com o dr. Luis Cortes, um cientista do Departamento de Cirurgia da Escola de Medicina da Universidade de Nova York. Antes de redigir seu primeiro relatório sobre Arigó, para a Essentia Research Associates, Puharich mostrara a Cortes as gravações das cirurgias e colocara o colega a par dos antecedentes do caso. O médico ficara fascinado com o método cirúrgico de Arigó. Sendo ele mesmo um cirurgião, simplesmente não podia acreditar que uma faca pudesse ser introduzida no olho de uma pessoa consciente, sem ser literalmente amarrada, e praticamente o esfolasse. Aquilo poderia afetar o nervo óptico, o que certamente não poderia trazer bons resultados.

Puharich e Cortes decidiram fazer uma experiência com os ratos de laboratório usados em suas pesquisas cardiológicas. Ambos tinham uma longa experiência no manejo desses animais e, quaisquer que fossem as condições, podiam prever quais os reflexos ou reações de medo que o animal teria ao passar por essas pesquisas. Em padrões normais, se usassem a mesma técnica empregada por Arigó em suas sondagens oculares, os ratos empregariam cada músculo do corpo para evitar a investida da lâmina em seu olho.

Com todo o cuidado, Cortes segurou o rato firmemente, enquanto Puharich tentava introduzir uma pequena lâmina por baixo da pálpebra do animal, impelindo-a para cima na cavidade sinovial. Viram que era completamente impossível fazer aquilo num rato consciente, sem anestesia, a não ser que prendessem sua cabeça numa espécie de torno. E também era praticamente impossível manter o rato imóvel para se fazer qualquer coisa, quanto mais introduzir uma faca dentro da sua pálpebra. Até mesmo num rato anestesiado era impossível imitar os movimentos bruscos de Arigó sem danificar gravemente os tecidos do olho. Toda e qualquer coisa que o médium fizesse estava muito além da competência de qualquer um dos dois médicos.

Mas Puharich e Cortes defrontaram-se com mais um desafio. Uma jovem assistente do laboratório que assistira às gravações insistiu para servir como voluntária, permitindo que os dois médicos tentassem repetir a experiência num de seus olhos. Nenhum deles quis aceitar o desafio. Ela, porém, continuou insistindo, argumentando que, se quisessem chegar a uma conclusão sobre aquele mistério, teriam que correr alguns riscos. Puharich já tivera essa oportunidade quando se submetera à operação do lipoma. Ela queria ter a mesma chance, pois estava fascinada com o que Arigó vinha realizando e convencida de que o enigma precisava ser solucionado.

Por ser cirurgião, Cortes tinha pelo menos a certeza de que era capaz de realizar a experiência sem causar nenhum dano físico à moça, tomando o máximo cuidado. Ela, porém, teria que prometer dar a ele um sinal, logo na primeira sensação de dor ou mal-estar. A jovem prometeu fazer isso.

Depois de escolher uma faquinha com uma lâmina lisa e regular, Cortes muito delicadamente começou a tocar a pálpebra de leve com a faca, evitando a íris e a córnea do olho. A assistente continuou estoica e tranquila, mas só por uma fração de segundo. Ao primeiro movimento para cima, embora feito com muita lentidão, ela imediatamente fez um sinal, demonstrando que a dor era insuportável. O médico removeu a faca com tanto cuidado quanto a introduzira e nenhum dano ocasionou. A lâmina penetrara, na pálpebra, apenas um décimo do que a faca do médium costumava penetrar, e sem o mesmo o movimento circular ou lateral. A experiência serviu para convencer os três de que o caso de Arigó era realmente extraordinário, representando um desafio monumental para a ciência.

A revisão do relatório preliminar do dr. Puharich, bem como daquele que fora feito por Henry Belk, provocou um grande interesse entre os membros do grupo da Essentia Research, que se animaram a organizar uma expedição de pesquisa em larga escala, para estudar o caso de Arigó. Por ser uma equipe multidisciplinar e proveniente de organizações diversas, desde a Universidade Stanford, na Costa Leste dos Estados Unidos, até o Massachusetts General Hospital, em Boston, havia muitos problemas de logística.

Quando uma comitiva de cerca de dez associados resolveu fazer a viagem, todos concordavam que seria preciso uma investigação preliminar, para evitar confusão e perda de tempo. Inicialmente fariam leituras e estudos sobre assuntos ligados à parapsicologia, os costumes do povo brasileiro e a língua portuguesa.

Puharich concordou em fazer outra viagem a Congonhas, a fim de elaborar um relatório mais detalhado de exequibilidade e tentar reunir dados estatísticos que seriam usados para organizar uma força-tarefa mais bem planejada. Assim que conseguiu se afastar de seu próprio trabalho de pesquisa, que naquele momento se encontrava um tanto negligenciado, outro problema surgiu. Como o processo contra Arigó ameaçava o sucesso da expedição de pesquisadores, a rapidez com que iniciassem o estudo era um fator decisivo. Os preparativos eram trabalhosos, as distâncias entre os membros da Associação eram grandes e a obtenção de fundos era imprescindível. Várias fundações estavam envolvidas, o que tornava o trabalho mais difícil e moroso. A corrida para tentar descobrir o mistério de Arigó continuava...

No Brasil, os trâmites legais continuavam se arrastando. A instauração do processo que levaria a um novo julgamento teve início em setembro de 1961, a pedido da Associação Médica de Minas Gerais. Quando Belk e Puharich deixaram Congonhas, em agosto de 1963, os preparativos legais para o julgamento ainda estavam atrasados devido à inércia, à resistência das testemunhas e à dificuldade para documentar as novas provas, apesar do fato de Arigó continuar seu trabalho bem diante do nariz da polícia. As pessoas que se beneficiavam do trabalho do médium eram as últimas a querer auxiliar o promotor.

As notícias relativas à cirurgia do dr. Puharich, em agosto de 1963, foram amplamente divulgadas nas manchetes de quase todos os jornais do Brasil e deram novo ímpeto ao moroso processo. Mais uma vez, a história de um caso bem-sucedido prejudicaria Arigó. O fato de aquela cirurgia, conhecida no país todo, ter sido realizada bem diante do nariz dos investigadores representava também uma crítica dolorosa ao juiz Soares e ao promotor.

Embora o caso naquela época estivesse praticamente parado, algumas semanas depois de o promotor ter lido as manchetes sobre Puharich nos jornais, ocorreu um avanço. Ele mandou chamar Arigó. Um padre holandês da Igreja Católica Apostólica Romana, chamado Anselmo Meindres, também vira as notícias, assim como os membros da Associação Médica, e todos ficaram alvoroçados com a famosa cirurgia feita no braço do médico americano.

Outro juiz, Márcio Aristeu M. de Barros, aparentemente com o mesmo temperamento severo do juiz Soares, juntou-se a eles e conduziu o novo interrogatório de Arigó. O promotor era agora Marcelo de Paula – outro que parecia ter a mesma disposição de seu antecessor.

Arigó tornou a afirmar que não nutria nenhum ressentimento contra aqueles que tinham testemunhado contra ele. Admitiu, sem constrangimento, que operara o médico americano. Confirmou também a notícia, divulgada no país todo, de que havia feito o filho de Roberto Carlos recuperar a visão. Como o médium afirmava que essas intervenções tinham sido feitas por intermédio do Dr. Fritz e, visto que ele não tinha nenhuma lembrança consciente de como as realizara, não julgava que fossem contra a lei. Se o tribunal as interpretava como sendo crimes, então isso não era de sua alçada, pois sua consciência estava limpa.

O fato de admitir seus "crimes" de modo tão pacífico foi evidentemente muito irritante para o tribunal. A decisão da defesa de transferir a culpa para um médico alemão que morrera em 1918 era provavelmente a mais hilária da história da jurisprudência, mas nem o juiz nem o promotor viram graça nisso. Na verdade, continuavam ressentidos e com o orgulho ferido por terem passado por bobos nos jornais.

Essa perda de tempo continuou durante todo o ano de 1963 e quase todo o de 1964. Arigó continuou sua prática, de acordo com as normas da sua própria filosofia, diminuindo o número de cirurgias, mas não deixando de realizá-las. Em meados de outubro de 1964, o tribunal achou que já tinha provas suficientes para acusar Arigó de feitiçaria, o que lhe possibilitaria aplicar penas mais severas do que a acusação mais simples de prática ilegal da medicina.

O promotor Marcelo de Paula não mediu esforços ao fazer suas acusações. Alegou que o médium representava um perigo para a sociedade. Era culpado por praticar feitiçaria e magia negra, com todo o entusiasmo de um ritual, num terreiro de macumba. Arigó era, em suma, um criminoso. Não interessava que ele fosse bem-sucedido em suas curas ou que beneficiasse a todos que o procuravam. O fato de não ter causado nenhum dano às centenas de pacientes que tratara ou que nunca aceitasse dinheiro ou presentes era algo sem importância. Crime era crime. Por alguma razão, o promotor observou com atenção o fato de que dezenas de mulheres da alta sociedade tinham ido ver Arigó com o rosto coberto por um véu, para esconder sua identidade. Ele encarava aquilo como algo de mau agouro. Resumindo: o próprio réu admitia que estava cometendo um crime contra a população.

O segundo julgamento foi, na verdade, um desafio para ambos os lados, pois esforçavam-se para conduzir o caso num plano da realidade jurídica, embora o fenômeno, na verdade, fosse ao mesmo tempo inclassificável, inqualificável e inatacável. Nem a promotoria nem a defesa sabiam como qualificá-lo. O juiz Barros era incapaz de apreender as nuances e matizes incomuns do caso, e tampouco notava seus paradoxos e suas sutilezas. Em 20 de novembro de 1964, ele condenou Arigó por prática de feitiçaria, a pena seria 16 meses de prisão, a partir daquela data.

Arigó, ao sair do tribunal em Conselheiro Lafaiete acompanhado de Arlete, teve permissão para voltar à sua casa, a fim de se despedir dos filhos. O médium não tentou explicar a eles o que estava acontecendo, porque não sabia o que dizer. Sentia que estava procedendo com correção, segundo seu modo de ver as coisas. O que poderia dizer aos filhos em relação àquela tão longa sentença de prisão? Ele amava as crianças – todas elas. E era conhecido pelo amor exuberante que dedicava aos filhos.

Naquela tarde, abraçou cada um deles, prometeu que os veria bem em breve e consolou os menores que, com a estranha intuição que até as crianças pequenas têm, sentiam pairar no ar alguma tragédia.

Arlete, por amor aos filhos, reprimia as lágrimas. Antes do jantar, fizeram uma oração e comeram em silêncio. Arigó foi pessoalmente pôr as crianças na cama e rezou um padre-nosso com elas.

Em seguida, ele desceu até o andar de baixo, onde Arlete já o esperava. Ela não chorou mais, mas seus olhos estavam marejados de lágrimas. Não falaram nada. O médium apoiou a cabeça na mão e ambos esperaram em silêncio a viatura da polícia chegar.

8

Arigó e Arlete, naquela noite, mal se deram conta da multidão que se aglomerava na frente da casa deles. As pessoas se mantiveram quietas, sem fazer arruaça. O silêncio era tão profundo que parecia quase agourento. Somente o murmúrio de centenas de orações fazia Arigó perceber que elas estavam ali. Ao avistá-lo, o povo aplaudiu. Ainda não havia nem sinal da viatura de polícia.

Na delegacia, reinava a mais profunda consternação. Nenhum dos policiais queria levar Arigó para a prisão de Conselheiro Lafaiete e tampouco o delegado desejava dar a ordem. E o chefe de polícia de Minas Gerais também não tinha nenhuma vontade de conduzir a viatura em meio à multidão. Tanto os oficiais municipais quanto os estaduais tentavam encontrar uma resposta para aquilo. Ninguém ali queria realmente que o médium fosse para a prisão, a não ser as autoridades que haviam decretado a sentença. E assim o tempo foi passando.

Arigó estava ficando impaciente. Por fim, atravessou a sala e abraçou Arlete, dirigindo-se em seguida para a porta. Um clamor se ouviu na multidão. Ele pediu para que todos se mantivessem calmos, em ordem, e que rezassem. Pegou o seu jipe e, dirigindo bem devagar pela rua apinhada, foi para a delegacia. Acanhado, o chefe de polícia lhe contou o dilema em que se encontravam. Arigó respondeu que não havia problema nenhum, que ele mesmo iria dirigindo até a prisão, em Conselheiro Lafaiete. Diante da multidão que o acompanhava, o chefe de polícia concordou, achando que era uma boa ideia.

Na estrada para Conselheiro Lafaiete, o jipe de Arigó foi seguido por uma carreata de simpatizantes e, no fim da fila, apenas uma viatura da polícia seguia devagar, com os ocupantes meio apreensivos com a multidão. Era realmente uma cena estranha a longa cauda de dragão formada pela colorida diversidade de carros e caminhões, prensada entre o jipe de Arigó, à frente, e a viatura policial, fechando o cortejo. O clima tornou-se quase festivo quando os carros começaram a buzinar. A cacofonia de sons era ensurdecedora, mas a polícia nada podia fazer.

Na prisão, o médium foi recebido pelo diretor como se fosse um dignitário eminente. A viatura da polícia saiu de detrás da caravana, para entregar ao diretor os documentos oficiais, mas os policiais se deram conta de que, na confusão, tinham esquecido tudo em Congonhas. A multidão começou a rir e os policiais tiveram que voltar para ir buscá-los. Arigó também ria com os outros.

O diretor insistiu que seria melhor ele cumprir pena num hotel da cidade, sob a custódia da polícia. Arigó discordou. Se tinha sido condenado à prisão, na prisão ele ficaria. O diretor quase chegou a suplicar que ele reconsiderasse, mas o médium continuou irredutível.

O prédio da prisão era feio, abafado e estava em ruínas. Algumas celas davam para um beco úmido ao lado do edifício. Arigó foi levado para uma delas. O diretor pegou uma chave de bronze grande e muito antiga, e abriu, com um rangido, a porta feita de barras de ferro. A multidão aglomerara-se no beco de tal forma que parecia nem poder respirar. Alguém começou a rezar um padre-nosso e os outros acompanharam. O diretor e o carcereiro baixaram a cabeça e rezaram também. Ao terminarem, Arigó falou. Disse que não deviam nutrir nenhum rancor nem contra os guardas da prisão nem contra a polícia. Estavam apenas realizando o trabalho que lhes competia. Prometeu que em breve seria solto, porque seus advogados iriam recorrer da sentença. Aos poucos, a multidão foi se dispersando e a carreata voltou para Congonhas. O diretor estava a ponto de chorar, ao dizer a Arigó quanto lhe custava cumprir aquela obrigação, abominável aos olhos dele. O guarda da noite disse a mesma coisa. O médium abençoou os dois e eles o deixaram sozinho. Ele, então, se deitou no catre de madeira e orou.

O caso de Arigó atraiu a atenção de alguns dos melhores advogados do país. O dr. Jair Leonardo Lopes se encarregou do recurso que seria apresentado ao Supremo Tribunal Federal. Passara um tempo considerável revendo o caso, analisando o médium e estudando parapsicologia. Ao ser entrevistado um dia depois da prisão do médium, ele disse aos repórteres: "Arigó nunca prejudicou ninguém. Ele tem um verdadeiro dom, que não depende da autorização da Justiça, para curar doenças, tanto dos ricos quanto dos pobres. Muitas vezes, cura pessoas que foram desenganadas pelos médicos.
"Arigó tem uma percepção extrassensorial. É clarividente e possui outras faculdades extraordinárias, que não podemos definir nem compreender.
"Seus diagnósticos são feitos por meio da clarividência. Ele 'vê' os órgãos afetados, dentro do corpo do paciente. Graças à telepatia, sabe o que os outros médicos receitam para a doença ou conhece aquilo que dá resultado em casos similares.
"Receitou para alguns doentes medicamentos que já caíram em desuso e também alguns tão modernos que ainda nem chegaram ao Brasil.
"Somente a clarividência e outros poderes indefinidos podem explicar essas coisas".

Arigó já tentara, antes, explicar aos repórteres seus poderes, dizendo: "Quando um caso é simples, posso fazer o diagnóstico e receitar sem entrar em transe, porque o Dr. Fritz me orienta. Mas, nos casos complexos, tenho que entrar em transe e incorporá-lo".

No dia seguinte ao que o dr. Lopes apresentou sua apelação, um verdadeiro enxame de repórteres se comprimiu no beco em frente à porta da cela de Arigó. O médium lhes disse que, de certo modo, sentia-se satisfeito em estar na cadeia, porque realmente precisava de um período de descanso. Assim poderia rever seu passado e pensar no seu futuro. Tornou a repetir que continuava rezando pelos seus inimigos e esperava que os jornalistas fizessem o mesmo. Em seguida, disse uma coisa estranha: "Talvez ser mandado para esta prisão seja uma dádiva de Deus. Como vocês sabem, costumo correr muito quando dirijo na estrada. É uma coisa que faço sem pensar. Se não estivesse aqui nesta prisão agora, talvez estivesse dirigindo numa estrada e correndo o risco de morrer".

O comentário, enigmático, foi divulgado pela imprensa. Para Gabriel Kather, o repórter que melhor conhecia Arigó e tinha estudado seu caso, aquele comentário tinha qualquer coisa de sinistro. Na opinião dele, o médium não fazia declarações daquela espécie sem uma boa razão. Incluiu esse fato no que já conhecia da história do médium, mas depois se esqueceu dele.

O advogado Lopes estava determinado a levar o caso ao Supremo Tribunal, se necessário. O recurso, de número 2334, não teve andamento rápido. Além de alegar que não havia nenhuma prova de que Arigó causara dano a qualquer pessoa, não sendo nada exceto um curandeiro, o advogado insistia num pedido de *habeas corpus*, com base no fato de ele ter sido julgado duas vezes pelo mesmo crime. Mas aquele processo, penoso e complexo, tinha que passar por vários juízes, que ponderariam sobre os méritos e deméritos do caso, antes de tomarem uma decisão.

Não menos prejudicial para Arigó foi o ataque agressivo do promotor Marcelo de Paula. Embora alguns afirmassem que, fora do tribunal, o promotor parecia ter abrandado sua atitude com relação ao médium, o modo como contestou a apelação não demonstrou isso. Ele se esforçou para que o réu não conseguisse a liberdade temporária que o *habeas corpus* concederia e se mostrou inflexível até mesmo com o tribunal, exigindo uma revisão do caso e ressaltando que Arigó nem mesmo tentara se defender. Foi incansável em sua acusação.

Mas Arigó não ficou exatamente deprimido na cadeia. Mal chegou, já entrou em ação. Os outros prisioneiros, havia muito revoltados com as condições precárias da prisão, aproveitaram-se da presença dele e da visibilidade do médium para organizar um motim. Começaram queimando tudo feito de madeira. Exigiram menos trabalho e mais comida. Aterrorizaram os guardas com facas roubadas e os fizeram de reféns. Por fim, os guardas conseguiram fugir, deixando o médium sozinho com os presos amotinados.

Ele não perdeu tempo, logo debelou o motim. Com seu tom de voz mais autoritário, ordenou-lhes que não somente deviam parar o que estavam fazendo, mas limpar tudo o que haviam estragado. Disse que, se a comida era boa o bastante para ele, também era para todos ali, e que seria melhor que se aquietassem, arrependendo-se dos pecados que tinham e tratando de começar vida nova. Enfrentou cara a cara os próprios líderes do motim. Por mais inusitado que fosse, todos obedeceram. No dia seguinte, a maior parte da cadeia tinha sido limpa e os guardas voltaram, depois de providenciar madeira e os demais materiais necessários para que os prisioneiros reconstruíssem o que haviam depredado.

Mas Arigó foi além. Pediu tinta ao diretor e, sozinho, começou a pintar as paredes encardidas. Não demorou muito e os outros presos se juntaram a ele. O edifício foi adquirindo um novo aspecto.

Em gratidão, o diretor concedeu a Arigó total liberdade para sair da prisão quando quisesse, chegando até a deixar a chave em sua cela. O médium usou o privilégio pouquíssimas vezes, somente para visitar enfermos fora da prisão, enquanto o diretor e os guardas faziam vistas grossas. Todos faziam questão de ser gentis com eles. E Arigó se aproveitou disso apenas com uma finalidade: poder tratar os doentes dentro da prisão. Quando a notícia se difundiu, as pessoas começaram a formar filas na frente da porta da sua cela, que dava para o beco. O médium chegou a realizar pequenas cirurgias. E de repente a prisão de Conselheiro Lafaiete começou a se transformar em outra Congonhas. Parecia impossível impedir que o povo invadisse a cidade. Os guardas e o diretor da prisão estavam a par de tudo, mas não faziam nada para impedir.

Um dia, Arigó recebeu a visita de Jorge Rizzini, que tentara inutilmente favorecê-lo durante o julgamento, mas descobrira que seu testemunho sobre o sucesso de suas curas só tinha servido para apressar a condenação do médium. Ele filmou as multidões formando fila na frente da cela e, ao entrar na prisão, encontrou Arigó sozinho, lendo a Bíblia. Parecia bem e ainda insistia em dizer que aquele era o descanso de que tanto precisava. Mais uma vez o médium defendeu as pessoas que o haviam julgado, pedindo que Rizzini não as acusasse em seus artigos de jornal.

H. V. Walter, o cônsul inglês, também visitou o médium, saindo de Belo Horizonte e seguindo até a prisão em Conselheiro Lafaiete, onde o encontrou repousando em seu catre. Levou-lhe dois sanduíches de queijo. Arigó comeu um e passou o outro, através das grades, para o preso da cela em frente. Depois pregou o cartão de visita do cônsul na parede da cela e referia-se a ele como o "Senhor Embaixador". Ficou muito orgulhoso com a visita de um diplomata e o apresentou aos seus companheiros de prisão.

Esko Murto, um repórter e fotógrafo finlandês da revista *Manchete*, foi fotografar Arigó na prisão, certo de que o encontraria definhando na cela. De fato, encontrou-o na cela, mas realizando uma operação de catarata num velho quase cego. O repórter tirou uma série de fotografias, mas o médium pediu calmamente que ele não as publicasse, devido ao recurso que estava em andamento. Murto não só concordou, como voltou várias vezes à prisão só para visitá-lo. Tal como muitos repórteres que entrevistavam Arigó, ele ficou muito mais interessado no homem do que em sua história. Ele contou a Murto que nunca realizava cirurgias quando os repórteres estavam presentes.

Em 11 de dezembro de 1964, não muito depois de ter sido preso, Arigó recebeu uma das visitas mais inusitadas: Francisco Alves Correa, um sacerdote idoso, ordenado em 1913. O padre viajara de Belo Horizonte até Conselheiro Lafaiete, chegando tarde da noite. Afirmava que o médium o operara de uma catarata, salvando-o da cegueira total, mas Arigó não se lembrava e disse a ele: "Se fiz isso, não fui eu, foi Jesus Cristo".

O padre contou que sempre caçoara de Arigó, mas que, depois da cirurgia, até seu próprio médico ficara maravilhado com o resultado. Perguntou onde a operação tinha sido feita e ele disse que tinha sido em Brasília. "Não aceitaria a verdade se eu lhe contasse", disse ele. E acrescentou: "E é por isso que vim agradecer ao senhor. Espero que Deus lhe dê forças para aguentar esta sentença. O senhor sairá daqui para realizar grandes coisas ainda. Seja forte, pois o sofrimento faz parte da lei da evolução".

Arigó de fato permaneceu forte, mas as semanas já haviam se transformado em meses e ainda não se verificava nenhum progresso no recurso, nem para obter o *habeas corpus*. Ele não via a hora de voltar para casa e ficar junto da família. Para ele, o mais penoso era ficar longe de Arlete e dos filhos. Também sentia falta de suas roseiras, nos jardins da tia. Só não enlouqueceu porque o diretor e os guardas permitiam que cuidasse dos doentes. Na realidade, o diretor muitas vezes lhe dava uma carona, no jipe da prisão, para que ele pudesse tratar os doentes de Conselheiro Lafaiete, levando-o de volta para a cela depois.

Enquanto o recurso se arrastava, a paciência dos defensores de Arigó foi esmorecendo. A tensão foi aumentando em muitos centros espíritas de Minas Gerais, até que, por fim, várias centenas de pessoas, se não milhares, tentaram invadir a prisão e retirá-lo dali à força. Não sabiam que ele podia sair quando quisesse. A polícia não conseguiu conter os que protestavam, mas o médium silenciou-os, garantindo que em breve a Justiça o favoreceria. E a multidão dispersou-se com relutância.

Ocorreram ainda outros protestos veementes. Uma mulher escreveu para a redação de um jornal do Rio de Janeiro, afirmando que, se a apelação não surtisse efeito e Arigó continuasse preso, ela se mataria. O que os impetuosos defensores do médium não compreendiam era que, mesmo que ele fosse solto temporariamente graças ao *habeas corpus*, isso não garantiria a sua liberdade definitiva. A revisão do processo se compunha de duas longas etapas: a decisão de libertá-lo definitivamente, se é que um dia isso aconteceria; e a decisão de levá-lo a outro julgamento, se ele fosse solto.

A triste ironia disso tudo era que, mesmo que fosse solto, ele poderia ser enviado novamente para a prisão. Essa era uma grande possibilidade, principalmente com a mentalidade estreita de pessoas como o juiz Soares e o promotor Barros. Havia muitos outros iguais nos bastidores.

As notícias a respeito do caso de Arigó não demoraram a chegar nos Estados Unidos. Belk e Puharich, ambos empenhados na organização da expedição de pesquisa, só souberam da prisão do médium depois de vários meses. Belk imediatamente escreveu para o cônsul brasileiro em Nova York, oferecendo-se para pagar todas as despesas, de modo que o médium pudesse embarcar num avião para os Estados Unidos, onde seria submetido a um estudo. O pedido foi evidentemente recusado.

O dr. Puharich e seus correligionários ficaram preocupados com o risco de perder a chance de estudar o mais convincente fenômeno da medicina jamais encontrado. O grupo enviou seu advogado ao Brasil para verificar se ainda seria possível estudar Arigó naquelas circunstâncias. O advogado achou o panorama sombrio. Ao ouvi-lo, o médium observou que, àquela altura, o interesse dos médicos americanos poderia agravar a situação, provocando protestos veementes por parte da Associação Brasileira de Medicina. No entanto, o médium continuava acreditando que seria solto. Milhares de cartas e telegramas estavam chegando às mãos do presidente Castelo Branco, muitos deles enviados por pessoas proeminentes do governo. E Arigó garantiu ao advogado americano que, se fosse solto, procuraria cooperar ao máximo com as pesquisas que pretendiam realizar.

Puharich resolveu escrever uma longa carta ao corregedor de Justiça de Minas Gerais. O juiz Felippe Immesi acabara de ser indicado para o cargo, sendo assim uma das principais autoridades que decidiriam a sorte de Arigó. Em contraste marcante com os outros juízes que haviam tratado do caso, Immesi era um homem inteligente, simpático e de mente aberta. A carta que Puharich lhe escreveu foi a seguinte:

> Vossa Excelência,
> Tomo a liberdade de lhe enviar um pedido a favor de José de Freitas, mais conhecido pelo nome de Arigó. Permita que eu me apresente. Sou um médico americano que há muito tempo estuda o fenômeno da parapsicologia. Em meu país, também sou conhecido por apoiar pessoas com poderes psíquicos, bem como por desmascarar os charlatães e as fraudes. Com essas credenciais, dirijo-me a Vossa Excelência, em defesa de Arigó.
>
> No mês de agosto de 1963, passei várias semanas estudando o trabalho de cura de Arigó. Observei centenas de pacientes tratados por ele e entrevistei cerca de outra centena.
>
> Em primeiro lugar, não consegui encontrar um só caso no qual ele tenha causado algum dano a qualquer indivíduo. Passei também algum tempo viajando pelo Brasil, tentando descobrir casos em que ele tivesse falhado ou pudesse ser acusado de imperícia. Não encontrei nenhum. Testemunhei também vários resultados positivos dos

seus tratamentos, alcançados tanto por meio de medicamentos como de cirurgias. Desnecessário dizer que fiquei impressionado com os benefícios terapêuticos do tratamento ministrado por Arigó. Impressionou-me ainda o fato de ele não cobrar nada pelo seu trabalho e tampouco aceitar qualquer donativo ou presentes dos pacientes.

A fim de me convencer da autenticidade dos tratamentos realizados pelo médium, fui operado por ele de um tumor no antebraço direito. Posso afirmar que, enquanto cortou minha carne, não senti nenhuma dor e que extraiu o tumor com muita perícia, no intervalo de cinco segundos. Apesar de não empregar antissépticos ou antibióticos, a ferida cicatrizou sem nenhum sinal de pus ou infecção. Essa cirurgia foi divulgada pela imprensa brasileira e sua gravação, exibida na televisão. Minha experiência pessoal com Arigó e as observações que fiz de vários pacientes convenceram-me de que não somente o poder de cura desse homem é autêntico, como também demonstra benefícios terapêuticos positivos.

O Brasil deve se orgulhar por ter um homem extraordinário como Arigó trabalhando em benefício do povo. Julgo esse trabalho tão notável que merece um estudo científico profundo nos próximos anos. Farei o que estiver ao meu alcance para despertar a atenção dos cientistas em relação ao médium. Solicito a Vossa Excelência que considere o caso de Arigó com compaixão e justiça, em prol de toda a humanidade.

Atenciosamente,

Dr. Henry K. Puharich

O juiz Felippe Immesi ficou impressionado com o fato de o médico norte-americano ter se dado ao trabalho de escrever, intercedendo por Arigó, e principalmente por ter corrido o risco de se submeter, ele próprio, a uma cirurgia com o médium. Mas ele sabia muito pouco sobre o médium, além do que lia nos jornais, e menos ainda a respeito da complexidade do processo. Como só agora se inteirava do caso, sentia-se intrigado com sua peculiaridade e sutileza. Não demorou muito para compreender que Arigó, no que dizia respeito à Justiça, estava numa situação delicada.

Um grupo de cinco juízes já considerava se deveria conceder o *habeas corpus* a Arigó, enquanto o juiz Immesi estudava o caso, para determinar se ele deveria ser novamente sentenciado. Desse estudo preliminar, Immesi compreendeu que estava condenado a tomar uma decisão complexa e dolorosa. No dia 24 de junho de 1965, sete meses após o médium ter dado entrada na prisão de Conselheiro Lafaiete, o grupo de juízes chegou à conclusão de que os magistrados de Congonhas estavam certos quando haviam declarado Arigó culpado, mas decidiram que ele deveria ser solto temporariamente, enquanto o juiz Immesi prosseguia com sua extensa revisão.

A notícia sobre a sua liberdade provisória não entusiasmou Arigó. Aquele não era momento de se alegrar, pois o machado poderia cair brevemente sobre sua cabeça. Não havia nenhuma garantia de que o *habeas corpus* não seria suspenso a qualquer momento. Mas era evidente que a suspensão temporária seria bem-vinda. Ele poderia voltar para casa, reunir-se com Arlete e as crianças, e respirar o aroma das suas roseiras. Mas o suspense era quase tão doloroso quanto a possível realidade de retornar àquela cela deprimente.

Seus primeiros dias em casa foram tranquilos, mas tanto ele quanto Arlete sabiam que aquela tranquilidade duraria pouco. Como dissera o presidente Juscelino Kubitschek, Arigó nunca estaria sozinho no Brasil, nem mesmo embrenhado na selva amazônica. Convencido de que estava agindo corretamente, o médium voltou ao centro espírita, para onde multidões passaram a convergir, tal como antes. Todos sabiam que ele recomeçara seu trabalho, isso não era segredo para ninguém. A polícia o ignorava, enquanto ele se dedicava àquela nova safra de pacientes, enquanto o tribunal se empenhava para chegar a uma decisão definitiva, que resolvesse o caso de uma vez por todas.

Não demorou muito até que o juiz Immesi compreendesse que tinha nas mãos um caso cuja solução ele temia. Quanto mais sabia sobre Arigó, mais compreendia que estava diante de algo que ultrapassava os limites da jurisprudência convencional. Ao ler os fatos, convenceu-se de que aquele não era um caso de polícia. Mas a lei era bem clara: o médium estava errado. Como juiz, teria que condenar Arigó, apesar da simpatia que nutria por ele e a família. O homem emergia dos laudos e registros do tribunal – centenas de páginas encadernadas – como um ser humano sincero e caridoso, um homem triste e perplexo, confuso diante dos estranhos poderes que demonstrava e conscientemente incapaz de lidar com eles e com as pessoas que o procuravam.

Quando se inteirou do caso, o juiz não tinha nenhuma opinião a respeito das notícias que havia lido nos jornais sobre Arigó. Como um bom católico, simplesmente não conseguia compreender as histórias provenientes de Congonhas. À medida que foi se enfronhando no assunto, percebeu que teria que ver o médium pessoalmente. Como todo mundo, sabia que, logo após ter saído da prisão, ele retomara seu trabalho de cura. Nunca tentava disfarçar o que fazia pelos doentes. Com exceção das cirurgias, ele curava diante dos olhos de todos. E mesmo quando se tratava das cirurgias, ele não fazia questão de fazer muito segredo. Muitas vezes tentara explicar que continuava trabalhando não para contrariar as autoridades, mas sim porque não tinha outra escolha. Qualquer que fosse o trabalho que estivesse realizando no intervalo entre a sua soltura e a decisão suprema do juiz Immesi, ele não faria muita diferença. A prova já existia. Não mudaria nada se fizesse mais algumas curas ou até mesmo cirurgias.

Arigó sabia que os dois homens que haviam visitado a clínica naqueles dias eram representantes da lei. Não sabia exatamente quem eram, mas convidou-os a entrar, para que o observassem enquanto trabalhava. Como já estavam ali, deveriam pelo menos ter a oportunidade de ver que os pacientes eram curados sem que sofressem nenhum prejuízo.

Um desses homens era o juiz Immesi, o outro um advogado de outra região, que nada tinha a ver com o caso do médium. Um dos primeiros pacientes a se aproximar da mesa de Arigó foi uma mulher praticamente cega, com catarata nos dois olhos. O médium, que tratava com frequência desses casos devido à sua habilidade no campo da oftalmologia, pediu ao juiz para que se aproximasse e segurasse a cabeça da paciente. Immesi ficou constrangido e atemorizado, mas obedeceu. Posteriormente, descreveu a cena da seguinte maneira: "Eu o vi pegar uma espécie de tesourinha, parecida com as usadas para cortar unhas. Ele limpou a lâmina em sua camisa, sem usar nenhum tipo de desinfetante. Em seguida, eu o vi cortar a córnea do olho da paciente. Ela nem sequer empalideceu, embora estivesse perfeitamente consciente. O cristalino foi extraído numa fração de segundos. O advogado e eu ficamos mudos, perplexos. E Arigó fez uma espécie de oração, enquanto segurava um chumaço de algodão. De repente, algumas gotas de um líquido apareceram no algodão e ele enxugou os olhos da mulher. Nós vimos tudo isso bem de perto. Ela saiu dali curada".

Depois da cirurgia, Arigó sorriu para o juiz e disse: "Não fui eu quem fez isso, o senhor sabe. Foi o Dr. Fritz".

O juiz e o advogado de Belo Horizonte voltaram à clínica várias vezes. "Ia lá para me convencer de que aquilo que eu estava vendo era mesmo realidade", contou o juiz. "Tenho muita dificuldade para acreditar nessas coisas. Apesar da explicação bizarra a respeito do Dr. Fritz, Arigó era um homem realista, rude e inflexível, que tinha ao mesmo tempo uma sensibilidade paradoxal. Pelo que compreendi ao observar o caso, ele estava bem longe de ser santo, sendo às vezes incrivelmente cruel. Para qualquer um criado numa tradição puritana, era difícil justificar aquilo num homem com poderes especiais. Eu o vi tratar duzentas pessoas no intervalo de duas horas. Levava alguns segundos para prescrever remédios, os diagnósticos eram instantâneos e sem que ele precisasse fazer nenhuma pergunta. Eu tinha decidido observar tudo aquilo pessoalmente. Precisava estudar aquele homem, cujo destino eu tinha de decidir."

Os resultados das observações que fez durante algum tempo levaram o juiz Immesi a perceber que o caso simplesmente não poderia ser julgado em termos convencionais. Ele fazia questão de evitar que seus sentimentos influenciassem a sua função de juiz, embora admitisse intimamente que isso não era nada fácil. Se dependesse dele, mandaria que Arigó fosse submetido a um estudo científico intensivo numa universidade, porque estava agora convencido de que talvez aquele homem representasse a maravilha do século. Isso, porém, não estava previsto na Constituição brasileira. Ele teria que encontrar outros meios.

Durante vários dias e noites, o juiz leu com atenção as declarações das testemunhas, na esperança de que pudesse combinar a justiça técnica com a justiça de uma ordem superior. Concentrou mais sua atenção nas declarações dos médicos que tinham testemunhado, na documentação anterior e posterior, e nas curas que Arigó realizara depois que a medicina convencional tinha desenganado os pacientes. O juiz levou em consideração os avanços da parapsicologia, que ainda engatinhava, apesar do reconhecimento recente por parte da American Association for the Advancement of Science. Ele analisou a posição da Igreja Católica, observando que ela começara a aceitar a parapsicologia como algo plausível. Estudou os trabalhos do padre Oscar Gonzales Quevedo, um sacerdote muito respeitado entre os melhores parapsicólogos da América Latina. O padre Quevedo declarara que Arigó estava no mais alto patamar no que dizia respeito aos curandeiros do continente. Immesi reviu também a atitude tolerante e interessada de William James, Gardner Murphy (da Menninger Foundation, localizada no estado do Kansas), e outros, com relação ao potencial inexplorado da mente humana no campo da paranormalidade.

Ele pensava: Arigó estava realizando um trabalho para o qual não estava habilitado. Praticava medicina sem ser médico. Mas, ao mesmo tempo, ele definitivamente não era um criminoso, como sugeria a impiedosa acusação de feitiçaria. O crime do médium – se é que se podia usar essa palavra para designar o que ele fazia – não era contra o povo, mas contra a estrutura da medicina legal. O povo não tinha sido lesado. Não se encontrara testemunhas para afirmar isso, mesmo entre as centenas de milhares tratados por Arigó. E tampouco havia, entre seus mais encarniçados inimigos, quem tivesse afirmado que ele prejudicara alguém. Não havia nem mesmo quem tivesse sido enganado ou extorquido. Ninguém podia declarar que Arigó algum dia tivesse cobrado um só níquel das pessoas que atendia.

Por mais que odiasse fazer isso, não havia dúvida de que o juiz teria que condenar Arigó e mandá-lo novamente para a prisão. Se o juiz Immesi não o condenasse, legalmente seria considerado um herege, situação em que nenhum juiz responsável deseja ficar.

A lei era brutalmente objetiva, inexorável e específica, e ele teria que seguí-la, independentemente das suas propensões pessoais. E, contudo, sendo ele mesmo o primeiro juiz que se dera o trabalho de fazer uma extensa pesquisa sobre Arigó (comentava-se que o juiz Barros lera os autos do processo num dia e dera sua sentença no outro), Immesi reconhecia que Arigó era inocente, no mais amplo sentido da palavra.

Consequentemente, o juiz Immesi recorreu ao que ele chamava de "calistenia procedural", tentando obter a solução mais justa para o problema. Uma vez que não havia outra escolha a não ser condenar Arigó, ele procurou meios de reduzir a sentença, tornando-a mais branda. A primeira coisa a considerar era a acusação de curandeirismo feita pelo promotor público.

Immesi estava convencido de que ela era injusta, em vista do que se sabia a respeito do caráter e do trabalho de Arigó. Ele nunca praticara nenhuma espécie de ritual primitivo, limitava-se simplesmente a recitar orações cristãs e as recitava quase que para si mesmo. Aquele estudo intenso que o juiz Immesi fizera sobre o trabalho do médium, breve, porém detalhado, afetou-o profundamente. "Deu-me outra visão da vida", disse ele. "Muito sutilmente, parecia comprovar a verdadeira essência da fé cristã – a fé numa vida após a morte. Se a existência do Dr. Fritz – fosse ela real ou ilusória – era considerada a causa básica dos milagres objetivos e verificáveis de Arigó, eu sentia que ela não estava em conflito com o ideal cristão. Na verdade, ela o sustentava. Ele não estava agindo contra a ética cristã."

O juiz Immesi se lembrou de ter assistido a Arigó realizar uma cirurgia na qual retirara parcialmente o olho da cavidade ocular, usando como alavanca a faquinha de cozinha. Aos olhos da medicina, aquilo era impossível sem que o paciente sofresse dores horríveis. Como Arigó tinha conseguido? Lembrou-se ainda de outra cirurgia, durante a qual ele permanecera ao lado do paciente. A incisão começara a sangrar profusamente. Arigó colocara o dedo diretamente sobre ela dizendo: "Jesus não quer que você sangre". O sangramento então cessou. Isso foi tão inacreditável que, depois, o juiz e o advogado tiveram que confirmar o caso, conversando a respeito.

Immesi consultou os arquivos das leis brasileiras a respeito do tema da feitiçaria. Decidiu consultar seu jurista favorito, um juiz aposentado chamado

Nelson Hungria, conhecido como "o príncipe dos juízes criminalistas" no Brasil. Fora ele que, num famoso parecer, decidira que, para que se caracterizasse a feitiçaria, o réu deveria ser considerado culpado não só de receitar ervas e raízes, mas de prepará-las pessoalmente e ministrá-las ao paciente.

Arigó, ao receitar seus medicamentos modernos, evidentemente não procedia desse modo. Ele poderia ser acusado de imperícia no exercício da medicina, mas nunca de feitiçaria. E por esse motivo, Immesi achou que, baseando-se numa justificativa legal, poderia substituir a acusação de crime contra o povo pela de crime contra a administração pública, resultando, assim, numa pena mais branda.

Além do mais, os depoimentos das testemunhas indicavam claramente que o médium nunca causara dano a ninguém, e o Código Penal Brasileiro estabelecia que não poderia haver crime se não houvesse dano, injúria ou perda. A única parte que poderia afirmar ter sido injuriada era a administração pública, especificamente a entidade que concedia aos médicos a autorização para praticar a medicina. Isso também mudaria o caso, alterando a acusação de crime contra o povo para o de mera contravenção, o que diminuía apropriadamente a severidade da sentença. O argumento principal, segundo o modo de pensar do juiz, era o de que a única prejudicada era a profissão médica.

Quando o juiz Immesi se sentou para redigir sua opinião, sentiu um grande pesar por ser obrigado a mandar Arigó de volta à prisão. "Eu tinha que admitir que me sentia um pouco como um juiz tratando de um caso uns duzentos anos atrás, e não gostei dessa sensação. Eu tinha passado horas, dias e semanas tentando encontrar uma maneira de libertar aquele homem enigmático, que deveria ser enviado a uma universidade e ser objeto de um estudo profundo. Sabia que eu estava fazendo o melhor que podia por Arigó. Mas era realmente lamentável separá-lo da família, mandando-o novamente para a prisão."

A única coisa boa era que Immesi conseguiu reduzir a sentença para apenas dois meses de prisão, enquanto a acusação de feitiçaria o obrigaria a continuar preso por mais nove meses.

O juiz assinou a sentença com muita relutância. No dia 20 de agosto de 1965, Arigó foi sozinho para Conselheiro Lafaiete, dirigindo seu jipe, entrou em sua antiga cela e começou a cumprir a pena que ainda lhe restava.

Enquanto isso, o Supremo Tribunal Federal continuava a rever o caso, graças à insistência do juiz Immesi. Houvera muitas irregularidades no processo, muitos lapsos. Numa surpreendente reviravolta, o promotor Marcelo de Paula recomendou que a sentença fosse cancelada. Por fim, o tribunal votou unanimemente para que as acusações contra Arigó fossem retiradas. E ele foi solto em 8 de novembro de 1965.

A notícia causou grande alegria. O diretor e os guardas da prisão foram abraçá-lo. Muitos dos seus companheiros de cadeia choraram. Milhares de pessoas reuniram-se à porta da prisão, para cumprimentá-lo quando saísse. Arlete o esperava com os filhos. O médium chorava abertamente. Acenou para a caravana de carros que viera pela estrada Rio-Belo Horizonte. Os *flashes* dos repórteres espocavam como fogos de artifícios.

Ao chegar em casa, foi direto à geladeira, pegou um pedaço de carne e chamou seu cão Tostão, para que subisse em sua cadeira predileta. Estava novamente em seu lar e desta vez sem a ameaça de outra condenação.

Para onde o futuro o levaria, isso era uma incógnita. Mas, logo na manhã seguinte, o povo já formava novamente uma fila na porta do centro espírita, como se nada tivesse ocorrido naquele ano que passara. Levantando-se cedo, Arigó saiu e foi a pé até a clínica, andando pela calçada de pedras com seus sapatos sujos de lama. Entrou em sua salinha para meditar e dali saiu com seu olhar penetrante e a voz gutural, de sotaque germânico.

Arigó estava de volta, assim como a esperança dos milhares de enfermos que o aguardavam. Só não se sabia por quanto tempo.

9

Com Arigó solto, o dr. Puharich e seu grupo de cientistas americanos renovaram seus esforços para organizar a expedição ao Brasil. Teriam, mesmo assim, que agir com todo o cuidado, para não despertar muita atenção sobre o trabalho do médium, que na época reiniciava seus atendimentos. Puharich fez várias investigações preliminares e manteve contato com muitos médicos brasileiros que simpatizavam com Arigó e desejavam o apoio suplementar que representaria aquela pesquisa norte-americana.

Ao saber que o antigo presidente Juscelino Kubitschek estava residindo em Nova York, depois de deixar o Brasil devido ao regime implantado pelo presidente Castelo Branco, o dr. Puharich e Maria Treen, sua intérprete, fizeram-lhe uma visita em seu escritório, na 57th Street, em Manhattan. Estavam interessados em qualquer informação valiosa que ele pudesse lhes dar. Kubitschek cumprimentou-os cordialmente e confirmou sua amizade e a experiência pessoal com Arigó. Disse-lhes que nunca teria decidido pelo indulto se não estivesse a par dos poderes extraordinários do médium ou se tivesse recebido alguma informação de que ele havia prejudicado algum paciente. Julgava que uma extensa pesquisa médica sobre ele não somente era desejável, como urgente.

Encorajados com aquela declaração de um brasileiro que não era apenas médico, mas também um estadista, a comissão médica para estudar o caso de Arigó (como era chamado o grupo da Essentia Research Associates) entrou em contato com vários médicos brasileiros, para se informar sobre o método de abordagem mais adequado e a melhor época para a expedição. Eles sugeriam que os cientistas esperassem um pouco, até que eles se inteirassem das condições de trabalho de Arigó no momento, visto que ele estava se livrando das suas preocupações com a Justiça.

Em julho de 1966, cerca de oito meses após Arigó ter sido libertado da prisão, os médicos no Brasil avisaram que o médium voltara à sua antiga rotina e faria tudo o que estivesse ao seu alcance para cooperar com os pesquisadores americanos. Ele havia sugerido, no entanto, que Puharich primeiro fosse ao Brasil sozinho, para um exame preliminar, mantendo a maior discrição possível, a fim de evitar hostilidades por parte da Associação Médica.

Puharich chegou a Congonhas na primeira semana de agosto de 1966. Acompanhava-o sua assistente, Solveig Clark, uma bela e eficiente americana de ascendência norueguesa. A primeira tarefa seria estudar um dos aspectos da habilidade de Arigó: sua capacidade para diagnosticar doenças. Esse estudo atrairia muito pouca atenção por parte da facção contrária da classe médica e forneceria uma base essencial para o grupo mais bem equipado que chegaria posteriormente.

Aquela era a primeira vez que Solveig Clark visitava o Brasil e ela ficou encantada com Congonhas. Na hora do almoço, sentou-se com Puharich num bar modesto, esperando pelo aparecimento inevitável de Arigó, na rua Marechal Floriano, em seu trajeto para a clínica.

"Pode ficar sentada aí", disse Puharich a ela. "Aproveite para apreciar a cidade."

Mas pelo que ela via na rua e na calçada em frente à clínica, era como se o mundo inteiro estivesse em Congonhas. Vários ônibus alugados estavam estacionados na rua da clínica; a multidão esperava pacientemente na calçada, ignorando o sol quente, usando uma variedade de roupas coloridas, desde a mais elegantes até as mais esfarrapadas, e olhando de vez em quando para a esquina, na esperança de ver Arigó aparecer.

Não demorou muito e uma caminhonete velha surgiu na esquina, dirigindo-se para o estacionamento do Hotel Freitas. Por pouco não bateu num poste, cantando pneu ao parar. Dela desceu uma figura imponente que Solveing reconheceu no mesmo instante: Arigó, que alegremente atravessou a rua, dirigindo-se ao bar. Como de costume, usava camisa esporte com o colarinho aberto e uma calça não muito limpa, parecendo justamente o oposto da figura de um místico. O que mais impressionou Solveing foram os olhos do médium. O olhar de Arigó era caloroso e profundo, além de transmitir grande autoridade.

Ele gritou um cumprimento efusivo a Puharich, abraçando-o em seguida, calorosamente. Juntos, o médium e os dois visitantes atravessaram a rua, dirigindo-se à clínica. Após alguns instantes, Arigó iniciou seu trabalho.

Na manhã seguinte, Solveing e Puharich estavam prontos para dar início ao seu estudo sobre o método usado por Arigó para fazer diagnósticos. Tinham encontrado uma jovem que aceitara servir de intérprete para eles, embora a moça ficasse tão maravilhada ao observar o trabalho do médium que muitas vezes se esquecia de traduzir.

A capacidade de organização de Solveing era notável e não demorou para ela colocá-la em ação. O plano era simples. Arigó tinha concordado que faria o diagnóstico de cada paciente, assim que ele se apresentasse. Não perguntaria nada a ele. Todos os diagnósticos seriam gravados. Em seguida, Solveing entrevistaria o paciente, para saber se trouxera o parecer de outros médicos, de modo que pudessem compará-lo ao de Arigó. Caso houvesse uma divergência de opinião com relação ao diagnóstico do médium, o do médico prevaleceria. Esse método seria usado porque seria impossível reexaminar o paciente.

Puharich e Solveing trabalharam três dias inteiros ao lado de Arigó. Consideraram os primeiros mil pacientes como uma amostra básica para um estudo preliminar.

Sabiam que aquele não seria um estudo definitivo, mas os resultados seriam inestimáveis para a avaliação do potencial de sucesso de toda a equipe de pesquisa. Ao fim do terceiro dia, Puharich e Solveing reviram suas anotações, fazendo um resumo dos resultados. Eram impressionantes:

Estudo Preliminar Capacidade de Diagnose de José Arigó Congonhas, Brasil 2, 3, 4 de agosto de 1966	
Casos diagnosticados por Arigó	1000
Casos rejeitados por Arigó e enviados de volta ao médico	35
Amostragem dos casos finais	965
Número de pacientes com relatórios médicos	545
Casos rejeitados devido à falta de relatórios médicos	420
Amostragem válida	965
Correspondência exata entre o diagnóstico de Arigó e o do médico	518
Divergência entre o diagnóstico de Arigó e o do médico	27
Amostragem válida	545
Porcentagem de diagnósticos feitos por Arigó idênticos ao do médico	96%

Além dos diagnósticos, a farmacologia não ortodoxa de Arigó continuava a desafiar a análise racional, embora o acompanhamento de vários casos mostrasse um sucesso mensurável. Um exemplo disso foi o caso de uma americana de 42 anos, esposa de um advogado de renome, que, durante a maior parte da vida, sofrera de várias alergias, que supostamente lhe causavam fortes enxaquecas. Depois de ter consultado especialistas, tanto nos Estados Unidos como na Europa, o casal tomou um avião para o Brasil, a fim de ver Arigó. A receita que ele deu à mulher foi, como sempre, irracional do ponto de vista médico. Ela incluía uma fórmula obsoleta de estreptomicina, conhecia como Garomicina; a raramente usada Olombitina, uma droga alemã que supostamente fortalecia o sistema imunológico do organismo; um antialérgico de origem brasileira conhecido como Piro-vac;

um preparado de enzimas chamado Pancreon; um antiácido, chamado Alcalitrat; e doses maciças de vitamina B12.

Ao regressar para o Estados Unidos, Puharich teve a oportunidade de acompanhar esse caso. Não se verificou nenhuma reação contrária com o emprego desses medicamentos, embora isso fosse muito provável devido às grandes doses receitadas. A paciente seguiu o tratamento por cerca de dois meses, durante os quais as dores de cabeça diminuíram pela primeira vez em vinte anos. Depois disso, ocorreram alguns raros episódios de enxaqueca, porém insignificantes, se comparados à intensidade dos ataques anteriores. Em seis meses, eles desapareceram completamente.

Puharich resumiu em seu relatório: "É possível concluir que Arigó tem uma aptidão paranormal para fazer diagnósticos clínicos". Uma porcentagem acima de 95% representava, de fato, uma habilidade notável, mas ainda não explicava como ou por que o médium era capaz de fazê-los. Além do mais, era óbvio que, quando a equipe americana chegasse, seus membros desejariam acrescentar, quando possível, seus próprios diagnósticos àqueles registrados, a fim de realizar uma verificação adicional.

Em sua rotina de trabalho, Arigó tratava de vários casos oftalmológicos. Puharich, bem como todos que assistiam a essas curas, não conseguia se habituar àquela parte da sua técnica cirúrgica. Não importava quantas vezes tivesse observado o médium introduzindo a faca na cavidade sinovial ou por trás do globo ocular do paciente, o cientista não conseguia imaginar como uma pessoa consciente podia aguentar tamanha dor ou superar o medo. Os casos em que Arigó deixava a faquinha espetada no olho do paciente enquanto se virava para pegar um chumaço de algodão ou qualquer instrumento eram especialmente impressionantes. Ao voltar para o Estados Unidos, Puharich não conseguia afastar da memória o caso do paciente cuja cirurgia assistira em sua primeira viagem e que espantara uma mosca do rosto, enquanto seu olho estava quase saltando da órbita.

Quando o cientista menos esperava, Arigó virou-se para ele, enquanto movimentava a lâmina da faquinha no olho de um paciente, e disse: "Qualquer bom médico americano deveria fazer a mesma coisa que o senhor", e continuou manipulando a faca sem nenhuma piedade. "Pegue", disse ele a Puharich. "Pegue o senhor a faca."

Antes que ele pudesse compreender o que se passava, Arigó agarrou a mão dele e obrigou-o a segurar com força o cabo da faquinha. Puharich sentiu-se fraco e achou que ia desmaiar. Retirou a mão, mas o médium tornou a pegá-la com força, obrigando-o a segurar o cabo e forçando-o e empurrar a lâmina até o seu limite. Ficou horrorizado, mas notou uma coisa: parecia haver uma espécie de força repulsiva que inexplicavelmente só funcionava com Arigó, e com ninguém mais, quando ele executava aquela manobra – exceto se o médium guiasse a mão dele.

À hora do jantar, Arigó estava relaxado e falante em sua casa. Era impressionante a transformação, comparada à atitude severa e brusca que demonstrava quando estava na clínica. Brincava com Arlete, divertia-se com seus gatos e fazia uma algazarra enorme com os filhos. Era difícil acreditar que se tratasse da mesma pessoa que fora alvo do seu estudo clínico o dia inteiro.

Puharich estava determinado a descobrir até que ponto Arigó era capaz de fazer seus diagnósticos na terminologia moderna da medicina. Embora ele definisse o estado dos pacientes em português, era fácil, nas gravações, traduzir a fala do médium para termos médicos bem claros. O dr. Mauro Godoy estivera presente para auxiliar nesse sentido, inclusive durante o jantar.

"Como é que o senhor conhece tanto a terminologia da medicina moderna se nunca a estudou?", perguntou Puharich.

Depois de o dr. Godoy traduzir a pergunta, Arigó riu e respondeu:

"É a coisa mais fácil do mundo. Apenas ouço o que a voz está me dizendo e depois repito."

"De que voz está falando?", perguntou Puharich, presumindo que a resposta seria "do Dr. Fritz". Mas queria ouvir isso do próprio Arigó.

"Da voz do Dr. Fritz", confirmou o médium. "Sempre a ouço aqui no meu ouvido esquerdo. Se as pessoas estão fazendo muito barulho na sala, não consigo ouvir direito e por isso mando que fiquem quietas."

"A voz fala com o senhor em alemão ou em português?", indagou Puharich.

"Eu sempre ouço em português. Não sei alemão. Se algum curioso quer falar em alemão com o Dr. Fritz, eu simplesmente reproduzo o que ele está me dizendo, mas não entendo o que repito."

"O senhor compreende os termos médicos?", tornou a perguntar Puharich.

"Não, só repito aquilo que ouço."

Ao terminar a conversa, aquelas respostas dadas tão espontaneamente pareciam mais incompreensíveis do que nunca. Havia apenas uma coisa prática a ser feita. Analisar a evidência estatística dos diagnósticos exatos. Estes podiam ser verificados, embora ainda restassem muitas perguntas que não pareciam ter respostas.

Em sua longa viagem do Rio de Janeiro a Nova York, num voo pela Pan Am que durou onze horas, Puharich teve tempo suficiente para refletir sobre aquela visita. Estudara alemão durante seus cinco anos de ginásio e na faculdade, mas, embora não fosse fluente nesse idioma, não ficara demasiadamente impressionado com as poucas frases que ouvira de Arigó enquanto trabalhava. Outros, porém, que tinham feito questão de observar a capacidade do médium de falar essa língua, julgavam que ele a empregava de um modo bem aceitável.

Arigó parecia ficar aborrecido quando Puharich insistia em falar sobre a questão da língua. Naquela ocasião, o médico não continuou o assunto, porque as perguntas básicas no momento eram: o médium podia dar um diagnóstico exato sem nem mesmo examinar o paciente? Podia ele curar de fato? Além disso, tudo mais era secundário.

A questão a respeito da possibilidade de uma pessoa morta ter o aparelho motor-sensorial de um ser vivo era quase totalmente inexplorada pela Psicologia moderna. Os parapsicólogos haviam realizado um estudo profundo nos médiuns, obtendo algumas evidências – mas não uma prova – que indicava a autenticidade de certos médiuns como canais de comunicação para pessoas já desencarnadas. Mas a pesquisa era irregular e difícil de ser feita em laboratório. Entretanto, não podia ser totalmente ignorada, principalmente num caso como o de Arigó, que desafiava qualquer explicação convencional.

Era difícil saber se as novas explorações nessa área, numa tentativa de fundir a capacidade instintiva dos curandeiros tribais com a disciplina moderna, lançariam mais luzes sobre o assunto. Por outro lado, antes de Freud, não existiam conceitos como o id e o superego, exceto na mitologia antiga. Seria Arigó uma expressão simbólica de conceitos empregados na mitologia antiga?

No Brasil, a possibilidade de possessão – por espíritos bons ou ruins – é quase considerada corriqueira em todas as camadas sociais. Os brasileiros têm uma tendência para aceitar esse fenômeno potencial como parte da cultura e, portanto, aos seus olhos, ele se torna uma verdade literal ou metafórica.

Puharich argumenta que a mente humana é como um filtro. Está constantemente enfocando certos assuntos e filtrando outros. Tem que agir desse modo, do contrário, tal qual um computador, estaria sujeita a uma sobrecarga de informações aleatórias, sem nenhum valor coesivo. No Brasil, muitos admitem o conceito da "possessão", sendo, portanto, culturalmente aceitável considerar tal fenômeno como um postulado viável.

Um reflexo da fácil aceitação desse conceito é demonstrado nas escolas brasileiras, no exame rotineiro de inglês chamado "Proficiency One Comprehension and Composition", que reproduziu um artigo escrito por John Francis-Phipps, publicado na revista inglesa *New Statesman*. No artigo, ele se refere a um curandeiro brasileiro e a um festival realizado em homenagem a ele. O artigo começa assim: "Algumas vezes, acontece de coisas estranhas serem reais. Por isso vale a pena investigá-las...".

As perguntas, ao final do exame, refletem o ambiente no qual o estudante foi criado. Elas incluem:

"Você acredita que tais curas foram realizadas?"

"Qual a sua explicação para elas?"

"A medicina moderna e esse tipo de cura são necessariamente conflitantes?"

"O que representa esse 'coquetel metafísico' mencionado pelo escritor?

"Você pode descrever as experiências que conhece a respeito da Umbanda?"

"O autor menciona que, do ponto de vista social e racial, a amizade e a igualdade entre os seres humanos não foram tão valorizadas quanto deveriam? Isso é típico do Brasil?"

Os jovens brasileiros, assim como as pessoas mais velhas, estão mais condicionados a aceitar esse tipo de possibilidade do que os americanos ou europeus. Mas, no caso de Arigó, essa diferença cultural é um fator fundamental. As realizações materiais do médium eram completamente óbvias e observáveis, tanto para os estrangeiros quanto para as pessoas do seu próprio país.

Qualquer um que o estudasse só poderia chegar a esse patamar material se o julgasse racionalmente. Quando a equipe médica chegasse ao Brasil, seria importante enfocar apenas os aspectos de Arigó passíveis de verificação: sua capacidade de fazer diagnósticos; o tratamento bem-sucedido de doenças incuráveis por meio de uma farmacologia não convencional; a habilidade cirúrgica sem anestesia, antissépticos ou suturas. Somente esses objetivos já representavam um desafio notável.

De volta a Nova York, os planos para o início da expedição finalmente começaram a tomar vulto. Seis médicos da comitiva chefiariam a pesquisa: o dr. William Brewster, pesquisador da Escola de Medicina da Universidade de Nova York; o dr. Luis Cortes, pesquisador assistente da mesma instituição; o dr. Walter Pahnke, chefe da seção de pesquisas em Psiquiatra do Maryland Psychiatric Research Center; o dr. Robert S. Shaw, cirurgião visitante associado do Massachusetts General Hospital, e o dr. Henry Puharich, que na época chefiava as pesquisas médicas da Intelectron Corporation, em Nova York, uma empresa que desenvolvia e fabricava instrumental médico. Nenhum dos membros da comitiva estaria exercendo, na viagem, o papel de representante oficial da organização para a qual trabalhava.

O objetivo imediato seria a racionalização científica do fenômeno Arigó, de acordo com as observações diretas do grupo. Como as investigações preliminares tinham confirmado a validade das alegações com respeito ao trabalho do médium, cabia à equipe agora provar isso por meio de instrumentos e um exame minucioso.

Se a investigação biofísica cumprisse essa meta, um grande vácuo nos conhecimentos da medicina moderna poderia ser preenchido. Fundamental nesses planos era o estudo daqueles aspectos do trabalho de Arigó que podiam ser explicados e relatados na teoria e na prática aceitas pela medicina moderna. Esses aspectos do trabalho do médium seriam claramente separados daqueles que não podiam ser explicados por nenhuma teoria ou prática conhecida pela medicina moderna.

A fase mais esotérica teria que receber atenção especial, mas, como sua origem ainda fosse obscura, não teria prioridade. A "voz" que ditava a Arigó seus diagnósticos corretos seria estudada, mas considerariam primeiro as estatísticas com relação aos diagnósticos e tratamentos propriamente ditos.

O problema de pesquisa que teriam de considerar, por fim, seria identificar a natureza da inteligência do "Dr. Fritz". Seria esse um processo criativo, semelhante ao de um compositor ao ouvir a música que está prestes a compor e registrar? Seria simplesmente uma forma de articulação dos pensamentos inconscientes de Arigó? Ou ainda uma manifestação paranormal de uma fonte de inteligência exterior à memória e à experiência pessoal de Arigó, à qual ele denominava Dr. Fritz?

A utilização perspicaz que o médium fazia de um amplo espectro de drogas farmacêuticas era outro enigma a ser desvendado. Como ele podia ser bem-sucedido naquelas combinações irracionais de remédios para doenças que não eram clinicamente responsivas àquelas drogas? Ao longo de cinco anos, por exemplo, Arigó tinha curado casos de leucemia clinicamente confirmados, empregando medicamentos prontos, vendidos em farmácia. Por que outros médicos não podiam fazer a mesma coisa? Mesmo quando copiavam as receitas do médium, os remédios não davam o mesmo resultado. Onde estaria a linha divisória entre os elementos conhecidos e desconhecidos da técnica de Arigó? Seria a receita somente uma parte da equação, sendo as tendências próprias de Arigó um complemento fundamental para o resultado final?

Embora as cirurgias de Arigó pudessem ser facilmente observadas e fotografadas de perto e os pacientes, objetivamente examinados e interrogados antes e depois dos procedimentos, como se poderiam explicar aqueles métodos e resultados finais tão extraordinários?

Além disso, de que maneira o médium conseguia localizar lesões profundas e invisíveis sem diagnósticos, radiografias ou qualquer exame prévio? Embora seus procedimentos cirúrgicos fossem prontamente observáveis e os testes patológicos pudessem confirmar a condição do paciente, como ele podia dispensar a sutura de vasos ou tecidos? Por que não ocorria nenhum sangramento no pós-operatório? Por que não ocorria nenhum choque cirúrgico aparente? Como podia o paciente sair andando da sala sem nenhuma assistência, logo depois de passar por uma cirurgia delicada?

E como o próprio Arigó conseguia suportar fisicamente o dispêndio de energia exigido para tratar cerca de mil e quinhentos pacientes por semana, sem assistência adequada ou intervalos periódicos de descanso?

Os médicos americanos teriam muito trabalho para responder a essas e a outras perguntas. Para colaborar com a equipe, outros especialistas juntaram-se a ela, entre eles César Yazigi, professor de português da Universidade de Nova York, e a esposa; Edward Hall, um experiente cineasta de Nova York; Paul Jones, um especialista em fotografia. Os registros médicos seriam feitos por Edward Hall e as gravações em áudio, por John Laurance, que associaria sua profunda experiência científica e em engenharia, adquirida no programa espacial da NASA, com seus amplos estudos em parapsicologia desenvolvidos pelo Brasil todo.

O equipamento que seria trazido para o Brasil era variado e complexo. Incluía um gravador de rolo Nagra, com um carregador e microfone, além de com cinco gravadores de fita cassete Norelco. Outro equipamento audiovisual incluía um kit para a revelação de filmes em preto e branco; dois iluminadores Sungun a bateria; uma câmera Eclair de 16mm, com três chassis de 400 pés; cinco Instamatics; um fotômetro Spectra; lentes macro Auto Micro-Nikkor 55mm f 3.5; lentes médicas Auto-Nikkor de 200mm e f 5.6; e equipamentos para copiar radiografias.

Também havia uma Nikon F Photomic, de 55mm f 1.2, uma câmera Super-8 Honeywell; uma Pentax de 35mm; uma Canon 35mm; uma

Hasselblad 500; uma Polaroid; uma Bolex 16mm; uma Super-8 Nizo e uma Fairchild Cinephonic 8mm.

O equipamento médico, evidentemente, era completo. A equipe tinha trazido um aparelho de raio X portátil, assim como um de eletrocardiograma e outro de eletroencefalograma, além de lâminas para exames bacteriológicos e para realizar culturas, um visualizador de raio X, o equipamento completo de laboratório para detecção de tipagem sanguínea, incluindo os vidros para armazenar as amostras, equipamento para contagem de células brancas e um microscópio. A isso acrescentaram 5 mil formulários impressos para os pacientes registrarem seus históricos médicos e exames e outra quantidade igual de formulários impressos para Arigó. Para fotografar os relatórios médicos, tinham uma câmara Minox para microfilmagem e seus acessórios. Tinham trazido todo o equipamento para que a pesquisa fosse a mais abrangente possível.

Quem coordenou a maior parte da expedição foi Solveig Clark. Quase todos os membros do grupo tinham frequentado um curso noturno de português, na Universidade de Nova York, assimilando o máximo que podiam num período de tempo tão limitado. Também se levou em conta a possibilidade de intercorrências, entre elas a reação das autoridades jurídicas e dos departamentos do governo com relação à pesquisa.

Já tinham obtido a confirmação de que Arigó estava disposto a cooperar com a investigação científica. Ele já assegurara ao grupo que selecionaria alguns casos para demonstrar a técnica cirúrgica que usava em sua clínica particular e apresentaria a equipe aos seus pacientes mais antigos e médicos que já tivessem estado em contato com ele. Também daria entrevistas, em que explicaria suas ideias e o *modus operandi* de suas curas. Além disso, também responderia perguntas sobre a origem de suas informações. Posteriormente, ele viria a considerar com certa relutância o convite para viajar aos Estados Unidos e ali se submeter a uma investigação mais completa de sua técnica de cura. Todas providências práticas já tinham sido tomadas.

Evidentemente, restavam as questões imponderáveis. A ameaça principal era o ressentimento por parte da Associação Médica Brasileira, ainda com o orgulho ferido pelo que ela considerava falta de firmeza dos tribunais. Esse problema teria que ser encarado e solucionado da melhor maneira possível. Havia uma resistência implícita à ideia de médicos estrangeiros estarem executando um trabalho que, na opinião de muitos, a própria Associação deveria fazer. Alguns de seus membros mais proeminentes pensavam assim.

O fator mais importante era óbvio: a equipe americana teria que agir com a maior discrição possível. A simples mecânica e logística da pesquisa exigiam que as condições na clínica permanecessem as mais normais possíveis. Isso seria difícil com dezenas de médicos norte-americanos aportando numa cidade pequena como Congonhas. A presença de tantos pesquisadores e seu equipamento na clínica lotada poderia causar problemas futuros.

Uma das dificuldades no trabalho de pesquisa é que muitas vezes o observador e seus instrumentos perturbam o sujeito observado, seja ele elétrons ou pessoas. Esse problema teria que ser contornado. Outro fator que poderia prejudicar a pesquisa foi o fato de Arigó só ser libertado da sua pena com a condição de não realizar grandes cirurgias.

Havia também o choque cultural sofrido pelos pesquisadores que nunca tinham visitado o Brasil e que, portanto, não conheciam a filosofia kardecista ou a crença no Espiritismo, difundido por todo o país. Com exceção de Puharich e John Laurence, que haviam estudado o assunto, somente alguns do grupo sabiam detalhes sobre as curas psíquicas.

Dois eminentes agentes de cura psíquicos, o dr. Ambrose Worrall e a esposa, vieram de Baltimore várias vezes, para conversar com o grupo de pesquisadores a respeito do trabalho bem documentado que realizavam nesse campo. Worrall era um engenheiro industrial bem-sucedido que dedicava seu tempo livre à arte da cura, ou pela imposição das mãos ou pelo toque, mas nunca por meio de cirurgias. Tanto ele quanto a mulher representavam algo bem distante da aura fantasmagórica e excêntrica que cerca a questão da mediunidade, causando tanta incredulidade e suspeita e fazendo com que as mentes mais sensatas hesitem em explorá-la.

Em maio de 1968, a expedição estava pronta. Seus membros tomaram a decisão estratégica de dividir a equipe, variando a data e o local de chegada, para despistar a atenta imprensa brasileira. Essa estratégia era da máxima importância. Os jornalistas brasileiros podiam fazer um grande estardalhaço ao saber da chegada do grupo americano e a última coisa que os cientistas queriam eram ser manchete nos jornais do país. O mesmo podia-se dizer de Arigó. Seu maior interesse era se redimir por meio da ciência, após ter sofrido aquela condenação brutal, que lhe fora imposta pelo promotor público e a Associação Médica. Um programa de pesquisa bem fundamentado e judicioso ajudaria a livrá-lo do estigma do qual fora vítima. Apesar de sua falta de instrução, Arigó era um homem inteligente e sensato. E também era um bom político.

Alguns pesquisadores reservaram passagens para o Rio de Janeiro pela Pan Am. Outros iriam primeiro para São Paulo, pela Varig. E alguns ainda fariam uma escala em Brasília. Até aí a estratégia funcionou bem. A imprensa não ficou sabendo de nada e eles conseguiram chegar a Congonhas em meados de maio. A fim de não despertar atenção, alugaram um sítio fora da cidade, procurando assim evitar o burburinho inevitável das cidades pequenas, e que só serviria para, mais uma vez, atrair os jornalistas, ansiosos por fazer nome e criar notícias a respeito de Arigó e suas capacidades sobrenaturais de cura.

Apesar de todos os esforços para simplificar as coisas, os preparativos revelaram-se mais complicados do que se esperava. Foi preciso puxar um fio diretamente de um poste de rua a fim de suprir a energia necessária para o aparelho de raio X e os refletores utilizados na filmagem. Não havia um local adequado para colocarem a câmara que fotografaria Arigó trabalhando e por isso foi preciso abrir um buraco na parede que separava a salinha do médium de outra que não era usada. Precisaram de dois dias inteiros para preparar e testar todo o equipamento, mas isso foi necessário.

Tantos estranhos perambulando pela cidade – que não eram pacientes de Arigó – foi algo que despertou a atenção dos moradores. As pessoas se juntavam em frente à clínica somente para observar a instalação dos aparelhos elétricos. Aquilo não era um bom sinal. Mais cedo ou mais tarde, a imprensa certamente também seria atraída para o local e a publicidade reduziria muito a eficiência da pesquisa.

Solveig Clark, a coordenadora do projeto, permanecia fria e serena. Ela organizou os formulários médicos, estabeleceu uma rotina nos trabalhos que se seguiriam, planejou o fluxo de pacientes e providenciou para que cada um dos participantes do grupo tivesse ao seu alcance tudo de que precisaria para realizar seu trabalho.

Os pacientes foram divididos em três grupos. No primeiro, estava um pequeno número de pacientes que apresentavam sintomas clássicos e facilmente identificáveis. Estes seriam diagnosticados por meio de um exame realizado por Arigó e, em seguida, tratados pelo médium.

O segundo grupo era composto de pacientes que já tinham consultado Arigó antes da chegada dos cientistas. A eficácia do tratamento realizado por ele seria avaliada, de acordo com os diagnósticos apresentados e registrados pelos médicos que lhe haviam encaminhado esses casos.

Os demais pacientes seriam tirados dos outros grupos, nos quais se pudesse obter a cooperação do médico anteriormente consultado, para acompanhamento a longo prazo do sucesso ou fracasso do tratamento realizado por Arigó. Dessa maneira, esperava-se poder determinar se os tratamentos que o médium realizava eram transitórios, paliativos ou permanentes.

Os estudos cirúrgicos seriam mais profundos, para determinar a reação dos pacientes quanto à total falta de anestesia. Eles seriam examinados antes, durante e após a operação. Seriam observados por meio do aparelho de eletroncefalograma, de eletrocardiograma e de um instrumento conhecido como pletismógrafo de dedo, que servia para determinar e registrar variações na quantidade de sangue que passava por um único dedo. A pressão arterial e a frequência respiratória seriam registradas num gráfico. Desse modo poderiam determinar a ocorrência ou falta de reação adequada do sistema nervoso vegetativo na cirurgia.

Outros testes seriam realizados simultaneamente com os pacientes operados. O desempenho e a capacidade psicomotora seriam continuamente analisados durante a cirurgia, por meio de testes específicos, tais como o da memória recente ou remota, a resposta audiovisual e as mudanças profundas e superficiais dos reflexos. Imediatamente após uma operação, o paciente seria observado para se avaliar a hipótese de uma possível amnésia. Essa observação poderia revelar se Arigó empregava a hipnose. Também se filmaria o procedimento cirúrgico, com um oscilógrafo monitorando tudo em tempo real.

Havia muitas outras considerações. Cada amostra de tecido removido de um paciente era submetida a estudos patológicos a olho nu ou no microscópio. Fazia-se uma cultura nos instrumentos não esterilizados de Arigó, antes de serem usados, para a contagem das bactérias em suas superfícies. Culturas também eram realizadas na região superficial do corpo que seria operada, uma vez que Arigó nunca se preocupava em esterilizá-las. Procedia-se um estudo minucioso das incisões e a forma pela qual poderiam cicatrizar sem suturas. Também se planejava o acompanhamento do caso dos pacientes que passavam pela cirurgia.

No início dos procedimentos de pesquisa, a atenção se voltava principalmente para o próprio Arigó. Existiria alguma coisa relacionada à sua constituição física que o capacitasse a realizar tudo aquilo? Com seu corpo de lutador de sumô, era um homem ativo e enérgico, cuja força bruta e natureza rústica estavam em desacordo com sua sensibilidade interior. Ele mostrava-se tão intrigado com os próprios poderes quanto os médicos que o examinavam. A maior parte do tempo, havia poucas evidências de suas qualidades espirituais e elevação.

Arigó cooperou de boa vontade, enquanto a equipe médica americana fixava em seu peito os incômodos e intrincados eletrodos do aparelho de eletroencefalograma. Parecia ansioso para se submeter a qualquer teste prático que viesse a provar suas habilidades. Após um exame físico completo, os médicos não encontraram nenhum poder incomum ou anomalia. Ele não podia controlar as ondas cerebrais, a pressão sanguínea, a temperatura do corpo – nem provocar nenhuma das outras alterações descritas em alguns métodos autógenos, incluindo a prática do yoga. A única coisa que descobriram foi uma ligeira insuficiência cardíaca, que não parecia grave ou preocupante. Fora isso, tratava-se de um homem normal e sadio.

Ao responder às perguntas feitas durante o exame, Arigó revelou um fato interessante. Ele nunca fora capaz de tratar com sucesso nenhuma doença orgânica dos membros da família e tampouco dele mesmo.

Para iniciar essa pesquisa em grande escala, estabeleceu-se uma rotina na qual o dr. Puharich sentava-se perto de Arigó, com um intérprete a seu lado. Todos os que ocupavam posições-chave tinham *walkie-talkies*, para se comunicar mais rapidamente dentro da própria clínica. Solveig Clark sentava-se junto a Altimiro, assim como o fotógrafo Paul Jones, que registrava num microfilme as receitas escritas à mão e datilografadas. Posteriormente, ela recolhia amostras dos remédios, que eram depois filmadas.

O *cameraman* Ed Hall ficava no buraco recém-aberto entre as duas salas, em frente à mesa de Arigó, que ficava na salinha. Anno Hall estava encarregado de preencher uma ficha com o histórico de cada paciente. Os outros médicos tinham sido designados para os exames que seriam realizados antes e depois dos tratamentos e a análise das anamneses que muitos pacientes traziam dos seus próprios médicos. John Laurence manejava o gravador de fita colocado perto de Arigó, pelo qual podia tentar observar quando Arigó era impelido pelo misterioso Dr. Fritz. Os profundos estudos de parapsicologia que fizera despertaram-lhe o interesse a respeito de como aquela "voz" especial impulsionava o médium. Os outros membros da equipe estavam concentrados em tudo quanto era observável e objetivo: as cirurgias, os diagnósticos e os tratamentos.

Embora Laurence fosse um cientista cético, materialista e cartesiano, tendo realizado trabalhos de pesquisa na RCA, na NASA e nas forças armadas, era um dos poucos cientistas que acreditava que a ciência material estava se aproximando de uma fronteira e mais cedo ou mais tarde ela teria que ultrapassar o limiar da metafísica. Durante sua longa e bem-sucedida carreira, tivera oportunidade de encontrar alguns dos mais renomados cientistas do mundo.

Grande parte do seu trabalho relacionado com os programas espaciais e militares envolvia o desenvolvimento avançado de sensores eletrônicos e células fotoelétricas. Suas realizações nesse setor foram numerosas, variadas e amplamente reconhecidas. John Laurence passara muito tempo refletindo sobre Arigó, intrigado com o possível mecanismo que poderia possibilitar suas curas bem-sucedidas. Laurence também fizera experiências relativas ao uso das células fotoelétricas para mensurar a aura humana, além do infravermelho, um campo no qual os russos estavam bem avançados. Laurence achava que, para compreender Arigó, seria necessário que os cientistas se entranhassem tanto quanto possível naquele fenômeno, tal qual alguns psiquiatras estavam fazendo com seus pacientes esquizofrênicos. Participando das fantasias e dos delírios dos pacientes, esses psiquiatras tinham conseguido uma melhora notável em alguns casos.

Ele também achava que, como a mente humana geralmente usa menos de dez por cento de sua capacidade, qualquer pessoa poderia ampliar sua percepção sensorial além dos limites normais, em maior ou menor grau. Ele tinha certeza de que era possível trabalhar no campo não material, do mesmo modo que se trabalha no material.

À medida que observava Arigó trabalhando, daquele ponto de vista privilegiado, ele procurava, tanto quanto possível, tornar-se parte da experiência. Estudou o médium como faria com um instrumento que tivesse um amplo espectro de sensores. Aqueles de Arigó estavam evidentemente ligados, de modo mais profundo do que o normal, a uma fonte desconhecida. Quando ele encontrava algo de errado num paciente, às vezes parecia absorver as radiações perniciosas da pessoa. Isso já fora evidenciado e observado anteriormente em vários casos, quando Arigó tinha ânsia de vômito ou chegava a vomitar.

Um dia, um homem com cerca de 45 anos aproximou-se de Arigó, quando chegou a sua vez na fila. O médium começou a falar com ele e, de repente, virando-se para o lado esquerdo, vomitou uma enorme golfada de bílis. Imediatamente uma das assistentes foi limpar o local.

Arigó apressou-se a explicar ao intérprete que o paciente não estava fisicamente doente, mas sim possuído por maus espíritos. O médium disse que tinha atraído os espíritos para si mesmo e, ao fazer isso, afastara-os do paciente. Fosse como fosse, o homem no mesmo instante pareceu revitalizado, agradeceu calorosamente a Arigó e saiu da clínica. Foi uma cena surpreendente e dramática – embora fosse uma daquelas que não podia ser analisada de modo racional.

Mas talvez isso fizesse parte do quadro, fosse o caso físico ou psicossomático. Poderia Arigó absorver as radiações patológicas de um paciente e, em seguida, lhe transmitir a dose de energia adicional que faltava a ele? Quando o problema ultrapassava o seu próprio campo de energia, ele era capaz de se ligar a um campo de energia externa e transferir essa energia ao paciente? Uma vez que todas as pessoas são análogas a uma série complexa de sensores, o problema resumia-se em fazer esses sensores funcionarem adequadamente. Fosse o Dr. Fritz um mito ou um fenômeno paranormal, ele serviria como um computador que o alimentava, tornando o trabalho de Arigó mais eficiente? Com um problema tão especulativo quanto Arigó, as perguntas teriam forçosamente que ser especulativas também.

Ele parecia transcender o normal, mas, segundo a análise de Laurence, Arigó era simplesmente um prolongamento da normalidade. O trabalho do médium era, na verdade, análogo à acupuntura, pois funcionava de maneiras misteriosas e desconhecidas. No entanto, ele ia muito além da acupuntura. Como seus estudos no campo da parapsicologia o tinham convencido da legitimidade dos médiuns bem-conceituados, Laurence estava disposto a aceitar que Arigó era um médium extraordinário, que agia como um canal para forças que iam muito além dele mesmo. Uma vez que "os guias espirituais" representavam um fator comum entre todos os médiuns, quando eles se tornavam "recipientes" para personalidades de dimensões desconhecidas, será que o Dr. Fritz de Arigó se enquadrava nesse padrão?

A equipe médica evidentemente estava se concentrando no lado técnico e material do fenômeno. A capacidade para fazer diagnósticos exatos sem um conhecimento prévio da doença do paciente e sem um exame clínico novamente se confirmou à medida que os casos eram gravados e examinados pelos médicos americanos, antes e depois do tratamento realizado por Arigó. Um paraplégico aproximou-se numa cadeira de rodas e Arigó afirmou que, aos 15 anos, ele tinha fraturado uma vértebra da coluna cervical, em consequência de um acidente ao mergulhar. Isso foi confirmado em detalhes.

Uma mulher dirigiu-se a ele. Arigó, após lhe lançar um rápido olhar, disse aos americanos que poderiam verificar que a moça tinha pressão alta. Ao tirarem a pressão com o aparelho Tycos, a leitura provou que ele tinha razão.

Logo a seguir, havia um homem na fila. Ele demonstrava sintomas de insuficiência cardíaca com dispneia, e também distensão da veia jugular. De imediato, Arigó afirmou aos cientistas: "Este homem sofre de hipertensão renal, com a pressão sistólica de 280".

O exame feito pelos médicos americanos e o histórico do caso fornecido pelo médico do paciente confirmaram a pressão bem como a doença.

O homem que veio logo em seguida contou sua história para Arigó. Disse que tinha a doença de Chagas. Arigó, depois de olhá-lo fixamente, virou-se para os americanos e exclamou: "Não! Este homem tem reação de Wasserman positiva e o diagnóstico é sífilis, não doença de Chagas".

Isso foi confirmado tanto pela anamnese apresentada pelo médico do paciente quanto pelo teste posterior da reação de Wasserman. Parecia difícil enganar Arigó.

Mais digna de nota era a exatidão dos diagnósticos do médium. Um paciente se colocava em frente à mesa onde Arigó estava sentado. Para os médicos americanos e até mesmo para um leigo, talvez fosse óbvio que havia algo errado com os olhos do homem. Arigó, porém, não diria simplesmente que ele sofria da vista, mas que tinha um retinoblastoma, ou uma ritinite pigmentosa, ou talvez usasse outra terminologia da medicina moderna. E depois de fazer os exames necessários, os médicos confirmavam que o médium tinha razão.

E os cientistas continuavam observando e anotando os diagnósticos de Arigó. As estatísticas combinavam com aquelas feitas anteriormente pelo dr. Puharich, e continuaram mantendo-se assim à medida que Arigó ia atendendo a fila, à razão de um paciente por minuto. Paul Jones, o fotógrafo, aproximou-se da mesa para perguntar alguma coisa a Puharich. Arigó deteve-o pelo braço e disse: "Você anda tomando remédios demais!". Os americanos riram, porque sabiam que Jones costumava carregar muitos remédios com ele.

Como quase todos os outros que visitavam Arigó, o dr. Pahnke, o psiquiatra americano de Maryland, estava interessado no limiar da dor, quando Arigó realizava aquele exame na vista, aparentemente brutal. Praticamente nenhum paciente parecia se importar com o exame ou sentir dor com ele. Entre as dezenas de pessoas que se submetiam ao exame do olho por meio da faquinha, duas delas demonstraram algum sinal de medo. Houve um dia que Arigó parecia mal-humorado. Ao entrar, repreendeu a multidão que o aguardava, dizendo que não toleraria ninguém ali no centro que fizesse barulho ou perturbasse seu trabalho. Afirmou que queria auxiliar os que precisavam, mas aqueles que estava ali só por curiosidade não eram bem-vindos. Disse ainda que sabia que alguns que se encontravam no local tinham bebido e, portanto, podiam voltar para o bar; e acrescentou: "Não sou santo. Sou uma criatura impura e ignorante. Nunca pedi a ninguém que viesse aqui e não tolero bebida. Qualquer um de vocês que tenha bebido, saia!"

Em seguida, ele mandou que as pessoas fizessem fila, pois o Dr. Fritz iria atendê-los. Enquanto os pacientes iam organizando a fila, ele colocou a mão em concha na orelha e explicou que estava com dificuldade para ouvir o que o Dr. Fritz tinha a dizer naquele dia. Várias vezes, os cientistas o escutaram murmurar: "Hoje estou nervoso, muito nervoso, e o céu também!".

Apesar das oscilações de humor de Arigó, a filmagem continuava indo bem. Certificando-se de que não havia nem repórteres nem policiais por perto, ele fez várias cirurgias para que os cientistas pudessem filmá-las. Uma dificuldade eram as luzes que incomodavam os pacientes e tinham que ser diminuídas para que eles se sentissem mais à vontade. Isso prejudicou um pouco a qualidade das imagens. Arigó não realizou nenhuma cirurgia de grande porte, mas fez muitas de cataratas, lipomas, quistos sebáceos, uma hidrocele gigantesca, sondagens no olho e outras. A situação do médium com a Justiça ainda não estava resolvida e era evidente que ele se preocupava com isso. Felizmente, até aquele momento, a imprensa não tinha dado o ar da sua graça.

Mas quando isso aconteceu, foi como um maremoto. Não seria possível manter a investigação científica em segredo, é claro, mas nenhum dos membros da equipe americana previu a multidão de repórteres de rádio, TV e jornais que invadiria a cidade.

O planejamento meticuloso e dispendioso do grupo de pesquisas foi perigosamente ameaçado. Se havia uma coisa que os médicos americanos não queriam era publicidade. Tampouco Arigó e seus pacientes. E, quando o número de repórteres e equipes de TV chegou a mais de quarenta pessoas, todo o projeto de pesquisa quase foi por água abaixo.

10

No momento em que a imprensa chegou, as condições para um estudo científico tornaram-se praticamente insustentáveis. Em qualquer lugar, havia sempre um repórter ou um *cameraman*, tentando arrancar qualquer informação a respeito daquele estudo tão importante sobre Arigó. As manchetes a respeito dele e dos norte-americanos estavam nos jornais do Brasil inteiro. Os médicos americanos, interessados apenas em fazer uma séria pesquisa médica, praticamente não conseguiam, e não iriam, continuar o projeto em meio a todo aquele estardalhaço. Arigó rogava aos jornalistas que diminuíssem o assédio, mas não era ouvido.

Puharich solicitou às pressas uma entrevista coletiva aos jornalistas. Explicou quanto aquela publicidade poderia ser prejudicial, não só para a expedição, mas para Arigó. Muitos pacientes queriam permanecer no anonimato, mas suas fotos eram publicadas nas primeiras páginas dos jornais e espalhadas pelo país. E como nenhum dos médicos americanos desejasse qualquer espécie de publicidade relacionada à pesquisa, a não ser em publicações médicas posteriormente, Puharich não fornecia à imprensa nenhuma informação sobre a identidade do grupo ou a respeito dos métodos empregados.

A entrevista coletiva só serviu para provocar ressentimento nos repórteres, que passaram a rotular a expedição de "os norte-americanos misteriosos" e continuaram a atormentar os pacientes, atrás de qualquer informação que pudessem lhes arrancar.

É evidente que Arigó recusou-se a fazer outras cirurgias, visto que estava rodeado de jornalistas. E como os pacientes, ao serem entrevistados, não sabiam distinguir quem era médico e quem era repórter, acabavam dando informações a ambos. Numa estranha reviravolta, a Associação Médica de Minas Gerais publicou uma nota dizendo que os médicos norte-americanos estavam fazendo simplesmente uma investigação de parapsicologia, o que consideravam muito louvável, e que os próprios médicos da Associação deveriam continuar esse trabalho, quando os americanos voltassem para o seu país. Aquela mudança radical no posicionamento da Associação provocou o protesto de alguns membros, mas a opinião da classe médica em geral parecia estar, por fim, mudando. Chegaram a Congonhas, para observar a pesquisa dos americanos, dois membros brasileiros da Associação, acompanhados por M. V. Walter, o cônsul inglês, cujo interesse nas explicações que poderia obter sobre Arigó nunca havia esmorecido.

A reportagem que causou a reviravolta nos acontecimentos foi publicada no dia 27 de maio de 1968, no jornal *O Dia*, de grande circulação no Brasil. O título da reportagem era: AMERICANOS PLANEJAM LEVAR MÉDIUM PARA OS ESTADOS UNIDOS. O PÚBLICO PROTESTA.

A história relatava que toda a cidade de Congonhas estava alvoroçada devido à notícia de que Arigó talvez aceitasse o convite dos norte-americanos para viajar aos Estados Unidos e submeter-se a uma pesquisa especializada.

Uma verdadeira multidão dirigiu-se ao centro espírita e Arigó foi obrigado a sair e dar explicações. Ele garantiu que não tinha intenção de sair da cidade, que continuaria com o povo brasileiro e daria prosseguimento ao seu trabalho no país.

Essa declaração pareceu aliviar um pouco a pressão sobre ele, mas uma petição foi enviada à Assembleia Legislativa do estado de Minas Gerais, pedindo às autoridades que organizassem uma comissão especial para "defender Zé Arigó dos estrangeiros" e evitar que ele saísse do Brasil.

A imprensa, porém, não diminuiu a pressão. Embora os médicos norte-americanos já tivessem conseguido muitas informações, elas não eram suficientes para um estudo profundo. Contudo, era impossível continuar. Numa reunião convocada para estudarem o problema, o consenso foi o de que a única coisa prática a fazer era realizar uma análise profunda de todo o material que já tinham conseguido e auxiliar uma equipe de médicos brasileiros a organizar um estudo similar, que pudesse ser levado a efeito num ambiente mais tranquilo, longe da imprensa. Agora que a Associação Médica de Minas Gerais parecia estar mudando de opinião, esse plano talvez fosse uma alternativa viável. Se os médicos fossem brasileiros e residissem no país, provavelmente seria mais fácil manter a confidencialidade da pesquisa.

Além disso, com o respaldo de vários médicos brasileiros, planos já se delineavam para a construção de um hospital em Congonhas, onde Zé Arigó teria permissão para continuar seu trabalho, sob a supervisão direta dos médicos. Se, na época do primeiro julgamento, já houvesse um meio de realizar esse tipo de projeto, talvez já existissem provas da eficácia do trabalho de Arigó.

E foi com um profundo sentimento de frustração e tristeza que a equipe norte-americana encerrou seus trabalhos em Congonhas. Mas parecia não haver outra saída. Os repórteres haviam tentado virar do avesso até a própria casa de Zé Arigó. Talvez o trabalho pudesse ter continuado se a situação não tivesse afetado profundamente o próprio médium. Ele achava quase impossível se concentrar naquelas circunstâncias e ficava muito preocupado com o bem-estar dos pacientes.

Mesmo com as avaliações incompletas, uma quantidade significativa de informações poderia ser extraída do material que já possuíam. Havia, por exemplo, o caso de uma menina de 6 anos, Maria Cristina Faleiro, da rua Januária, número 304, apto. 13, em São Paulo. Sua anamnese revelava que o diagnóstico de leucemia fora feito inicialmente por seu médico em São Paulo, em março de 1968. Naquela época, a contagem dos glóbulos brancos atingira 75.000, em torno de dez vezes mais do que o nível considerado normal. O prognóstico feito pelo médico era desanimador.

A menina foi levada pelos pais até Arigó, no dia 20 de maio daquele ano. Ele lhe deu uma receita e a paciente começou a tomar os medicamentos no dia 22 de maio.

Estava condenada por aquela doença fatal, com os leucócitos (glóbulos brancos) fora de controle, e o tecido linfoide dos gânglios bem como a medula óssea hipertrofiados e proliferantes. Ao regressar a São Paulo, os pais da garota consultaram novamente o médico, que se dispôs a cooperar, ministrando-lhe os remédios receitados por Arigó, visto que não encontrava nenhum meio racional para debelar a doença, com a terapia convencional. O médico, entretanto, nutria poucas esperanças.

Ele começou a ministrar os remédios e a observar com atenção a menina. A chave para qualquer êxito, naquele caso, baseava-se na contagem dos glóbulos brancos. E foi o que ele fez a intervalos regulares.

Lá pelo dia 18 de junho, a contagem já caíra de 75.000 para 20.000 – cerca de 12.000 acima do normal. Tratava-se de uma queda espantosa, inacreditável. Em 5 de julho, menos de um mês depois, a contagem dos glóbulos brancos já caíra para 10.000. Em 7 de agosto, já estava abaixo da taxa normal de 7.500, e o sistema gandular da menina se normalizara. Seis meses depois, segundo o histórico clínico, a contagem dos glóbulos brancos e os gânglios permaneciam dentro dos padrões normais, o que foi verificado pela equipe médica americana.

Outro caso de leucemia observado pelos pesquisadores americanos foi igualmente dramático. A paciente Rosanna Canargos Ribeira, tinha somente 2 anos e a família morava na rua Valdir Cunha, número 52, Congonhas.

Em abril de 1967, cerca de um ano antes da chegada da equipe americana, a anamnese indicava que o bebê apresentava uma leucemia aguda e fulminante. Três semanas após os sintomas terem se manifestado, os gânglios da criança – tanto os internos como os externos – estavam hipertrofiados. Um mês depois do diagnóstico, os gânglios da cavidade abdominal estavam inchados a ponto de causar a necrose do intestino e uma peritonite. Por esse motivo, ocorrera a ruptura da parede abdominal, com exsudação de pus.

Rosanna foi levada para um hospital em Belo Horizonte. A contagem dos glóbulos brancos estava acima dos 110.000. A febre subiu vertiginosamente e ela entrou em coma. Os médicos do hospital disseram à mãe que o caso da menina era irreversível. Ela teria no máximo um ou dois dias de vida. Em razão do diagnóstico de leucemia, nada mais poderia ser feito para debelar a peritonite.

A mãe, desesperada, recusou-se a aceitar o veredito. Como último recurso, levou a menina a Congonhas, no dia 19 de maio de 1967, para consultar Zé Arigó.

Devido à gravidade do caso, Arigó agiu imediatamente. Ele mesmo ministrou a quimioterapia – prática que raramente adotava. Preparou uma mistura de cortisona, cloreto de potássio e Puri-Nethol, uma droga experimental da Burrough-Wellcome para a cura do câncer, e que nunca tinha sido usada para curar a leucemia. Ele misturou uma dose maciça – 20cc – desses remédios numa seringa, injetando-a diretamente na cavidade peritoneal – procedimento que jamais seria considerado adequado pela medicina convencional. Mandou que a mãe permanecesse à cabeceira da menina e que lhe desse água durante as 24 horas seguintes. Ela deveria voltar com a filha no dia seguinte.

Ela assim fez. Arigó examinou o bebê e disse que a crise cedera. Haveria ainda ulcerações abertas no abdômen, que exsudariam pus. Arigó, porém, nada fez para intervir. Disse à mãe que, por meio das ulcerações, o pus seria drenado e as feridas cicatrizariam normalmente.

Em seguida, mostrou-lhe como deveria moer 20mg de Meticorten (normalmente usado no combate de artrites reumatoides), 500mg de cloreto de potássio e 50mg de 6-Mercaptopurina (uma droga experimental considerada perigosa para a leucemia), misturando tudo com leite e dando à criança para beber de oito em oito horas. Para o médico assistente aquela composição era massiva, assustadora e irracional. Em circunstâncias normais, poderia matar uma criança de 2 anos. A dosagem de Meticorten receitada era, em geral, usada para um adulto pesando vinte vezes mais que Rosanna.

Mas a mãe seguiu religiosamente as orientações. A criança começou a melhorar a olhos vistos. Quinze dias depois, as ulcerações abdominais tinham deixado de exsudar pus e começaram a cicatrizar. Após um mês, Rosanna não mais apresentava febre e a hipertrofia ganglional desaparecera. Já podia seguir uma dieta líquida.

Arigó voltou a examinar o bebê, recomendando que o tratamento continuasse por mais um mês, mas com menor intensidade. Pediu que mandassem fazer outra contagem. A mãe obedeceu. Os glóbulos brancos tinham caído de 110.000 para 12.000. No fim do segundo mês, o nível baixara para 7.000.

Em 20 de maio de 1968, quase um ano depois do dia em que Rosanna fora trazida para Arigó, os médicos americanos examinaram cuidadosamente a menina, bem como seu histórico médico. A contagem dos glóbulos brancos era de 6.700. Seu abdômen ainda tinha cicatrizes profundas. Fora isso, ela estava bem.

Houve vários outros casos de leucemia acompanhados de uma documentação parecida. Em todos eles, Arigó declarou que simplesmente obedecera àquilo que "a voz" lhe instruíra a fazer. Nunca fazia a contagem de glóbulos brancos, mas o exame era sempre acessível aos médicos americanos, para verificação.

Apesar da interrupção do projeto de pesquisa, vários casos haviam sido registrados e poderiam ser acompanhados pelos médicos brasileiros que desejassem cooperar. Também havia muito trabalho a ser feito quando a equipe de pesquisa voltasse para Nova York: ouvir a gravação das fitas que deveriam ser transcritas e impressas; fazer uma lista dos médicos brasileiros que continuariam as pesquisas; analisar o que tinha dado errado na viagem e como evitar isso no futuro; estudar as receitas de Arigó e, acima de tudo, planejar uma nova expedição, com a mínima interferência da imprensa.

A solução ideal seria que Arigó fosse para os Estados Unidos, mas ele não cogitava essa hipótese. Sentia que não poderia abandonar aqueles que dependiam dele, mesmo provisoriamente. E por causa disso era tão importante a coordenação dos esforços dos pesquisadores norte-americanos com os dos médicos brasileiros. O pivô dessa cooperação era o dr. Ary Lex, médico paulista que fora o primeiro a estudar Arigó, seis anos antes. Com a cooperação desse médico, marcou-se uma reunião em São Paulo, do grupo americano com os médicos brasileiros interessados no caso. Somente por intermédio dele seria possível concretizar os planos para realizar o sonho de Arigó: a construção de um hospital em Congonhas, onde ele pudesse trabalhar com essa equipe médica, livre de qualquer impedimento jurídico. Isso de fato se tornou uma verdadeira obsessão para ele, algo em que ele pensava noite e dia. Sabia que, apesar da Justiça e da Igreja, ele não podia parar seu trabalho. Mas também sabia que não sobreviveria a outro processo ou a outro mandato de prisão.

A reunião com a equipe médica de São Paulo realizou-se no dia 28 de maio de 1968, no Museu de Arte dessa cidade. Ali havia bastante espaço para uma discussão e um estudo sobre Arigó. Segundo o ponto de vista da maioria dos brasileiros presentes à reunião, as observações de Herculano Pires pareciam as mais perspicazes, pois tentavam preencher a lacuna existente entre a metafísica e a realidade material do trabalho de Arigó. A teoria do dr. Pires baseava-se na impossibilidade de classificar o médium como um caso de paranoia, conforme alguns tentavam fazer, visto que ele era capaz de realizar operações comprovadamente bem-sucedidas.

Os antagonistas de Arigó faziam o possível para negar a realidade daquilo que viam. Isso, porém, era impossível diante dos fatos e Arigó, exceto no que dizia respeito às tecnicidades legais, ainda estava acima de qualquer suspeita. Pires também não achava necessário aceitar ou rejeitar o estranho conceito do Dr. Fritz. Ele poderia ser explicado de inúmeras formas, dependendo da atitude do observador. Dr. Fritz podia ser um elemento mitológico, produto do inconsciente de Arigó, ou um personagem espiritual bem definido, segundo a crença dos espíritas kardecistas. Fosse qual fosse a verdade, o fato era que dava resultado. Simples assim.

Dr. Pires era um estudioso e espírita kardecista que acreditava na realidade da mediunidade sob certas condições, tão controladas quanto qualquer outra da psicologia formal. Ele entrevistou Arigó durante um período de transe e ficou ostensivamente provado que era Dr. Fritz quem falava por meio do médium, servindo-se dele como um canal. Durante a entrevista, a voz do Dr. Fritz, com seu sotaque alemão típico, contou que nascera em Munique, depois fora para a Polônia com 4 anos de idade, onde estudara medicina, tornara-se um médico e cirurgião bastante competente, mas cometera vários erros. De acordo com a voz, ele fora para a Estônia, onde vivera de 1914 até sua morte, ocorrida em 1918. Antes de falecer, Dr. Fritz jurou que continuaria procurando aperfeiçoar a sua prática da medicina e voltaria ao plano terreno para curar tantos doentes quanto pudesse, redimindo-se, assim, dos erros que aqui cometera.

Vários estudiosos de Arigó tentaram verificar tais fatos, mas não obtiveram sucesso.

Em nenhuma ocasião a voz de Dr. Fritz, falando através de Zé Arigó, declarou que ele fazia parte de um grupo de outros médicos já falecidos, decididos a ajudar a humanidade da forma que podiam, em nome de Jesus Cristo. A voz afirmava que, durante dez anos, observara Zé Arigó antes de julgá-lo capaz de servir como veículo para realizar as suas obras. A essa altura, Dr. Fritz já era capaz de ter um controle absoluto sobre o médium Arigó, para que pudesse realizar suas cirurgias por seu intermédio. Dr. Fritz declarou ainda que Arigó também servia como canal para outros médicos desencarnados do seu grupo, cada qual com a sua própria especialidade.

Dr. Pires não pedia a ninguém que acreditasse naquilo; o fenômeno Arigó falava por si só. Aquele era simplesmente um modo pelo qual o espírita kardecista tentava estabelecer uma teoria, ciente de que ela continuaria a ser apenas uma teoria. Mas até os mais céticos e ferrenhos racionalistas tinham dificuldade em explicar Arigó sem algum tipo de postulado que divergisse para o campo do paranormal.

Um oftalmologista de grande renome, dr. Sergio Valle, ficara fascinado pelo que Arigó conseguia realizar em seu campo de ação. Suas observações eram importantes por ser um ponto de vista negativo de um especialista. Ele foi enfático ao declarar: "Nenhum oftalmologista pode fazer o que Arigó fez na nossa frente. É simplesmente impossível operar um olho sem um estudo prévio, sem pré-operatórios, esterilização e assepsia perfeitas, um ambiente tranquilo na sala de cirurgia e, acima de tudo, uma anestesia profunda. É completamente impossível compreender como Arigó faz o que faz, e com a velocidade em que faz, nas condições em que realiza seu trabalho. Ele age sem pensar. Ninguém pode explicar isso, nem conseguirá".

Dr. Valle também se dedicou ao estudo da hipnose e a excluíra como um fator provável.

O dr. Edoardo Basevi, um físico nuclear, apresentou sua teoria. Tal qual John Laurance, na opinião dele havia uma analogia entre o fenômeno Arigó e a física pura. Ele usou o espectro ocular como exemplo, no qual o nosso equipamento sensorial visual espreita o universo de uma forma limitada, através de uma fenda minúscula, entre 356 milimícrons, na extremidade do ultravioleta, e cerca de 2.400 milimícrons, na extremidade do infravermelho. As ondas de luz ou de energia vão do infinitamente pequeno ao infinitamente grande, em cada uma das direções, e nossos olhos não percebem os raios em qualquer um dos lados daquela minúscula fenda. Tampouco nossa audição atinge muito além de uma porção ínfima do espectro auditivo, com suas próprias ondas de *ultra*ssom. O conceito do dr. Basevi era o de que Arigó era puro *ultra* em todos os seus trabalhos, mas algo que uma inteligência comum não é capaz de perceber.

Novos estudos sobre a aura humana foram desenvolvidos com aquilo que se denomina fotografia Kirlian. Tanto os filmes russos quanto os americanos demonstram que as auras mais brilhantes e que podem ser detectadas com mais facilidade irradiam dos dedos daqueles considerados curandeiros psíquicos. Como as células humanas, de acordo com as últimas análises, são campos de energia magnética, o dr. Carlos Cruz e o dr. Mauro Godoy achavam que esse conceito poderia ser a base da perícia de Arigó. E o dr. Godoy explicou: "Vocês podem imaginar isso como a alma de um átomo".

Parecia que cada estudioso tinha uma teoria diferente. Um médium, que também era o administrador técnico de uma grande empresa brasileira, tentou dar uma explicação ao jornalista Raimundo Comenale: "o fenômeno que presenciei não se limita ao Dr. Fritz, mas a um grupo de espíritos comandados por ele. No momento em que o paciente se aproxima de Arigó, o diagnóstico já foi feito pelo grupo". E continuou: "Dr. Fritz transmite ao médium o consenso do grupo, antes mesmo que ele tenha oportunidade de examinar o paciente. Esse grupo de médicos que auxilia o Dr. Fritz não parou de evoluir depois da morte. Quando vivos, só tocaram a superfície da prática da medicina. Agora, seus conhecimentos não têm limites.

"Nem todos os médiuns são possuídos pelo espirito de seus guias espirituais, mas Arigó, quando está trabalhando, fica completamente possuído pelo espírito do Dr. Fritz. E depois ele se lembra muito pouco, ou talvez nada, do que aconteceu. Seu corpo inteiro fica tomado. Ele é um médium inconsciente. Assume totalmente a personalidade do Dr. Fritz.

"O espiritismo, no plano intelectual kardecista, é uma ciência, uma filosofia e uma religião. Muitas pessoas não compreendem isso. É uma religião quando encarada como uma crença. É uma filosofia quando transmite ao homem a virtude da bondade, do amor e da prática da religião. É uma ciência quando os outros dois elementos se combinam e essa associação dá lugar às cirurgias e curas observáveis, feitas por Arigó.

"Tanto a matéria quanto o espírito são energias. Só a frequência em que estão é que difere. Não estão tão longe um do outro quanto se possa imaginar. O espírito perde o invólucro do corpo, tal qual uma lagarta perde o casulo. A personalidade, porém, permanece consciente e intacta.

"Falar sobre os resultados de Arigó é o mesmo que chover no molhado. Os fatos não podem ser contestados. Ninguém que tenha observado ou analisado o homem pode ter dúvidas. Mas Arigó não faz milagres. Ele é simplesmente um recipiente para uma forma de energia mais elevada, que podemos classificar como uma força concedida por Deus."

Esses conceitos eram interessantes, mas completamente inúteis para os pesquisadores, que precisavam de mais dados estatísticos sobre os fatos observáveis. Uma coisa é se convencer graças à observação direta e outra é articular os fatos numa forma que seja aceita pelos editores de um jornal científico, que exigem precedentes e material previamente documentado para fundamentá-los.

E como o caso de Arigó não tinha precedentes, o trabalho continuava tão difícil quanto antes. O dr. Pires, que inquestionavelmente tinha se aprofundado mais na mística de Arigó do que qualquer outro brasileiro, havia se dedicado à pesquisa e se esforçado para estudar as profissões médicas e psiquiátricas, tentando transpor aquela lacuna entre o racional e o inexplicável.

Suas viagens levaram-no a conhecer a dra. Maria Pedroso, psiquiatra de um hospital municipal em São Paulo, ex-professora assistente de Medicina Legal da Escola de Medicina da Universidade do Brasil. Ela era conhecida no mundo todo e tinha representado o Brasil na International World Convention of University Women.

A dra. Pedroso participara de um estudo sobre universitárias dos Estados Unidos e era uma precursora, no Brasil, dos direitos das mulheres. Seu currículo extenso incluía a vice-presidência da Pan American Alliance of Women Doctors. Atuara em psiquiatria tanto em São Paulo como no Rio de Janeiro por cerca de vinte anos. E se interessava pela correlação entre o paranormal e a anormalidade psíquica.

No momento em que chegou à clínica de Arigó, ela notou que ele se virou e olhou para ela, dizendo: "Todo médico que vem aqui costuma se apresentar". A dra. Pedroso, admirada com aquela observação inusitada, permaneceu em seu lugar. Depois, Arigó apontou o dedo diretamente para ela e pediu que se aproximasse e observasse tudo em detalhes.

A dra. Pedroso fez o que ele pediu. Tratava-se de um outro pterígio, caso em que ele se saía muito bem. Ela ficou chocada com os movimentos violentos que ele executava no olho de um paciente consciente e com a falta de antissépticos. Ficou ainda mais chocada ao ver que a tesoura parecia cega. E pensava intimamente que aqueles golpes violentos poderiam dilacerar irreparavelmente os tecidos do olho. Por fim, refletiu que, se ele tivesse um instrumento mais afiado, talvez houvesse alguma esperança de que a cirurgia desse certo.

No mesmo instante, Arigó pediu um bisturi. Cortou a membrana e o olho começou a sangrar profusamente. Ela viu o sangue escorrer pelo rosto do paciente e achou que fosse manchar a camisa dele. No entanto, o sangue parou de escorrer ao atingir a parte inferior da mandíbula. Não havia nenhuma razão física para que ele tivesse parado de escorrer ali. A operação foi um sucesso. Arigó enxugou o olho do paciente com um algodão sujo, já mandando que o paciente seguinte se aproximasse. E para surpresa maior da dra. Pedroso, o médium enxugou o bisturi ensanguentado no blusão do paciente... sem que ele ficasse manchado.

Depois a dra. Pedroso comentou o seguinte: "Fiquei satisfeita e era evidente que não tinha perdido a viagem".

Após ter observado de perto outras cirurgias e o modo como Arigó receitava, ela refletiu profundamente sobre tudo que vira. Foi forçada a concluir que o médium sem dúvida demonstrava a evidência de manifestações paranormais. Ela concordava com Richet, Janet, Freud e outros de que, num indivíduo vivo, não existe *stratum* orgânico que possa ser considerado um centro de funções paranormais. Porém, tinha que aceitar a teoria de que há um elemento além do normal, de localização indeterminada. Em alguns indivíduos, esse elemento viria a surgir espontaneamente ou por estímulo.

A racionalização técnica da doutora era complexa. Ela disse ao dr. Pires: "No cérebro, existem grandes zonas silenciosas que possivelmente são centros de atividades paranormais. As células nervosas não são inerentes, mas aderentes à glia. Elas agem como baterias e distribuidores de energia potencial. Também são forças magnéticas e elétricas, quando agem dentro do átomo. Há muitas forças que agem no sistema nervoso central, tanto para o bem quanto para o mal, afetando seu protoplasma, por coesão, eletividade ou pressão. Essas podem causar mudanças mecânicas na estrutura do sistema nervoso, o que, por sua vez, afeta as bases fisiológicas das associações intrínsecas. E, ao fazer isso, fenômenos psíquicos conscientes ou inconscientes são possíveis".

Parecia que, em toda parte, para qualquer um que tivesse resolvido explicar Arigó, a tentativa de dar uma resposta era difícil de seguir ou acreditar, viesse o esforço de fontes religiosas espíritas, legislativas ou científicas. A única coisa com que todos concordavam era que o trabalho de Arigó representava um fato inexorável e autêntico.

Talvez o dr. Oswaldo Conrado, especialista em cardiologia de São Paulo, tenha resumido os aspectos mais interessantes do caso, do ponto de vista médico, ao dizer: "Se os médicos fossem capazes de dar mais esperança aos seus pacientes, seria uma experiência maravilhosa. Quando descubro que estou diante de um caso irremediável e todos os recursos da medicina se esgotaram, não vejo motivo para não procurar outros meios. Não seríamos humanos se não fizéssemos isso.

"Os fatos a respeito de Arigó existem. Aconteceram simples e naturalmente. Um grupo de cientistas livre de ideias preconcebidas *deveria* estudá-lo profundamente. Talvez estejamos prestes a descobrir recursos terapêuticos inteiramente novos e extremamente benéficos".

Mesmo frustrados como estavam, os pesquisadores norte-americanos concordaram com essa premissa. Fizeram planos com médicos brasileiros, de modo a dar prosseguimento à análise de seus dados incompletos, mas com a convicção de que seria necessário regressar a Congonhas tão logo fosse possível, para um trabalho em conjunto.

A maior esperança para que isso acontecesse encontrava-se na realização do sonho de Arigó: um hospital bem equipado e dirigido por médicos e cirurgiões competentes, sob cuja supervisão ele poderia trabalhar sem as intrusões da imprensa ou dos tribunais. Tratava-se de um sonho glorioso, porque associaria os melhores elementos possíveis: o científico e o metafísico; o psicológico e o físico; o religioso e o secular; o prático e o idealista; o doente e o sadio; todos eles para a fusão de paradoxos compatíveis. E conforme alguns pensavam, era nisso que a vida consistia.

E, enquanto os americanos se preparavam para deixar São Paulo e seguir até Nova York, surgiam certos indícios de que o sonho talvez fosse realizado. A Associação Médica de Minas Gerais estava ficando mais tolerante. A Igreja Católica, ao saber que Congonhas fora invadida pela equipe americana, começava a encarar o potencial das curas psíquicas com um olhar mais promissor. Comentava-se até que ela estava ministrando cursos práticos de cura, no convento que ficava nas montanhas que circundavam Congonhas, fazendo concorrência com Arigó. O jornalista Gabriel Khater estava se esforçando para levantar o dinheiro destinado ao hospital. Puharich e seu grupo faziam planos para conseguir fundos, nos Estados Unidos, para a mesma causa.

A última coisa que Arigó queria era ficar longe da igreja. Ele acreditava na ética cristã e compartilhava com Arlete a devoção quase obsessiva pelos rituais católicos. No tribunal, seus advogados tinham ressaltado que ele educava os filhos de acordo com a melhor tradição católica e costumava colocar Cristo acima de tudo. E era somente por causa daquela compulsão quase demoníaca, que o obrigava a curar os doentes e a ajudar os pobres, que ele não desistia de seu trabalho como curandeiro.

Essa compulsão fora descrita como uma neurose obsessiva, uma psicose total, inspirada em evangelismo, santidade, exploração, egocentrismo, conspiração política, venalidade, ingenuidade, arrogância, amor a Jesus, estupidez, caridade, habilidade consumada, bruxaria, magia negra, sacrilégio, compulsão patológica, humanismo e dons divinos. Mas não havia ninguém que pudesse dizer o que Arigó realmente era. E talvez nem ele mesmo soubesse o que era.

Arigó voltou à sua rotina; os americanos retomaram seus trabalhos de teor mais terreno. Levariam aproximadamente um ano para selecionar até mesmo os dados estatísticos incompletos que tinham reunido.

Depois de revelar os filmes coloridos das cirurgias de Arigó, feitos pela equipe americana, o dr. Robert Laidlaw, diretor da seção de Psiquiatria do New York Roosevelt Hospital, exibiu várias vezes o longa-metragem. Chegaram a acreditar que a competência desse médico pudesse trazer uma nova perspectiva para a pesquisa. Era um homem meticuloso, que fez um relatório minucioso, relatando suas observações:

1. A expressão facial de Arigó enquanto opera é completamente diferente daquela que ele apresenta normalmente. Durante uma cirurgia, observa-se nos olhos e no rosto dele uma serenidade semelhante à de um transe.
2. É importante observar a precisão com que os dedos dele trabalham, principalmente na delicada cirurgia ocular. E eles continuam agindo naquela região extremamente sensível, mesmo quando Arigó desvia a cabeça e olha em outra direção.
3. O movimento dos dedos é extraordinariamente rápido. Ele usa uma faca com precisão e confiança absoluta.
4. Nenhum dos pacientes foi submetido a qualquer pré-operatório. É muito estranho que os pacientes, mesmo conscientes, mantenham-se completamente calmos, relaxados, sem demonstrar medo ou qualquer outra reação, embora não tenham recebido anestesia ou tranquilizantes. Não se nota no rosto deles uma expressão tensa, nem tensão muscular. Eles nem se mexem; permanecem impassíveis.

5. O sangramento provocado pelas cirurgias é mínimo. Quase nenhum. Arigó não faz suturas. As bordas da incisão parecem colar sozinhas. Nas duas operações de lipoma, as incisões fecharam imediatamente, sem praticamente nenhum sangramento.
6. Foi documentado que a faca empregada por Arigó não é esterilizada. Deveria, portanto, ocorrer uma grave infecção pós-operatória, mas, pelo que sei, nunca se registrou nenhuma. Muitas das técnicas rotineiras observadas não podem ser realizadas senão por cirurgiões altamente experimentados.
7. As evidências mostradas nesses filmes desafiam qualquer explicação em termos de ciência ortodoxa.

As observações do dr. Laidlaw repercutiram entre os vários membros das associações médicas para as quais o dr. Puharich mostrou os filmes, ao regressar aos Estados Unidos. Com os problemas agora previstos e passíveis de correção, ele estava buscando apoio para realizar outra expedição ao Brasil, por estar convencido de que Zé Arigó precisava de uma pesquisa e um estudo organizados e extensos.

No Brasil, as peregrinações para Congonhas continuavam. Estadistas, industriais, atores, cantores, agricultores, mineiros, cientistas, enfim, todos os tipos de pessoas. Roberto Carlos, o maior astro da indústria de entretenimento do Brasil, fretou um avião para Minas Gerais somente para agradecer a Arigó por ter feito seu filho pequeno recuperar a visão. O ex-presidente Juscelino Kubitschek, de volta ao Brasil, levou a mulher e a filha para verem Arigó. Este, por sua vez, beijou a mão de Kubitschek sem constrangimento, por este ter perdoado sua pena, na ocasião em que cumpria sua primeira sentença de prisão.

Ao comemorar bodas de prata, Arigó assistiu à missa com Arlete e os filhos, e o casal tornou a receber a bênção das alianças. Interrogado sobre o fato de ir à missa, em face da oposição da Igreja com relação ao seu trabalho, ele respondeu: "Toda a minha família é católica, só eu sou espírita. Mas acredito que todas as religiões levem as pessoas a Deus. Então, por que não devo ir a um culto católico?".

Ao entrar na igreja, ele não sabia que toda a cidade de Congonhas tinha preparado uma festa para comemorar suas bodas. Duas bandas de música estavam tocando e dignitários do Rio de Janeiro, de São Paulo e de Belo Horizonte foram cumprimentá-los quando ele e a família saíram da igreja, no final da missa.

Foi um acontecimento festivo. Calcula-se que o casal tenha recebido em torno de dez mil telegramas. Alguns provenientes da Europa, Argentina e Estados Unidos. Um deles era de Juscelino Kubitschek e família, que na ocasião estavam na França. Ao deparar-se com o profundo entusiasmo da multidão, Arigó contemplou a cena sem poder acreditar. Seus olhos encheram-se de lágrimas. E, sem conseguir se segurar, ele começou a chorar.

Depois da triste opressão sofrida com o processo e a prisão, a vida de Arigó tomava um novo rumo. Os jornais e as estações de rádio garantiam agora que não haveria nenhuma interferência em qualquer estudo científico que fosse feito sobre Arigó. Anunciou-se que ele teria autorização para realizar cirurgias sob a supervisão dos cirurgiões incumbidos da pesquisa. O novo presidente do Brasil, Arthur da Costa e Silva, prometeu dar apoio a Arigó. Estava-se angariando fundo para a construção de um hospital de ponta, onde Arigó seria estudado e poderia praticar medicina. Os novos planos do grupo dos pesquisadores americanos estavam progredindo rapidamente, com o patrocínio da Fundação.

Tudo indicava que os sonhos de Arigó estavam prestes a se realizar. Mas foi nessa época que ele se deitou, uma noite, e sentiu dificuldade para conciliar o sono. Acordou Arlete e disse a ela: "Estou vendo aquele horrível crucifixo preto outra vez".

11

Qualquer que fosse o significado que Arigó atribuía àquele crucifixo, nos dias que se seguiram não lhe ocorreu mais nenhum pressentimento sinistro. Ele continuou com seu trabalho, livre de qualquer interferência, num ambiente tranquilo e produtivo. Seus opositores pareciam dispostos a lhe dar uma trégua. Um novo patrocínio permitiu que o hospital de Congonhas começasse a ser planejado. E Arigó disse aos amigos: "Este é o sonho da minha vida".

Radiante com o que agora parecia uma certeza, ele trabalhava com mais vigor, recusando-se a sair da clínica até que o último paciente tivesse recebido seus cuidados – muitas vezes, bem depois da meia-noite. Se o leve problema cardíaco descoberto pelos médicos americanos o preocupava, ele nunca dizia isso a ninguém, nem mesmo ao dr. Godoy, que trabalhava em conjunto com ele no planejamento do novo hospital.

Nos Estados Unidos, os planos do grupo da Essentia Research estavam tomando forma, para viabilizar um estudo em conjunto com os médicos brasileiros. Em setembro de 1969, o dr. Cortes embarcou para o Brasil a fim de coordenar os preparativos. Como viajava sozinho, a imprensa não interferiu e ele conseguiu reunir mais informações. Um caso lhe pareceu especialmente dramático.

Tratava-se da condessa Pamela de Maigret, uma geóloga enérgica e ousada da Filadélfia (EUA), que explorava uma mina de diamantes aluvial nas montanhas de Minas Gerais, às margens do rio Jequitinhonha. Tratava-se de um projeto de grandes proporções, que exigia equipamento pesado e dragas de sucção. A mina era razoavelmente lucrativa. Muitas vezes, ela ia de carro do Rio Janeiro ou de Belo Horizonte, para seu acampamento remoto nas montanhas, com Jaques Riffaud, que representava empresas belgas e francesas interessadas no minério de ferro da região e reunidas sob o nome de Schneider Group.

O motorista de Riffaud, Juvenal, era um mulato robusto de meia-idade, atarracado e com feições bem marcadas. Ele tinha sido muito gordo, mas de repente começou a perder peso, num ritmo alarmante. A cada viagem, parecia mais doente. Por fim, Pamela e Riffaud conseguiram convencê-lo de que deveria procurar um médico no Rio de Janeiro, para ser examinado.

As radiografias revelaram um câncer do estômago em estágio avançado. Como ele era funcionário do Schneider Group, a companhia se dispôs a custear a cirurgia e a internação, mas ele se recusou categoricamente. Disse que tinha esposa e seis filhos e com certeza morreria na mesa de cirurgia. Os médicos do hospital ficaram irritados com sua teimosia, mas acreditavam que o caso seria fatal mesmo com o procedimento. Após novas radiografias, comprovou-se que a medicina não poderia curá-lo.

Pouco tempo depois, em Belo Horizonte, Juvenal pediu a Riffaud que lhe desse alguns dias de férias. Ele gostaria de ir consultar um curandeiro em Congonhas. Era um homem pragmático, mas, ao saber que estava para morrer, simplesmente sentia-se compelido a tentar qualquer coisa ao seu alcance. Naquela época, nem Riffaud nem Pamela sabiam muito a respeito de Arigó, a não ser pelo que liam nos jornais, mas incentivaram Juvenal a tentar qualquer tipo de auxílio.

Na volta, o motorista lhes contou o que ocorrera. Ele havia chegado à clínica de Arigó e se deparado com uma fila imensa. Sem muita esperança de vê-lo naquele dia, sentara-se na rua, com outras pessoas, aguardando sua vez, mas sem nutrir expectativas. Algumas horas depois, Arigó saiu da clínica e dirigiu-se diretamente a ele, dizendo-lhe bruscamente. "Você está muito doente. Venha comigo agora mesmo".

Sem examiná-lo, Arigó deu-lhe uma receita, mandando que tomasse o remédio e voltasse no dia seguinte. Juvenal seguiu as instruções e apressou-se a voltar na manhã do outro dia.

O médium levou-o para a salinha quase sem móveis, que ficava atrás do recinto onde normalmente trabalhava. Deitou-o sobre a porta de madeira sustentada por cavaletes. Em seguida, começou a apertar o estômago de Juvenal com ambas as mãos. O motorista não sentia dor, apenas uma sensação de forte pressão e desconforto. Arigó continuou a fazer pressão, usando todo o seu peso, até que Juvenal teve a impressão de que o estômago ia ser esmagado contra a coluna vertebral. De repente, ouviu um ruído no estômago, como o estouro de uma rolha de champanhe. Juvenal viu sangue, mas não chegava a ser uma hemorragia. Arigó, então, enfiou as mãos na parte superior do estômago, retirando dali uma grande quantidade do que Juvenal descreveu como sendo "coisas sangrentas". Arigó não usou nenhum instrumento. O motorista estava apreensivo, porém não sentia nenhuma dor.

Quando o médium tirou as mãos, a abertura se fechou instantaneamente, sem precisar de nenhuma sutura. Juvenal sentia-se fraco e trêmulo, mas conseguiu se levantar e sair andando.

No dia seguinte, foi dirigindo até o local da mina, passando por estradas esburacadas. Riffaud e Pamela ficaram boquiabertos quando ele lhes contou a história. Ela ia contra todos os preceitos da medicina, por isso acharam que o homem estava fantasiando. No estômago, havia apenas uma marquinha leve, não havia nem sinal de uma cicatriz convencional. Eles continuaram incrédulos.

Meses se passaram. Juvenal foi se recuperando aos poucos e sua saúde pareceu melhorar. Começou a engordar e Riffaud, agora curioso, persuadiu o motorista a tirar novas radiografias, que seriam pagas pela companhia. Elas não demonstraram nada de anormal. O homem estava curado.

Outro caso, envolvendo um menino de 9 anos, de Hartsdale, Nova York, ocorreu logo após o início da expedição de pesquisa dos americanos. O garoto sofria de um caso agudo de epilepsia jacksoniana, que provoca convulsões incontroláveis, embora o paciente permaneça consciente. Ele tinha recebido os melhores tratamentos médicos nos Estados Unidos, mas continuava tendo de vinte a trinta ataques por dia.

Os pais estavam desesperados. Como sabiam da expedição americana ao Brasil e já tinham visitado o país várias vezes, conseguiram o endereço de Arigó e decidiram levar o menino para consultá-lo.

Ele foi examinado por Arigó no dia 20 de maio de 1969 e recebeu a seguinte receita:

Primeiro tratamento
Revulsun: 1 comprimido todas as noites
Antisacer: 1 comprimido todas as manhãs
Neo-Combé: 1 injeção intramuscular em dias alternados, durante cem dias

Segundo tratamento
Tryvigenex: 1 colher de sopa em cada refeição
Metioscil: 1 colher de sopa em cada refeição
Testoforan: 1 comprimido após cada refeição
Memoriase: 1 cápsula diariamente, durante dois meses.

Terceiro tratamento
Gamibetal: injeção intramuscular de 2 ml diariamente, durante um mês.

A medicação, como sempre, era intrigante, embora não totalmente ilógica. O Revulsun é um sedativo antiespasmódico; o Antisacer é específico para a epilepsia; o Neo-Combé é um complexo de vitamina B de alta potência; o Tryvigenex é usado em casos de anemia; o Metioscil é um extrato de fígado; o Testoforan tem ação sedativa; o Gamibetal é um anticonvulsivo. No entanto, era altamente improvável que um médico prescrevesse aquela combinação de remédios e naquelas doses.

O primeiro tratamento foi ministrado no mesmo dia em que Arigó passou a receita. A farmácia de Congonhas sempre dispunha daquelas drogas não convencionais prescritas por ele. E o menino imediatamente parou de tomar os remédios receitados anteriormente, tais como Dilantin e Fenobarbital.

Dois meses depois, o garoto pôde sair de casa pela primeira vez na vida e ir para um acampamento de verão. Em setembro de 1969, já apresentava uma melhora radical. E um ano depois, não sofria mais de ataques epilépticos e tinha uma vida normal.

Curas impressionantes como essas continuaram, mas Arigó raramente comentava com os amigos íntimos ou com a família que o crucifixo preto continuava aparecendo em seus sonhos. As imagens o atormentavam e o deixavam nervoso.

Havia ocasiões, contudo, em que se sentia sereno e confiante, mesmo quando figurava na primeira página dos jornais ou nos noticiários de TV, depois de algum dignitário ou celebridade fazer declarações sobre sua experiência pessoal com ele.

Quanto mais o trabalho de Arigó era tacitamente legitimado, maior era o número de pessoas proeminentes que o procuravam e mais a sua reputação crescia. Ele costumava receber chamadas interurbanas de pessoas de destaque no país, que não apenas pediam uma consulta, médica, mas também apoio espiritual. Quando ocasionalmente ia a Belo Horizonte, não havia quem não o reconhecesse na rua e não tentasse detê-lo para cumprimentá-lo. Uma tarde, ao passar pelo Hotel Normandie, Arigó notou que havia uma aglomeração de pessoas ali reunida. Ficou sabendo que o presidente Arthur da Costa e Silva e dona Iolanda, sua esposa, estavam para sair do hotel.

Arigó esperou alguns instantes, até o presidente e a esposa aparecerem e acenarem para a multidão, enquanto dirigiam-se para o carro que encabeçaria uma carreata. Ao ver Arigó em meio às pessoas, o presidente dirigiu-se a ele e puxou-o calorosamente de onde estava, atrás da barreira de policiais, conforme a imprensa noticiou. Dona Iolanda, ao apertar a mão de Arigó, disse: "Então o senhor é Zé Arigó! Estou feliz por saber que agora pode continuar o seu trabalho. Faremos o que for possível para ajudá-lo". Ele beijou a mão da primeira-dama e a comitiva partiu.

Esse tipo de apoio aumentava as esperanças de Arigó com relação à construção do novo hospital e ele esperava ansiosamente pelo dia em que ela seria iniciada. Ao regressar ao Brasil, o ex-presidente Juscelino Kubitschek também continuou a apoiá-lo. Antes de voltar de Nova York, ele havia escrito a Arigó para dizer que desejava muito revê-lo em Congonhas, e que "estava satisfeito em poder passar alguns dias com você, conforme desejo". Como todas as pessoas, Kubitschek parecia procurar em Arigó não somente energia física, mas também força espiritual.

Além da análise dos dados estatísticos e dos trabalhosos preparativos para o prosseguimento das pesquisas, vários americanos que tinham visitado Arigó continuavam estudando seus poderes mediúnicos. Ele era sempre comparado a Edgar Cayce, um místico americano conhecido no mundo todo. Cayce, porém, nunca enfiara uma faca nas vísceras de uma pessoa, assim como fazia Arigó. Ele também era comparado a muitos curandeiros, mas nenhum deles fazia cirurgias espirituais como ele. Também havia quem as comparasse à acupuntura, mas as cirurgias de Arigó iam muito além. Os médiuns que faziam curas espirituais nas Filipinas, que recebiam atenção esporádica da imprensa, também não podiam ser comparados a Arigó. Havia muitas provas de fraude no trabalho deles.

Luís Rodriguez, o farmacêutico aposentado e escritor que morava no Rio de Janeiro, correspondia-se com o grupo da Essentia Research, incluindo Belk, Puharich e John Laurance, a respeito de seus estudos aprofundados sobre Arigó.

Rodriguez era um intelectual kardecista que aos poucos acabara admitindo a ideia de que a incorporação do Dr. Fritz em Arigó era uma realidade incontestável. Muitos achavam que ele estava se excedendo ao afirmar uma coisa daquelas, embora seu raciocínio fosse brilhante e persuasivo. A prosa de Rodriguez era um pouco enfadonha, mas suas reflexões profundamente convincentes. Seus estudos em psiquiatria provavelmente eram tão profundos quanto os dos maiores especialistas desse campo e sua erudição era inegável. O que de fato podia-se contestar era sua tendência para extrapolar, a partir da evidência ao seu alcance. Numa carta muito extensa, dirigida ao grupo médico americano, ele expôs suas teorias sobre Arigó da seguinte maneira:

> Em todas as pesquisas psíquicas sérias, somos levados basicamente a avaliar as faculdades naturais ou espontâneas de cada indivíduo. Isso porque não encontramos manifestações psíquicas nas coisas, mas nas pessoas.
>
> Toda pessoa é naturalmente dotada de qualidades psíquicas peculiares. Arigó, por exemplo, do ponto de vista fisiológico, é um homem igual a qualquer outro. Do ponto de vista psíquico, porém, é diferente de muitos.
>
> Um grande número de pessoas, se não a imensa maioria, não tem a mínima ideia de quais virtudes psíquicas diferenciam Arigó de muitos outros médiuns. Mas algumas de fato conhecem os mecanismos das faculdades psíquicas que ele apresenta. Para essas, ele não é um mistério; para outras é um enigma. Arigó nada mais é do que o exemplo vivo daquilo que outros poderiam fazer, se por acaso se interessassem em desenvolver as faculdades psíquicas específicas necessárias para repetir o que ele faz. O trabalho de pesquisa não admite a existência de monopólios individuais. E sabendo disso, nossos esforços são dirigidos para o estudo científico da mediunidade: seu início, manutenção, expansão e variedades.
>
> Isso abrange o estudo da natureza espiritual do homem como um fenômeno psíquico, além das limitações e contradições da religião e do misticismo.
>
> Entretanto, esse estudo não é possível se empregarmos os atuais conceitos, restritos ou superficiais, da pesquisa sobre a percepção extrassensorial. Arigó não é um fenômeno paranormal. Ele simplesmente representa um dos elos de um trabalho de equipe feito em estreita colaboração e que se manifesta por meio das faculdades mediúnicas de um homem, e os conhecimentos e experiências clínicas de entidades desencarnadas, atuando em suas respectivas especialidades e esferas. Trata-se de um método pelo

qual o diagnóstico, o tratamento e o prognóstico desempenham sua rotina unificadora.

Essa estreita colaboração entre Arigó e seus amigos desencarnados não pode ser compreendida e nem repetida por outros, a menos que estes fatos básicos da vida sejam levados em consideração:

1. Que o homem é uma alma encarnada.
2. Que essa alma *não* foi criada no momento do nascimento.
3. Que ela já teve muitas outras vidas na Terra e que outras vão se seguir.
4. Que contatos entre pessoas encarnadas e desencarnadas têm ocorrido desde que o homem pisou na terra pela primeira vez.
5. Que a faculdade psíquica conhecida como mediunidade é o método pelo qual a natureza estabelece esse contato necessário e esclarecedor.
6. Que povos primitivos do mundo todo estão bem familiarizados com esses fatos simples da vida.

O que aprendi é que cabe a nós aprimorar a natureza desse contato, melhorando sua confiabilidade e separando-o das superstições proveniente vêm de credos religiosos, doutrinas ou dogmas, e de ritos e rituais espirituais. De modo análogo, não se deve perder tempo com ceticismo acirrado, que atrasa o progresso, ao postular explicações pseudocientíficas que nada esclarecem.

Rodriguez prossegue, explicando que desenvolveu um método de hipnotismo, chamado "transe hinométrico", para preencher a lacuna. Ele estava realizando extensos experimentos por meio desse método e planejava demonstrar os resultados obtidos em outro livro. A teoria do estudioso era a de que a psiquiatria, segundo Freud, Adler, Jung ou qualquer outro dos pioneiros nesse campo, simplesmente não tinha evoluído o bastante. E prosseguia dizendo em sua carta:

> Durante muitos anos, fiquei preocupado com a inépcia da psiquiatria em identificar a etiologia ou origem das neuroses e psicoses funcionais, as quais em mais de oitenta por cento dos casos nada mais são do que sintomas e síndromes que revelam uma mediunidade florescente. (Nota do Autor: Em outras palavras, "possessão".)
>
> A dificuldade para identificar essas síndromes de acordo com o que realmente são transformou e *está* transformando em esquizofrênicos centenas de milhares de indivíduos, no mundo civilizado, que não estão doentes. Os manicômios estão cheios deles. Isso ocorre quando são submetidos a choques elétricos, insulina ou choques químicos, que bloqueiam as manifestações naturais da mediunidade, destruindo o mecanismo pelo qual essa faculdade se manifesta. O mesmo acontece com o uso de altas doses de tranquilizantes.

Ele se referiu, em seguida, ao estudo canadense realizado pelo dr. Raymond Prince, da Universidade McGill, em Montreal, que passara dezessete meses com curandeiros da Nigéria. Dr. Prince descobrira que o reconhecimento, entre eles, da mediunidade como uma realidade convertera a psicose num problema secundário. Rodriguez continua em sua carta:

> Os denominados médicos feiticeiros e os espíritas da escola reencarnacionista do mundo todo reconhecem prontamente esses sintomas pelo que eles são. E como consequência desse conhecimento natural, em vez da psicose, o que desenvolvem é a mediunidade. Esse desenvolvimento destrói a condição psiconeurótica ou psicótica, que anuncia o desabrochar da faculdade mediúnica. E essa é a razão pela qual nessas pessoas, que atingem a casa dos milhões, não existem doenças mentais.
>
> As doenças mentais são, portanto, o fruto colhido pelo homem supercivilizado, e devido, exclusivamente, a uma condição de ignorância mantida por um senso exagerado de sofisticação e uma reverenciada superioridade cultural.

Quer as pessoas concordassem ou discordassem das premissas de Rodriguez, o fato é que ele estava oferecendo a elas o que pensar sobre os mecanismos por trás do fenômeno Arigó e apresentava seus argumentos de um modo bem articulado. Ele só deixava de convencer algumas devido aos seus seis categóricos postulados, que exigiam uma verdadeira ginástica mental para uma aceitação definitiva da reencarnação, para não falar da existência da alma. Nenhum conceito poderia ser aceito cientificamente; pelo menos, não sem uma evidência concreta.

Os argumentos dele, entretanto, eram provocativos. Ele continuou viajando do Rio de Janeiro para Congonhas, a fim de observar Arigó e ver se conseguia lançar mais luzes sobre o assunto. Notou que o próprio médium não tinha consciência de nenhuma teoria por trás de suas faculdades. Ele simplesmente executava aquilo que se sentia compelido a fazer. Não era de fato um espírita kardecista. Tinha sido levado a fazer parte daquela estranha cena sem que tivesse pedido por isso. A pergunta provocada pelas teorias de Rodriguez era a seguinte: teria Arigó se tornado um psicótico, caso não houvesse cedido à sua mediunidade?

Muitos indícios – as dores de cabeça excruciantes, as alucinações e a insônia renitente – indicavam que teria. E por mais estranho que parecesse durante suas horas de trabalho, Arigó era um ser humano normal e seus filhos cresciam e se tornavam rapazes sadios e emocionalmente equilibrados. E, apesar da sua falta de cultura, ele tinha uma inteligência nata, que atraía algumas das mentes mais brilhantes do Brasil.

Kubitschek, ao regressar ao Brasil, cumpriu sua promessa. Foi a Congonhas e passou duas longas horas com Arigó. Estavam no final de 1970. O projeto do hospital estava prestes a ir para a prancheta. Os planos da equipe norte-americana para prosseguir com a pesquisa estavam em sua última etapa. Desta vez, o grupo estava decidido a concluir o trabalho que não tinha conseguido realizar na primeira tentativa. Kubitschek renovou sua promessa de apoio, pois ainda tinha muita influência no Brasil.

Quando foi visitar Arigó em sua casa, para lhe dizer que estava voltando para o Rio de Janeiro, o médium pareceu-lhe perturbado. Não era mais o homem extrovertido de sempre. Kubitschek pressionou-o para contar o que havia de errado.

Arigó permaneceu calado por algum tempo, mas, por fim, disse: "Não gosto de dizer isto, senhor presidente, mas vou morrer em breve, de morte violenta".

Kubitschek ficou chocado e cheio de preocupação. "Não está falando sério", disse.

Arigó confirmou com a cabeça e repetiu num tom triste: "Tenho certeza de que vou morrer muito em breve e violentamente. E é por isso que me despeço do senhor com tristeza. Esta é a última vez que nos vemos".

Kubitschek tornou a lhe dizer que ele simplesmente estava muito cansado por trabalhar demais, mas o médium sorriu, sacudindo a cabeça.

Era a imagem do crucifixo preto que se repetia. Ele se tornara quase uma obsessão para Arigó. No dia seguinte à conversa com Kubitschek, ele se encontrou com Gabriel Khater, em frente à sua clínica. Khater queria lhe contar as boas novas a respeito dos fundos obtidos para o centro médico. Tal como Kubitschek, ele notou um olhar estranho no médium e disse: "Zé Arigó, você anda cansado".

"Gabriel", disse Arigó, "receio que a minha missão na terra esteja terminada."

Khater fingiu achar graça e mudou o assunto, falando sobre a mãe, que estava muito doente. E Arigó respondeu: "Tem razão de me perguntar isso agora". Arigó sabia que Khater deixaria a cidade, demorando-se alguns dias trabalhando numa reportagem. "Pergunta tudo o que quiser agora, porque acho que não me verá mais."

Ele escreveu uma receita para a mãe de Khater e, em seguida, abraçou-o efusivamente. O outro disse: "Você vai ficar bem. Você vai ver". Arigó não respondeu nada e entrou na clínica.

Outras pessoas ouviram aqueles comentários estranhos feito por Arigó. Paulo Soares, cunhado de Arigó, por acaso ouviu-o dizer que sua morte estava próxima. Um mês antes, Arigó emprestara seu carro a um amigo. Ele capotara e o veículo tinha ficado destruído, mas o motorista não se ferira. Zé Arigó disse ao irmão Walter: "Esse é o sinal do fim".

Ninguém sabia como responder àqueles pressentimentos do médium. A maioria procurava ignorar aquelas palavras ou as atribuía ao fato de que a rotina de trabalho de Arigó deixaria exausto até um super-homem, o que dizer de um homem com uma insuficiência cardíaca, mesmo leve. Era muito natural que aquela rotina extenuante às vezes o deixasse sem ânimo. E ele continuou trabalhando durante muitas horas, tanto na clínica como no IAPETEC, descansando apenas nos fins de semana, para cuidar de suas roseiras.

No mês de janeiro, Arigó assumiu outro trabalho realmente gigantesco e que consumia muitas horas. Recolhia roupas usadas para doação e as distribuía aos pobres, tanto de Congonhas como das redondezas. Aquele tornara-se um acontecimento festivo tradicional.

Arigó, nessas ocasiões, parecia estar sempre no auge do bom humor. O ano de 1971 não foi uma exceção. Recolhia o maior número possível de roupas e, por ser um homem persuasivo, conseguia uma quantidade formidável, sendo já o décimo ano em que se dedicava a esse trabalho especial. Na manhã do dia 10 de janeiro, cerca de quinhentos pobres da cidade reuniram-se à porta da clínica, para aquele acontecimento festivo. Arigó distribuiu tanto roupas quanto brinquedos em proporções iguais. Aqueles que o conheciam bem ficaram radiantes ao vê-lo animado novamente, como sempre fora. Ele não parecia demonstrar o abatimento que o perseguia havia meses. O antigo Zé Arigó voltara. E ele chegou até mesmo a não atender seus pacientes, fato quase inédito.

Na manhã seguinte, 11 de janeiro de 1971, levantou-se cedo como sempre e foi animado para a clínica, onde uma multidão já o esperava. Deveria ir a Conselheiro Lafaiete ainda naquele dia, para tratar do pagamento e dos documentos de um carro que estava comprando de um tenente da polícia já aposentado, para substituir o que perdera. Era um velho Opala azul, fabricado no Brasil pela General Motors.

Explicou aos pacientes reunidos na clínica que, à tarde, só abriria às três, mas que procuraria atender o maior número possível de pacientes na parte da manhã; o restante só depois das três. Parou de trabalhar um pouco antes do meio-dia e saiu para almoçar.

O céu estava escuro e sinistro, e a chuva já começava a cair. Em casa, Arlete estava preparando o almoço para ele e dois grandes amigos, que lhe fariam companhia. Um deles, Bejou, era um homem muito terno e efusivo, que fazia bicos no Hotel Freitas. Era amigo da família havia muitos anos. Tinha verdadeira reverência por Arigó e não escondia isso de ninguém. Era inteligente e espirituoso e costumava animá-lo quando estava com o moral baixo. O outro amigo era Antônio Ribeiro, que soubera da ida de Zé Arigó a Conselheiro Lafaiete e pedira uma carona.

Feliz por ter companhia, Arigó se sentou à mesa com os amigos, Arlete e Tarcísio, seu filho mais velho, com pouco mais de 20 anos. Depois da refeição rápida, resolveu jogar cartas com os amigos, uma das poucas coisas que o fazia relaxar.

A essa altura o céu já tinha desabado e a chuva vinda das montanhas inundava a cidade. Arigó achou melhor esperar até que ela diminuísse um pouco antes de sair. O ambiente estava alegre e de vez em quando ele se levantava e ia até a janela para ver se o tempo tinha melhorado.

Naquela amanhã bem cedo, José Timóteo, motorista do DER, o Departamento de Estradas de Rodagem, tinha pegado João Felicido, tesoureiro do mesmo departamento, para levá-lo do Rio de Janeiro a Belo Horizonte, como costumava fazer. Tinham saído do Rio ainda de madrugada e viajado tranquilamente até Conselheiro Lafaiete. Naquela região, a tempestade havia desabado com toda a sua fúria, diminuindo a visibilidade e transformando o asfalto da estrada tortuosa num verdadeiro sabão. Chegaram a Conselheiro Lafaiete depois do meio-dia e decidiram continuar. Timóteo conhecia bem as estradas, isso fazia parte do seu ofício.

À tarde, um grupo de aproximadamente cinquenta pessoas, abrigadas embaixo de jornais e guarda-chuvas, já estava reunido em frente ao centro espírita de Arigó, para a sessão que deveria se iniciar às três horas. Embora tivessem que esperar pela volta de Arigó até aquela hora, queriam garantir seu lugar na fila. Alguns depositavam nele suas últimas esperanças e tinham vindo de muito longe. Havia duas moças estrangeiras, uma da Espanha e outra do Chile.

Pouco depois do meio-dia, Arigó achou que a chuva já diminuíra o suficiente para que pudessem partir. Desde a véspera, sentia-se mais animado, após ter distribuído os presentes para os pobres. Beijou Arlete carinhosamente, passou a mão na cabeça de Tarcísio, desalinhando seus cabelos pretos, e entrou no Opala com Ribeiro.

Esperando pelo trem na estação, encontrava-se um renomado médico brasileiro, que estava embarcando para o Rio de Janeiro, depois de ter visitado Congonhas para tentar entender melhor aquele homem e seu trabalho. Ele viu quando o Opala azul fez uma curva perto da casa de Arigó. Era ele quem estava no volante, reparou o médico, e por isso correu até a calçada da estação para falar um minutinho com o médium.

Depois de cumprimentá-lo alegremente, Arigó perguntou: "Conseguiu todas as explicações que queria?".

O médico sorriu e respondeu: "Se um dia eu conseguir explicar o que você é, é porque sou um gênio. Gostei muito da sua festinha de ontem". Ele se referia à reunião da véspera, quando Arigó distribuíra as roupas e os brinquedos. Nenhuma criança saíra sem a sua sacolinha.

"Pois fiquei muito feliz, muito feliz mesmo!", respondeu Arigó. "Adoro ver o rostinho das crianças. Foi tudo ótimo."

"Também achei", observou o médico. "Em breve voltarei a vê-lo."

"Esperamos vê-lo aqui novamente", disse Arigó. Depois deu a partida no carro e saiu.

A chuva recomeçara e o limpador de para-brisa não dava conta. Logo depois de ter saído da cidade, Arigó parou num posto de gasolina, encheu o tanque e tentou ajustar o limpador para conseguir mais visibilidade.

Depois de deixar Conselheiro Lafaiete, a picape do DER mal conseguia fazer as curvas da estrada sinuosa, embaixo daquela tempestade. Timóteo tentava enxergar, em meio à chuva, as plaquinhas com a indicação dos quilômetros. No km 370 da BR-135, ele diminuiu um pouco a velocidade e apertou os olhos para enxergar melhor as curvas implacáveis. No momento em que chegou ao km 373, a chuva diminuíra novamente e ele acelerou.

O marco indicando o km 374 da BR-135 ficava a uns três quilômetros do posto de gasolina em que Arigó enchera o tanque. Justamente naquela altura, há uma curva traiçoeira. Ansioso para chegar a Conselheiro Lafaiete e ver-se livre da cansativa burocracia, Arigó saiu do posto e pegou a estrada. Passou pelo seu roseiral, lançando-lhe um olhar carinhoso, embora não pudesse vê-lo direito por causa da chuva e da neblina.

A picape se aproximava do km 374 e já estava quase na curva, quando Timóteo avistou um carro azul atravessando a estrada e vindo exatamente na sua direção. Não estava propriamente derrapando, mas simplesmente cruzando a estrada na diagonal. Ao lado, havia um precipício de uns 120 metros. Não havia nenhuma possibilidade de Timóteo desviar, tirando a picape da estrada para evitar que o carro azul se chocasse contra ele. O asfalto estava escorregadio demais para que conseguisse brecar a tempo. De qualquer maneira, ele estancou o pé no freio, mas isso não evitou que os dois veículos se chocassem violentamente. Ecoou no ar um ruído metálico tão forte que foi ouvido a mais de um quilômetro de distância. Depois, um silêncio profundo caiu sobre os dois carros.

Na casa de Arigó, Bejou tinha sido convidado para tomar café e comer um pedaço de bolo, antes de voltar ao trabalho, no hotel. Depois, Arlete saiu, embaixo do guarda-chuva, para fazer compras. Tarcísio foi com seu fusca verificar as roseiras do pai. Bejou estava terminando o seu pedaço de bolo, quando um vizinho abriu a porta e gritou: "Corre para a estrada! Uma coisa horrível aconteceu a Zé Arigó!".

Bejou largou o garfo, saiu correndo como louco e foi tomar um táxi perto da estação. Disse ao motorista para dirigir depressa até a BR-135. Depois de alguns minutos na estrada, viram o Opala azul bem no meio da pista escorregadia. A picape do DER, toda estraçalhada, parecia ter se fundido com o Opala. Entre os escombros, reinava o mais profundo silêncio;

não se ouvia nem sequer um gemido. A porta do lado de Arigó estava aberta, suas pernas destroçadas ainda dentro do carro e metade do corpo pendendo para fora. Uma barra de ferro estava cravada, como uma lança, em seu peito largo.

Bejou ficou paralisado, depois correu até Arigó e arrancou a barra de ferro do seu corpo. Estava coberta de sangue. Havia um grande ferimento na cabeça do amigo e outro no peito. Por alguma razão inexplicável, ele olhou para o relógio de pulso de Arigó e viu que os ponteiros tinham parado ao meio-dia e quinze.

Um grito ecoou de repente, vindo da picape. Era o tesoureiro do DER. Bejou, constatando que Arigó estava morto, correu para socorrer o outro homem. Tinha a impressão de estar enlouquecendo. Timóteo estava desacordado.

Alguns segundos depois, Tarcísio chegou. Avistou o corpo do pai e, soluçando, caiu de joelhos ao lado dele. A polícia chegou logo depois, junto com a ambulância. Por toda parte, ouviam-se gritos e reinava a confusão.

Felicido, o tesoureiro, morreu no hospital. Arigó e Ribeiro morreram no local do acidente. Somente Timóteo sobreviveu.

Bejou voltou para o hotel completamente transtornado. Disse a um amigo: "Aquela imagem vai me perseguir pelo resto da vida".

Congonhas parou. "A cidade ficou órfã", alguém falou. Outro morador comentou: "Com Zé Arigó morto, Congonhas foi assassinada". O prefeito declarou luto por dois dias e a bandeira foi hasteada a meio mastro. As lojas e os bares permaneceram fechados até depois do enterro.

O dr. Mauro Godoy não era homem de chorar, mas chorou. Foi até o local do desastre com a polícia e os funcionários do DER para examinar os destroços. Talvez porque o chão estivesse molhado, não havia nenhum sinal de derrapagem. O carro de Arigó atravessara a pista. A impressão que se tinha é que estava desgovernado.

Mais tarde, o dr. Godoy assistiu à autópsia. Pelo que observou no cérebro e na região cardíaca, concluiu que Arigó morrera devido à insuficiência coronariana, segundos antes que o carro de desgovernasse. O resto fora inevitável.

Pessoas de todos os lugares foram ao sepultamento. Um cortejo de aviões cruzou os céus, em direção a Lafaiete. A imprensa estava em todos os lugares. Ônibus fretados chegavam e dessa vez não para trazer pacientes, mas sim pessoas que choravam a morte de Arigó. O corpo dilacerado do médium jazia num caixão, dentro de casa. Arlete permaneceu ao lado dele, contemplando-o com os olhos secos, entorpecida.

Roberto Carlos, com seus cabelos longos e esvoaçantes, chegou com a esposa. Vestia jeans, botas pretas e, sobre a camisa, um medalhão com a imagem de Jesus Cristo. Conseguiu abrir caminho por entre a multidão, auxiliado pela polícia. Abraçou Arlete, beijou as mãos dela, dizendo: "Meu filho pode enxergar graças a Zé Arigó". E se voltando para o caixão murmurou: "Estou aqui, Arigó".

Não houve missa, nem música, nem cerimônia. Inúmeras pessoas desfilaram na frente do caixão e depois saíram em silêncio pelas ruas abarrotadas, como um gigantesco tapete movendo-se atrás do féretro. Algumas disseram que a multidão ultrapassava 15 mil pessoas, outros afirmavam que chegava a 20 mil. E alguém, ao observar a cena, comentou: "O ar está impregnado de silêncio".

Colocaram o caixão numa pequena carreta e o levaram para o tão amado salão do centro espírita de Arigó. Depois o carregaram pela ladeira de pedra que levava ao cemitério. Ali, bem no alto, com as montanhas delineando o horizonte, as doze esculturas barrocas de Aleijadinho permaneciam tal qual guardiães, algumas com as mãos estendidas, apontando o vale, na direção do cemitério. Um franciscano murmurou uma oração, que mal dava para se ouvir.

A multidão espalhou-se pelas colinas verdejantes, como um rebanho de ovelhas, voltando para a cidade. Não importava o que era dito em palavras, o pensamento era o mesmo: Zé Arigó já não está mais entre nós.

Outro pensamento, assim como Arigó o expressava, não foi verbalizado, mas tacitamente subentendido, diante do fato de nenhuma igreja ter aceitado seu corpo: "Nosso Cristo é o mesmo. O resto não importa".

Epílogo

I

Descobri que não consigo resistir a uma história ligeiramente fora dos padrões, caso ela tenha uma documentação material vasta, sólida e bem fundamentada. Sem essa documentação, ela é totalmente inútil. Com ela, porém, é no mínimo intrigante.

Sete anos atrás, tive um almoço muito agradável no The Players, em Nova York, com Arthur Twitchell, um cavalheiro muito astuto e erudito que foi coprodutor de uma das minhas peças encenadas na Broadway, no Teatro Helen Hayes. Twitchell era membro do conselho da American Society for Psychical Research, fundada por William James no final do século XIX. Também era um ávido estudioso do que se pode chamar de "ocultismo racional".

Ele me contou resumidamente a história de Arigó. Se eu não soubesse que Twitchell é um homem de discernimento, teria achado que tudo não passava de uma fantasia e esqueceria o assunto.

Cheguei de fato a dizer a ele que uma história daquelas era algo absolutamente inacreditável e que, mesmo sendo verdadeira, colocá-la no papel seria uma tarefa quase impossível para qualquer escritor.

"Você devia pelo menos assistir aos filmes", ele me disse.

"E essas cirurgias foram gravadas?", perguntei.

"Sim, pela equipe de médicos que foi ao Brasil estudar Arigó. Você só precisa ter um estômago forte."

Aquilo despertou a minha curiosidade. Eu andava à procura de uma boa história. Twitchell providenciou para que eu entrasse em contato com o dr. Henry Puharich, que gentilmente me permitiu ver os filmes na casa dele, em Westchester County.

Twitchell tinha razão, era preciso um estômago forte. É chocante ver aquela faquinha de cozinha sendo enfiada embaixo da pálpebra de uma pessoa, quase arrancando o globo ocular da órbita e depois raspando-o sem piedade. Assisti aos filmes duas vezes, com todos aqueles hidroceles, tumores, cataratas, quistos sebáceos, retinoblastomas e todo o resto. Às vezes, eu tinha que virar o rosto. Mas a dramaticidade daquilo era indiscutível.

Pensei naquela história durante muito tempo. Era evidente que, apesar de todos os registros médicos, eu teria que ir ao Brasil e conhecer a história em detalhes. Num caso como aquele, nenhuma informação poderia ser de segunda mão. Tratava-se de uma crônica que teria de ser verificada por todos os ângulos.

Havia ainda outro problema. Se a história de fato se confirmasse e o livro vendesse muito bem, o que isso poderia causar a Arigó e ao trabalho dele? Será que as pessoas que estivessem muito doentes nos Estados Unidos, em estado desesperador, iriam gastar grandes somas de dinheiro para ir ao Brasil, só para encontrar Arigó tão exausto e ocupado com o número muito maior de pacientes que talvez nem conseguisse atendê-las?

Depois da morte de Arigó, quando decidi levar adiante o projeto do livro, disse a Puharich que eu não poderia depender apenas das palavras dele ou das anotações da equipe médica. Ele concordou comigo e disse: "Você vai precisar verificar tudo pessoalmente no Brasil e só depois pôr mãos à obra. Conhecer os inimigos dele, bem como os amigos. Nunca se deve acreditar numa única fonte. Num único aspecto da história".

Eu ainda continuava cético. Entretanto, quando chegasse ao Brasil, haveria muitos pontos a esclarecer e verificar naquela história, que parecia um verdadeiro desafio. Um dos mais importantes dizia respeito aos juízes, aos advogados e aos longos processos, que tinham se arrastado por tanto tempo. E foi justamente durante os julgamentos que Arigó tinha sido visto da maneira mais severa e dramática. Seria preciso investigar tanto os depoimentos das testemunhas sobre o caráter do médium quanto os dos especialistas, todos dados sob juramento.

Outra fonte de informação a ser verificada seria o ex-presidente Juscelino Kubitschek. Tratava-se de um realista inflexível, o homem que construíra Brasília, a capital mais impressionante do mundo. Mas será que eu conseguiria encontrá-lo e pedir detalhes sobre Arigó? Outras pessoas que eu teria de entrevistar seriam os médicos brasileiros, tantos quanto pudesse; os funcionários do governo; o clero; os moradores da cidade; os policiais; os cônsules e embaixadores, que por não serem do país poderiam oferecer uma visão mais imparcial daquela lenda inacreditável; os antigos pacientes; a família de Arigó e quaisquer outras fontes, que certamente surgiriam.

Eu estava satisfeito com as preliminares, pois indicavam que a história ao menos podia ser confirmada ou de tal forma contestada que seria melhor deixá-la de lado. Arigó me deixara suficientemente intrigado para desejar correr o risco, e o mesmo podia se dizer dos meus editores.

Na pesquisa sobre o caso de Arigó, me deparei muitas vezes com relatos conflitantes. Tive que avaliá-los com muito cuidado e escolher aqueles cuja fonte me pareceu mais autêntica. Qualquer escolha que eu fizesse, não seria feita levianamente.

II

Outro contratempo surgiu, mas acabou se tornando mais uma vantagem do que um obstáculo. Eu já havia sido contratado para escrever um livro a respeito do novo e letal vírus de Lassa, que surgira inesperadamente ao norte da Nigéria. Em contraste com a de Arigó, esta era uma história médica misteriosa, um assunto difícil, científico, com uma documentação mais pragmática e materialista, que incluía desde a microscopia do eléctron até o corpo docente de virologistas da Universidade de Yale e o departamento do governo, em Atlanta, que regulmentava o controle das doenças.

Algumas coisas interessantes ocorreram na Nigéria, que acabaram por influenciar muito o estudo que fiz depois sobre Arigó. Para seguir a pista do vírus de Lassa, tive que viajar quase 5 mil quilômetros pela Nigéria, a bordo de um Land Rover, num verdadeiro safári cuja caça era um vírus microscópico.

A viagem me levou a solitários postos médicos de missionários, desde o lago Chade, bem no centro geográfico africano, até o planalto de Jos. Levou-me ainda a albergues públicos (vestígios da época da colonização britânica), campos de mineração, aldeias tribais, cidadezinhas africanas, postos diplomáticos provincianos, departamentos de pesquisa médica das universidades nigerianas e outros lugares onde nenhum turista sonha em se aventurar.

E foi em minhas horas de folga e em lugares iguais a esses que descobri que os curandeiros de aldeia eram muito respeitados até pelos diplomatas estrangeiros, pelos médicos missionários, pelos pesquisadores e professores de universidades, pelos engenheiros de minas – qualquer que fosse a ocupação do europeu ou do americano. Longe de ser uma caricatura absurda, o médico-feiticeiro, curandeiro da selva ou homem *ju-ju* ou *do-do* – seja lá qual fosse a denominação usada – era temido e respeitado pela comunidade, devendo ser levado muito a sério.

Mas não apenas por medo. Algumas das beberagens preparadas pelos médicos-feiticeiros estavam sendo estudadas na Escola de Medicina da Universidade de Ibadan, uma das melhores da África. Uma das cocções tinha provado ser capaz de reduzir tumores malignos em cobaias de laboratório. Além disso, o sucesso ainda maior na redução radical das psicoses também estava sendo estudado pela World Health Organization, das Nações Unidas, em paralelo com as teorias de Luís Rodriguez.

A atitude de homens inteligentes e sensatos da Nigéria criara uma atmosfera que, de algum modo, serviu para esclarecer a mim mesmo a respeito da viagem ao Brasil.

Quando cheguei ao Rio de Janeiro, estava saturado da realidade fria e cruel do vírus de Lassa e das savanas queimadas e secas da África subsariana, fustigadas pela fome. O contraste foi uma mudança bem-vinda, embora a diferença no idioma não tenha sido tão agradável. Isso tornou meu estudo muito mais difícil. Consegui, por fim, encontrar intérpretes que fizeram o máximo para me auxiliar. Eu tinha uma grande quantidade de pistas que me ajudariam a encontrar informações, mas, com a barreira de idioma, segui-las não seria tarefa fácil.

Meus contatos com jornalistas americanos e outros deixaram bem claro que, o que quer fosse, Arigó não era uma fraude. Seus conhecimentos tinham sido registrados nos bancos de dados dos jornais e também dos tribunais, ao longo de um período de vinte anos. Essa era uma boa base para se trabalhar, pois eu decidira voltar imediatamente aos Estados Unidos, caso a vida e o trabalho de Arigó parecessem ligeiramente ambíguos.

Juscelino Kubitschek foi muito gentil comigo quando fui visitá-lo. Seu inglês era correto, erudito, embora um pouco rebuscado. Disse-me que ficara muito satisfeito ao saber que alguém nos Estado Unidos desejava escrever um livro sobre Arigó, porque estava absolutamente convencido de que, na história da medicina, nunca houvera um homem igual. Forneceu-me de boa vontade as informações que eu queria a respeito das experiências pessoais que tivera com Arigó, dizendo que, sendo ele mesmo médico e cirurgião, ficara deslumbrado com o que o médium podia fazer.

Foi uma entrevista estimulante e proveitosa. Quando lhe perguntei sobre Brasília, os olhos dele brilharam e, rindo, ele me disse: "Hoje em dia, até meus inimigos admitem que ela abriu o Brasil. Tenho muito orgulho dela". E, reprimindo o riso, contou-me como fora apanhado de surpresa com a pergunta de alguém que assistia ao seu comício em Congonhas a respeito da construção da capital. "Eu tinha me esquecido completamente daquele artigo da Constituição, estipulando a construção da capital no Brasil Central. Não podia voltar atrás na minha palavra, por isso resolvi construí-la.

III

Dali em diante, a confirmação do fenômeno Arigó foi rápida e eficiente. Os filmes de Jorge Rizzini eram surpreendentes, nítidos e incontestáveis. O dr. Ary Lex e o escritor Hernani Andrade receberam-me em suas residências e me forneceram todas as informações e documentos relativos aos seus estudos sobre Arigó, durante o período de duas décadas.

Almocei no Hotel Hilton, em São Paulo, com o dr. Antônio Ferrário Filho, um radiologista enérgico, de cabelos grisalhos, que não somente confirmou detalhadamente a perícia de Arigó, mas me explicou sobre os antecedentes dos intelectuais kardecistas no Brasil.

Parecia que não havia ninguém que não tivesse um amigo ou parente que não houvesse sido tratado por Arigó, e com sucesso. Entre essas pessoas, incluía-se George e Susan Brown, da embaixada americana; Joe Caltagironi, diretor de um banco de investimentos americano, e a esposa, Kathleen; Elaine Handler, da revista *Time*; Fred Perkins, representante no Brasil da McGraw-Hill, e a esposa; dr. Raimundo Veras, de um centro de reabilitação com várias filiais nas cidades brasileiras, e o filho, Carlos Vera; o dr. Clark Kuebler, um ex-professor da Universidade Northwestern; e Guy Playfair, um jornalista inglês. Estas, e dezenas de outras pessoas, deram-se ao trabalho de descobrir pistas e conseguir informações que seriam impossíveis de se obter por outros meios.

A carioca Irene Granchi, particularmente, foi uma colaboradora especial, pois me forneceu um material valioso, que ela reunira, num trabalho exaustivo, desde o início da carreira de Arigó. Ela me apresentou aos editores que, por sua vez, tinham publicado suas próprias histórias sobre ele. O que eu imaginara que seria um trabalho extensivo e moroso, no qual eu só conseguiria informações fragmentadas, acabou por se converter num grande desafio, pois vi em minhas mãos uma verdadeira enxurrada de material, cujo volume abundante estava tornando o trabalho quase impraticável.

No aeroporto de Belo Horizonte, fui recebido por Lauro Costa e a esposa, e uma voluntária da clínica de reabilitação do dr. Veras Belo, chamada Maria Lúcia. Sempre que eu precisava de alguma ajuda, em razão da dificuldade do idioma ou algum outro motivo, eles estavam prontos para fornecê-la. É impossível descrever a atitude predominante do povo brasileiro sem parecer exagerar nos elogios. Esse povo faz o possível para auxilar os visitantes, chegando a ponto de prestar uma ajuda que às vezes até parece inacreditável. Logo de início, isso chega a despertar desconfiança, até que sentimos que a hospitalidade brasileira é realmente genuína e inata. Embora deva haver exceções, felizmente nunca me deparei com nenhuma delas.

IV

Lauro e a esposa levaram-me a Congonhas e, durante três dias e três noites, mostraram-se incansáveis ao traduzir as entrevistas, sem nunca demonstrar sinais do cansaço que eu mesmo sentia. Fomos recebidos carinhosamente pela viúva de Arigó, Arlete, e vários dos filhos, já adultos, e eu me senti como o filho pródigo voltando ao lar. Além da hospitalidade, eles me mostraram todos os recortes de jornal, diários, correspondências e inúmeras histórias de que se lembravam a respeito da vida e do trabalho de Arigó.

Arlete que, de fato, parecia viver com bobes nos cabelos, era uma mulher tímida e modesta, com uma tranquilidade encantadora. Ela estava se preparando para morar em Belo Horizonte, para ficar mais perto de um dos filhos, que tinha se mudado para lá pouco tempo antes. Tarcísio, que era um rapaz forte e bronzeado, com vinte e tantos anos, belo como um artista de cinema, ofereceu-se para tirar fotocópias de qualquer documento que eu precisasse.

Levou-me também ao túmulo do pai, que ficava bem no alto da colina, num pequeno cemitério de onde se descortinava a cidade de Congonhas inteira. No final da tarde, ameaçava cair uma tempestade por sobre as montanhas. A cena se parecia com um dos quadros sombrios de El Greco, e Tarcísio, que demonstrava adorar o pai, colocou rosas sobre o túmulo, enquanto me contava sobre o trágico acidente na BR-135. Ao voltarmos para a cidade, ele parou e me mostrou o local onde ocorrera o acidente, dois anos antes, como se esse ritual pudesse aliviar o sofrimento visível em seu rosto.

Congonhas era tão encantadora quanto mostravam os folhetos turísticos, apesar da pobreza que Arigó tanto fizera para combater. Nem mesmo as esculturas espantosas de Aleijadinho conseguiam apagar aquela mácula da cidade. Num pequeno bar perto da rua Marechal Floriano, eu me encontrei com o dr. Mauro Godoy, que na época era o prefeito da cidade, e ele afirmou que nem ele nem ninguém podia explicar como Arigó tinha sido capaz de tudo que fizera, mas que, na opinião dele, sem sombra de dúvida o médium fora a oitava maravilha do mundo.

Disse-me que, quanto mais conhecimentos de medicina uma pessoa tivesse, mais seria capaz de apreciar o trabalho de Arigó. Na verdade, ninguém que não tivesse feito uma cirurgia, conseguiria de fato compreender o que significava ter os órgãos vitais do corpo cortados sem a sutura dos vasos sanguíneos e sem anestesia. E, sendo ele um médico que tivera oportunidade de observar Arigó de perto e durante um longo período, eu podia dizer que ele era extremamente convincente.

Eu não estava preparado para o que aconteceu no dia seguinte. Nas manchetes de todos os jornais do Brasil, noticiava-se que Eli, o irmão mais novo de Arigó, declarara repentinamente que estava tendo a mesma espécie de visão que havia perseguido o irmão nos primeiros tempos, e que tanto Arigó quanto o Dr. Fritz haviam aparecido para ele, no meio da noite, insistindo para que continuasse o trabalho do irmão.

Por volta do meio-dia, a cidade de Congonhas já estava abarrotada de repórteres de jornal, rádio e televisão, e quase todos os membros da família de Arigó tinham sido obrigados a se esconder da imprensa. Eli era estudante de Direito de uma universidade em Belo Horizonte e muito conceituado em seu trabalho. Consegui encontrá-lo no restaurante do Hotel Freitas, onde conseguira ficar afastado dos repórteres que estavam à sua procura. Assemelhava-se um pouco ao irmão, com os mesmos olhos brilhantes e penetrantes, e parecia muito transtornado e confuso com as aparições recentes, que disse não ter procurado nem desejado.

Quase todo o resto da família, incluindo os outros irmãos de Arigó e seus filhos, eram radicalmente contra a ideia de Eli seguir os passos do médium. Simplesmente nem falavam a respeito. E, quando saí do Brasil, a situação continuava sem solução.

Um dos benefícios que esse incidente causou foi a presença, na cidade, do repórter e fotógrafo da revista *Manchete*, Eski Murto, que era um dos mais bem informados sobre Arigó, pois tinha acompanhado vários casos nos últimos nove ou dez anos da vida do médium.

Eski, finlandês por nascimento, era um repórter inteligente e cheio de energia. Tal qual muitos outros, achava que as coberturas jornalísticas que fizera sobre Arigó tinham mudado completamente seu ponto de vista. Após ter fotografado muitas vezes o médium em ação, ele o descrevia com exuberância e profunda admiração. Mas isso acontecia com quase todos que se voluntariavam para me dar informações. Isso era algo que me preocupava um pouco, pois estava convencido de que nenhum homem podia ter um histórico tão imaculado. Até mesmo o padre da Igreja de Bom Jesus protestava com certa brandura ao falar de Arigó, dizendo simplesmente que a Igreja não acreditava no que ele fazia. A maioria dos médicos que o combatiam havia se tornardo mais indulgente.

A única coisa que consegui desencavar foram boatos segundo os quais Arigó recebia comissões nas receitas que mandava aviar. Mas não pude verificar a veracidade desse fato, assim como ninguém nunca pudera. Não encontrei ninguém que afirmasse ter sofrido qualquer dano ou prejuízo devido aos seus tratamentos e tampouco alguém que ousasse sugerir que ele empregava alguma espécie de truque. Outros médiuns, das Filipinas, afirmavam ser capazes de realizar o mesmo tipo de cirurgia que Arigó, mas tinham sido acusados de fraude e se recusado a se submeter a uma observação mais direta e à luz do dia.

Ao voltar para Belo Horizonte, eu estava convencido de que o juiz Felippe Immesi seria capaz de me fornecer uma apreciação fria e imparcial a respeito de Arigó, incluindo alguma falha do processo. Consegui marcar um jantar com ele, no Hotel Del Rey, por meio de um jovem e inteligente advogado brasileiro, Paulo Zanini, que se diplomara em Direito pela

Universidade de Michigan e falava inglês fluentemente. Foi ele também quem mandou tirar, para mim, cópias dos autos dos processos de Arigó.

Fiquei mais do que surpreso quando o juiz Immesi me contou sua própria história, com todos os detalhes. Descreveu suas observações pessoais sobre o trabalho de Arigó, demonstrando convicção; falou de suas conferências com os médicos que apoiavam a causa, bem como com os que eram contra ela e, por fim, a respeito da decisão que lhe dera tanta angústia. Admitiu que simplesmente não havia palavras para descrever o impacto causado pela observação das cirurgias de Arigó e que o homem tinha que ser aceito como um fenômeno paranormal além de qualquer definição.

V

Outrora a cidade mineradora mais rica do país, Ouro Preto, com sua arquitetura do século XVIII, fascinante e bem conservada, reflete bem o centro intelectual e artístico em que se transformou. Ali se encontram, nas igrejas barrocas situadas nas encostas das colinas, algumas estátuas de Aleijadinho. Daquela altura, os telhados vermelhos assemelham-se a uma tapeçaria, tal qual a de aldeias francesas às margens do rio Ródano.

Numa das ruas de pedras, descobri um bistrô chamado Calabouço. Suas salas subterrâneas, maravilhosas em seu estilo colonial autêntico, formavam um ambiente encantador à luz das velas. Esko Murto me aconselhara a me apresentar à proprietária Gerry Kanigan, uma bielorrussa que fora cidadã canadense e agora era naturalizada brasileira. Ela fora professora de História Eslava no Canadá e diplomara-se na Sorbonne. Ao visitar o Brasil, apaixonara-se pelo país e comprara uma fazenda. Passou, então, a promover a criação de um centro artístico em Ouro Preto e agora dirige magistralmente aquele bistrô tão promissor.

Esko me dissera que, se conversasse com ela, eu ficaria sabendo muito a respeito do ambiente em que Arigó crescera. E ele tinha razão. Na sala que ficava no andar de cima do Calabouço, ela expôs naturalmente seu ponto de vista sobre tudo o que acontecera no Brasil durante aquela década em que o médium vivera.

"O lado exótico de Arigó e o trabalho dele vai deixar você muito confuso", disse ela. "A não ser que compreenda uma crença básica subjacente, isto é, que a reencarnação é um fato; que a lei da vida é uma evolução eterna, que se estende desde a criatura unicelular até as galáxias."

Ela se especializara em heresias dualistas do Oriente Médio, cm que o bem e o mal são vistos como opostos. "Levei um tempo para compreender que essa concepção dualística era, na verdade, uma heresia. Estou convencida, após um estudo profundo e muita reflexão, que o ser humano continua a se desenvolver infinitamente e que troca de vida como se troca de roupa, enquanto sua essência continua a mesma.

"Quando se consegue acreditar nisso, o resto fica claro, principalmente ao se tentar compreender o Brasil. Quando uma pessoa morre, isso significa apenas a perda de alguns átomos. De qualquer modo, sabemos, por intermédio de Ernest Rutherford, que os átomos são compostos, em sua maior parte, de espaços vazios. Como vê, o fenômeno da reencarnação tornou-se uma filosofia coerente graças a Allan Kardec. Morei oito anos no Brasil antes de me interressar por essa teoria. E, embora a maioria dos brasileiros seja católica, você descobrirá que oitenta por cento deles, quando está realmente em apuros, corre para consultar um médium ou algo semelhante."

E prosseguiu: "Você pode considerar um médium de duas maneiras: ou você o vê como um esquizôfrenico de múltiplas personalidades ou começa a aceitar a ideia de "possessão". Você se depara com uma alteração radical naquilo que denominamos realidade – o que nossos olhos podem ver – e naquilo que os kardecistas consideram espíritos. Na verdade, se pensar, vai ver que a doutrina espírita é superlativamente cristã. Os seguidores de Kardec consideram Deus como um contador ou um computador poderosíssimo. Seus bancos de memória são infinitos. Para ele, nada passa despercebido, por isso, de tudo quanto fazemos nesta vida, de bom e de ruim, teremos que prestar contas mais cedo ou mais tarde, hoje ou no futuro".

E, quando eu a estimulei a se aprofundar mais no assunto, mencionando, agora, Arigó, ela disse: "Chegaremos lá, mas, para compreender Arigó, é preciso entender um pouco mais esse assunto. Os diferentes níveis de crença espírita no Brasil são simplesmente manifestações da mesma coisa, dependendo do conhecimento e da mentalidade da pessoa. As mais esclarecidas, que não precisam de rituais como os da Umbanda e da Quimbanda, tornam-se kardecistas.

"Arigó foi maravilhoso porque abrangia todo tipo de pessoa. Para algumas personalidades mais renomadas do Brasil, ele foi um deus, assim como foi para os pobres e necessitados. Conheci pessoalmente a esposa do diretor de um dos maiores cartéis de mineração da Alemanha, aqui em Ouro Preto, e ela ficou milagrosamente curada depois de ter sido desenganada pelos médicos da Europa e da América do Norte. Mas Arigó era apenas *um* médium – talvez o maior de todos, porque se podia comprovar com os olhos o que ele fazia – entre centenas de outros aqui no Brasil, que trabalham em centros de cura espíritas e obtêm pelo menos parte do sucesso que ele alcançou."

Naquela noite, fui com Gerry Kanigan a uma sessão de Umbanda. O local onde os seguidores se reuniam era distante e ficava numa casa pequena, que estava completamente às escuras quando conseguimos chegar lá, depois de percorrermos estradinhas de terra esburacadas, longe da rodovia principal. Batemos na porta e entramos.

Era difícil enxergar na sala, apesar das velas que ardiam sobre uma mesa larga, do lado oposto àquele em que estávamos. Ali encontravam-se reunidas umas cinquenta pessoas, aparentemente agricultores, com suas mulheres e filhos, sentadas em bancos de madeira ao longo das paredes rebocadas. No centro do cômodo, estava um homem negro, alto e bem-apessoado, vestido de branco. Ele andava de um lado para o outro, ora cantando, ora falando em português, que eu não compreendia. Sobre a mesa que servia de altar, viam-se estatuetas de santos católicos, mas, para minha grande surpresa, entre elas havia a figura do que me disseram ser um Preto Velho e algumas outras, semelhantes a totens africanos. Homens e mulheres estavam sentados separadamente. No centro da sala, havia também duas cadeiras e nelas estavam sentadas duas mulheres vestidas de branco, com a cabeça inclinada sobre o peito e os braços caídos ao lado do corpo, evidentemente em transe.

Depois de mais alguns cânticos, a congregação inteira entoou um hino, que se parecia com o cantado nas igrejas presbiterianas ou metodistas dos Estados Unidos. O negro liderava o grupo de olhos fechados, intercalando frases parecidas com as de um sermão, entre as estrofes do hino. Depois ele foi até o altar e pegou um objeto semelhante ao turíbulo usado nas cerimônias católicas e ortodoxas gregas.

Acendeu o incenso que estava dentro do objeto e sacudiu-o pela sala. Não havia ventilação e a fumaça encheu todo o cômodo, deixando-o como que envolto numa neblina. O homem se pôs a caminhar por entre os bancos, sacudido o turíbulo e cantando. Ao vê-lo se aproximar, cada pessoa se levantava e girava no lugar, a fim de receber um generoso banho de fumaça. Tal qual os outros, eu me levantei e dei meu giro, evitei tossir e tornei a me sentar.

Depois disso, as duas mulheres no centro da sala pareceram despertar do transe, embora seus olhos permanecessem fechados e a cabeça, inclinada. Começaram a estalar os dedos, ora balançando o corpo, ora cantando e batendo os pés no chão de pedra. As mulheres e as crianças aproximaram-se delas e, ao fazer isso, as duas passavam as mãos por cima da cabeça e ao longo do corpo delas, como se estivessem afastando maus espíritos. Quando todas as mulheres tinham passado pelas duas, os homens dirigiram-se para o líder, também sentado numa cadeira, no centro da sala, e o mesmo ritual se repetiu.

Ao voltarmos para Ouro Preto, Gerry Kanigan me disse: "Está vendo? Isso que assistiu é justamente o que Arigó não fazia. Não usava nenhum ritual, com exceção de suas orações preliminares. Mas era íntimo de toda essa gente, a seu modo, e despretensioso e ingênuo. Aquelas pessoas não se desligaram de sua origem primeira. Não têm a camada de verniz que nós, pessoas ditas mais civilizadas, costumamos ter. Creio que temos muito que aprender com elas".

VI

Eu me encontrei mais uma vez com Gery Kanigan, porém em Belo Horizonte. Ela insistira para que eu a acompanhasse na visita a um profeta espiritualista de grande renome, que morava nas imediações da cidade e cuja fama se difundira pelo Brasil todo. Era cego e devia estar com uns 80 anos. Ao chegarmos, ele estava sentado em frente a uma casa modesta, com as mãos grandes e cheias de veias apoiadas num cajado.

Chamava-se Henrique Franco e dizia ser parente distante do ditador da Espanha, embora não gostasse dele. Gerry nunca o tinha visto. Explicou-lhe que eu era um jornalista americano interessado pelo Brasil e fazendo estudos a respeito dos antecedentes de Arigó.

Ele disse que havia dezenas de Arigós por todo o país, mas nenhum com a capacidade dele para demonstrar a verdade do mundo espiritual de modo tão nítido e inconstestável. Afirmou que todos nós estamos cercados de guias espirituais, mas que não acreditamos neles nem os escutamos. Nem todos os espíritos são bons, no entanto, por isso precisamos senti-los e usar nosso dicernimento para saber quais são. Observou que os médicos racionais ficavam maravilhados com algumas das curas feitas por Arigó, mas isso se de devia ao fato de eles não conseguirem perceber que o que há não são doenças, e sim doentes.

"Viemos do pó e ao pó voltaremos, em nosso caminho para Deus", ele disse, querendo com isso ressaltar que evoluímos constantemente ao longo de várias reencarnações. "Nosso sofrimento é a lapidação do espírito. A vida depois da morte é igual à terrena. Temos a mesma estrutura, num plano molecular diferente."

Em comparação com Henrique Franco, a atitude de H. V. Walter era bem diversa. Encontrei-o em seu gabinete, no consulado britânico, muito tranquilo e bem-disposto. Estava no Brasil havia muitos anos, no desempenho do seu cargo, parecendo que fora bem-sucedido. Já com quase 70 anos, estava vestido com um terno que deveria ter vindo de um dos melhores alfaiates de Londres, embora tivesse afrouxado a gravata e se reclinado em sua cadeira. Parecia satisfeito com aquela oportunidade de falar sobre Arigó.

"Ele foi, sem dúvida, o fenômeno mais espetacular dos tempos modernos", observou. "Como deve saber, ninguém pensava em consultá-lo se já não estivesse desenganado pelos médicos. Aí é que estava o valor de Arigó e o motivo pelo qual suas curas eram tão dramáticas. Acompanhei o caso da cunhada do dr. Cruz. Um verdadeiro milagre. Vou levá-lo ao consultório dele para que ouça tudo de sua própria boca. Tanto o pai dela quanto o irmão eram muitos bons médicos e o próprio Carlos Cruz é dentista. Diplomado pela Faculdade do Brasil. Todos conheciam bem suas profissões e reconheceram que Arigó fizera o que eles nunca poderiam ter feito. Soube também do caso da filha de Kubitschek e do de muitos outros diplomatas e estadistas de renome, que, após terem sido curados, contaram-me confidencialmente seus casos.

"Só não concordo com aquela história toda de misticismo. Sou um pragmatista, um realista. O que acontecia no caso de Arigó acontecia e pronto. Não era algo em que se acreditar, era um fato consumado."

E Walter me levou ao consultório do dr. Cruz, que ficava no andar de baixo, no mesmo edifício. A sala de espera encontrava-se cheia e ele estava atendendo a uma senhora. Tão logo o cônsul explicou que eu tinha vindo dos Estados Unidos para escrever a história de Arigó, o dr. Cruz pediu licença à sua cliente e dirigiu-se conosco para uma outra sala. Falou cerca de quinze minutos sobre Arigó, confirmando o que Walter contara e afirmando que o tempo que o médium perdera com o processo judicial representara uma tragédia internacional. Observou que, se Arigó tivesse sido enviado para uma universidade, a fim de que realizassem um estudo científico a seu respeito, talvez tivéssemos conquistado um grande avanço, tanto na clínica médica como no campo cirúrgico.

Para conhecer um ponto de vista norte-americano sobre o assunto, resolvi passar no escritório do Serviço de Informações dos Estados Unidos, em Belo Horizonte, primeiro para entrar em contato com meus compatriotas, após uma longa ausência de nosso país, e segundo para observar se a atitude deles com relação a Arigó era igual à dos outros. Ouvi a mesma afirmativa, de modo direto ou indireto, quer fossem brasileiros ou americanos.

Ao regressar aos Estados Unidos, revi todos os dados colhidos em minha viagem e tratei de reforçá-los por meio de entrevistas adicionais com Belk, Puharich, Laurence, Cortes e outros membros da equipe médica que estivera em Congonhas. Todos procuraram me auxiliar, principalmente porque minha mente estava tão sobrecarregada com tudo o que absorvera no Brasil que eu precisava de um direcionamento.

Já havia muitas novas facetas se abrindo no estudo da paranormalidade, as quais esses cientistas estavam interessados em explorar. Quanto a mim, tudo que me restava era estudar Arigó. Puharich já descobrira Uri Geller, o fenômeno israelense que prometia superar Arigó no terreno da clarividência, da psicocinese e de outros aspectos da percepção extrassensorial. Eu tinha material suficiente para reconstruir a história de Arigó. Mais do que isso seria ir muito além do que poderia contemplar um simples jornalista.

Sem nunca sequer ter visto o homem, Arigó tornou-se real para mim, depois da pesquisa meticulosa que realizei e da redação deste livro. Espero que o leitor consiga sentir um pouco disso ao ler estas páginas.

Comentários do dr. Henry K. Puharich

Desejo apresentar aqui uma interpretação pessoal do que Arigó representa para mim. Para compreender isso, será preciso sentir como seria estar "dentro" de Arigó. Comecemos num nível elementar, isto é, a sensação da mão de Arigó, enquanto ele realizava uma cirurgia. Se pegarmos uma faca comum, com a qual passamos manteiga no pão, e deslizarmos delicadamente a parte afiada pela nossa pele, talvez possamos imaginar o que sente a mão que a movimenta. Podemos perceber que existe uma gradação na pressão que pode ser aplicada e que, aplicando essa pressão, ela provoca em nós uma sensação produzida pela força causada pelo atrito, pela resistência dos tecidos que estão sendo cortados, pelo controle do movimento da faca e assim por diante. Podemos perceber todas essas nuances da sensação provocada por uma faca amolada, usando-a em outros materiais, como, por exemplo, os que são utilizados na cozinha. Resumindo, é possível experimentar aquilo que todo cirurgião conhece – a sensação de uma faca na mão, pressionando um tecido orgânico.

Eu conhecia muito bem a sensação de uma faca na mão quando usada em cirugias – tanto em seres humanos quanto em animais. Um dia, quando eu estava em pé ao lado de Arigó, na clínica de Congonhas, ele pediu a um paciente, de aproximadamente 45 anos, para que se encostasse à parede. Altimiro, o assistente de Zé Arigó, estendeu-lhe uma faca de cozinha, com a lâmina de aço inoxidável afiada. Arigó então pegou a minha mão direita, colocou o cabo da faca dentro dela e apertou-a com a dele, deixando-a bem firme. Em seguida, levou a minha mão até o olho do paciente, mandando que eu encostasse a faca na órbita do olho. Segui as ordens dele e introduzi a faca entre o globo ocular e a palpébra superior. Ao fazer isso, minha mão ficou completamente frouxa, não consegui continuar. Eu estava apavorado, achando que poderia cortar o globo ocular do homem e causar, assim, um dano irreparável. Arigó novamente agarrou minha mão e disse: "Vamos! Prossiga! Seja homem!".

Aquela ordem incutiu-me a coragem de que eu precisava. Meu temor desapareceu, enquanto eu introduzia a faca profundamente na órbita. Eu já recuperara o controle sobre mim. E, enquanto movimentava a faca no fundo da órbita, fiquei maravilhado ao sentir que aquilo não me causava a sensação tão conhecida de cortar o tecido com o bisturi. Para que você possa sentir o mesmo que senti, faça uma experiência. Pegue dois ímãs e encontre seus polos iguais. Em seguida, pegue um em cada mão e encoste os polos iguais um no outro. Você sentirá uma força de repulsão entre os dois polos iguais dos ímãs. Esta é uma sensação completamente diferente daquela que deve ter sentido quando passou a faca de cozinha na pele.

Quando movimentei a faca nos tecidos do globo ocular e na órbita, senti uma força de repulsão entre os tecidos e a faca. Não importava a força que eu empregava, uma força igual e oposta agia sobre a faca, evitando que ela atingisse os tecidos. E nessa força de repulsão residia o segredo de ninguém sentir dor quando Arigó realizava seu famoso "exame do olho". Meu paciente também não sentiu nenhuma dor enquanto eu fazia todos aqueles movimentos.

É evidente, para mim, que Arigó podia controlar aquela força de repulsão, de modo que pudesse cortar o tecido. Isso, é claro, deveria causar dor, mas todos sabiam que os procedimentos de Arigó não causavam dor. E, conforme eu e outros observamos, ele podia cortar tecidos sem usar a parte afiada da faca. Muitas vezes, ele cortava com a parte cega. E também já se sabia que, em casos urgentes, ele cortava os tecidos sem usar uma faca. Nessas raras ocasiões, usava as próprias mãos e dedos para abrir os tecidos.

Na minha opinião, o agente que cortava era a força de repulsão e não a faca ou os dedos dele.

Não faço a mínima ideia do que seja essa força de repulsão. Mas, pelas medições que fiz na atividade elétrica de Zé Arigó (eletroencefalograma, eletrocardiograma e atividade eletrodérmica), não creio que essa força repulsiva faça parte do espectro eletromagnético. Creio que seja uma forma desconhecida de energia vital.

Em setembro de 1967, vim ao Brasil para continuar meus estudos sobre Arigó. Eu o vira muitas vezes, desde aquela ocasião em que ele operara meu lipoma, em 1963, e nunca me passara pela cabeça lhe pedir que ele me examinasse. Um dia em que estávamos trabalhando juntos, ele se virou de repente e disse: "Você tem uma otosclerose". "Não estou sabendo", respondi, "mas tenho uma infecção crônica e uma secreção no ouvido por causa de um colesteatoma." Arigó contestou: "Sim, você já sofre disso há muito tempo, mas a otosclerose é recente. Procure ver isso quando voltar ao seu país. Vou te dar uma receita que vai curar as duas coisas". E em trinta segundos ele me apresentou a seguinte receita:

Para Dr. Puharich
1º *Tratamento*
3 vidros de Micotir: vide a bula
3 vidros de Hepadesicol: tomar dois comprimidos após cada refeição
15 ampolas de Gabromicina: aplicar no músculo, de 24 a 24 dias.

2º *Tratamento*
40 ampolas de Olobintin: aplicar no músculo de dois em dois dias.
20 ampolas de Bituelue R de 1.000: aplicar no músculo de três em três dias.

Não há muita necessidade de explicar os itens indicados no primeiro tratamento, exceto para dizer que o primeiro medicamento era uma solução para se pingar no ouvido, o segundo consistia em sais bileares e o terceiro, a Gabromicina, era uma forma primitiva de Estreptomicina que não é mais receitada pelos médicos.

Quando voltei aos Estados Unidos, pedi à audiologista de meu laboratório para que fizesse um teste comigo, usando seu audiômetro. Ao terminar, ela apresentou seu diagnóstico: "O senhor tem uma otosclerose". Verifiquei os audiogramas. Arigó tinha razão. Eu realmente tinha uma otosclerose, o endurecimento do tecido sobre os ossículos do ouvido. Então decidi que começaria a tomar os remédios receitados por Arigó.

Devido ao meu horário peculiar de trabalho, era mais fácil eu mesmo aplicar as injeções antes de me deitar, todas as noites. Iniciei o primeiro tratamento no dia 7 de outubro de 1967. Comecei aplicando a injeção de Gabrominida uma vez ao dia. No dia 14 de outubro, tive uma reação causada por aquele tipo de Estreptomicina. Eu sentia um intumescimento e inchaço na palma das mãos e na sola e nos dedos dos pés. Tive de suspender as injeções até a reação alérgica desaparecer. Por volta do dia 25 de outubro, eu estava novamente em condições para iniciar o segundo tratamento, que terminei em 11 de janeiro de 1968. Nessa época, já não tinha mais a secreção no ouvido, que tanto me importunara durante toda a vida. Depois de seis meses, meus audiogramas demonstraram que minha otosclerose tinha desaparecido e minha audição melhorara.

Em 11 de janeiro de 1971, eu estava trabalhando em meu escritório na Interelectron Corporation, na cidade de Nova York, quando o telefone tocou. Era a voz de uma mulher, cujo nome não me recordo agora, e que foi logo dizendo: "Estou procurando o dr. Puharich".

"Sou eu", respondi.

"Doutor, recebi um telefonema de uma estação de televisão do Rio de Janeiro, no Brasil, pedindo para que o senhor faça um comentário sobre a morte de Arigó."

"Por favor, pode repetir o que acaba de dizer? Não creio que tenha ouvido direito." Eu mal podia falar.

Ela repetiu e tornei a perguntar:

"Tem certeza absoluta do que acaba de dizer?", perguntei. "Arigó morreu?"

Ela respondeu, repetindo o que acabara de dizer e que era exatamente o que lhe haviam dito no Brasil. E eu fui obrigado a informá-la de que, devido ao estado de choque em que me encontrava, não poderia dizer nada naquele momento.

Eu me reclinei na cadeira. Não era possível que um homem como Arigó, o maior curandeiro do mundo, tivesse morrido! Era jovem demais, muito cheio de vida. Além disso, era a esperança de milhares, talvez de milhões de pessoas, que o procuravam como um mensageiro de poderes superiores. Com certeza, ela se enganara. Eu precisava descobrir. Telefonei aos meus amigos no Brasil, que me confirmaram aquela notícia trágica. Arigó morrera num desastre de automóvel.

Fiquei arrasado. A perda de Arigó era, para mim, como se o sol houvesse desaparecido; o planeta Terra e a humanidade tinham perdido um grande lumiar. Subitamente, eu me senti sem forças. O choque fora tão profundo que resolvi jejuar durante catorze dias, para reexaminar toda a minha vida e avaliar o significado de Arigó, na vida e na morte.

Quase no fim daquele jejum, cheguei a algumas conclusões pessoais muito contundentes. A primeira era que eu falhara tanto com Arigó como com a humanidade por não concluir meus estudos sobre os tratamentos que ele fazia. Compreendi que deveria ter abandonado os outros trabalhos, em 1963, e concentrado todos os meus esforços unicamente nele. Tinha certeza de que nunca mais haveria outro Arigó em minha vida. Mas, caso aparecesse, eu não haveria de falhar da próxima vez.

Fiz uma retrospectiva até dez anos antes, quando me mudara da Califórnia para Nova York. Tornara-me um escravo da minha empresa, das minhas invenções e do meu complexo e dispendioso modo de vida. Embora fosse verdade que conseguira cerca de cinquenta patentes dos meus inventos, os quais auxiliariam as pessoas surdas, eu não poderia mais oferecer de fato nenhuma contribuição criativa nesse setor. Outros continuariam aquilo que eu iniciara. Mais do que tudo, porém, eu queria me dedicar integralmente ao estudo dos poderes misteriosos da mente humana. E, um dia, tomei uma decisão: iria me demitir de todos os meus cargos nas fundações, companhias e laboratórios e me conceder um período de dois anos, para encontrar um lugar onde pudesse me dedicar inteiramente à pesquisa psíquica.

Quando informei minha familia e meus colegas sobre a minha decisão, eles a constestaram e tentaram me fazer desistir dela. Em 1º de abril de 1971, porém, eu já estava liberado dos meus compromissos profissionais e começava vida nova. Tinha duas metas: a primeira, desenvolver uma base teórica para a minha pesquisa; a segunda, encontrar seres humanos de grandes talentos, que aceitassem cooperar, sendo sujeitos de pesquisa. Levei dois meses organizando minhas ideias sobre a Teoria da Protocomunicação, que seria apresentada na Conferência Internacional de Parapsicologia, realizada na França, em agosto de 1971.

Eu já entrara em contato com o israelense Uri Geller, que tinha capacidades psíquicas assombrosas, e ele concordara em se encontrar comigo em Israel, uma semana antes da conferência, para que eu pudesse testar sua capacidade. O resultado desse encontro foi o início de um trabalho de dois anos, em que estudei intensamente os poderes daquele jovem de 25 anos.

Uri Geller provou ter poder sobre as coisas inorgânicas, equivalente aquele que Arigó tinha sobre as coisas orgânicas e vivas. Ele era capaz de se concentrar nos metais e fazê-los entortar e se partir; podia consertar mecanismos complexos, tais como relógios e computadores; podia fazer objetos desaparecerem e reaparecerem e até mesmo deslocá-los a distâncias de milhares de quilômetros. As pesquisas para descobrir a fonte e a natureza desses poderes foram minuciosamente relatadas em meu livro *Uri* (Doubleday, 1974). Nele também apresento outros detalhes sobre Arigó, os quais John Fuller nunca teria meios de documentar em primeira mão, como fez cuidadosamente com relação a este livro.

Atualmente, existe *um* Uri Geller. Tenho certeza de que surgirão outros Arigós. Cabe à humanidade desistir de perseguir esses mensageiros de forças superiores do universo e, por meio deles, conhecer a verdade.

2 de novembro de 1973

Bibliografia

An Evaluation of the Possible Usefulness of Extrasensory Perception in Psychological Warfare. Dissertação apresentada por membros do ERA na conferência sobre Guerra Psicológica do Departamento de Defesa, Washington, D.C., 23 de novembro de 1952.

"Arigó: Curava Mesmo", *Revista Manchete*, outubro de 1972.

Bastide, Roger. *O Candomblé da Bahia*, trad. de Maria Isaura Pereira de Queiroz. São Paulo: Companhia Editora Nacional, 1961.

_____. *Les Religions africaines au Brésil: Vers une sociologie des interpenetrations de Civilizations*. Paris: Presses Universitaires de France, 1960.

Bittencourt, Gastão. *Os Três Santos de Junho no Folclore Brasílico*. Rio de Janeiro: Agir, 1947.

Bourguignon, Ericka. *World Distribution Patterns of Possession States*, org. Raymond Prince. Proceedings of the Second Annual Conference of the R. M. Bucke Memorial Society, Montreal, 1966.

_____. "The Self, the Behavioral Environmental and the Theory of Spirit Possession", in *Context and Meaning in Cultural Anthropology*, org. Melford E. Spiro. Nova York: Free Press, 1965.

Boxer, Charles Ralph. *The Golden Age of Brazil*. Berkeley: University of California Press, 1962.

Bozzano, Ernesto. *Popoli Primitivi e Manifestazioni Supernormali*. Verona: Europa, 1946.

Camargo, Cândido. *Kardecismo e Umbanda: Uma Interpretação Sociológica*. São Paulo: Pioneira, 1961.

Carneiro, Edison. "The Structure of African Cults in Bahia", *Journal of American Folklore*, 53: 271-78, 1940.

Candomblés da Bahia. Rio de Janeiro: Conquista, 1961.

Cascudo, Luís da Câmara. *Meleagro: Depoimento e Pesquisa sobre a Magia Branca no Brasil*. Rio de Janeiro: Agir, 1951.

_____. *Antologia do Folclore Brasileiro*. São Paulo: Martins, 1956.

_____. *Dicionário de Folclore Brasileiro*. Rio de Janeiro: Instituto Nacional do Livro, 1961.

"Católicos Espíritas", revista *Realidade*, novembro de 1971.

Comenale, Reinaldo. *Zé Arigó, A Oitava Maravilha*. Belo Horizonte: Editora Boa Imagem, 1968.

Crawford, M. W. J. *Experimentals in Psychical Science*. Londres: Watkins, 1919.

"Faith, Hands and Auras", revista *Time*, 16 de outubro de 1972.

Fontenelle, Aluízio. *A Umbanda Através dos Séculos*. Rio de Janeiro: Organização Simões, 1953.

Furtado, Celso. *The Econimic Growth of Brazil*. Berkeley: University of California Press, 1963.

Galvão, Eduardo. *Santos e Visagens*. São Paulo: Companhia Editora Nacional, 1955.

Gill, Merton M. e Margaret Brenman. *Hypnosis and Related States: Psychoanalytic Studies in Regression*. Nova York: International Universities Press, 1959.

Herskovits, Melville J. "African Gods and Catholic Saints in New World Religious Beliefs", *American Anthropologist*, 39: 635-43, 1937.

Hilgard, Ernest L. *Hypnotic Susceptibility*. Nova York: Harcourt, Brace & World, 1965.

Imbassahy, Dr. Carlos. *Freud e as Manifestações da Alma*. Rio de Janeiro: Editora ECO, 1967.

Krestschmer, E. *La Structure du Corps et le Caractère*. Paris: Université Press, 1930.

Leacock, Seth e Ruth Leacock. *Spirits of the Deep: A Study of an Afro-Brazilian Cult*. Uma publicação do The American Museum of Natural History. Garden City, N.Y.: Doubleday Natural History Press, 1972.

Lhomme, José. *O Livro do Médium Curador*. Rio de Janeiro: Editora ECO, 1965.

Lopes, Jair Leonardo. *Em Defesa de Arigó*. Belo Horizonte, 1965.

McGregor, Pedro. *Jesus of the Spirits*. Nova York: Stein and Day, 1966.

Morselli, Enrico. *Psicologia e Espiritismo*. Torino: Fratelli Bocca, 1908.

Physical Techniques for Incremental Telepathy. Dissertação apresentada por membros do ERA num seminário patrocinado pela Armour Research Foundation, Illinois Institute of Technology, Chicago, 4 de dezembro de 1953.

Pires, J. Herculano. *Arigó: Vida, Mediunidade e Martírio*. São Paulo: Edicel, 1963.

Ranieri, R. A. *Chico Xavier: O Santo dos Nossos Dias*. Rio de Janeiro: Editora ECO, 1970.

"Research in Extrasensory Perception". *Research Review*, Office of Aerospace Research, USAF, 5 de novembro de 1962.

Researches in Increasing or Decreasing Telepathy. Aula apresentada pelos membros do ERA à Aviation School of Medicine, USAF, Randolph Field, Texas, 16 de março de 1953.

Riveiro, Hamilton. "Os Dois Mundos de Chico", revista *Realidade*, novembro de 1971.

Richet, Charles. *Traité de Metaphysique*. Paris: Felix Alcan, 1922.

Rizzini, Jorge. *José Arigó, Revolução no Campo da Mediunidade*. São Paulo: Edição Cidade da Criança, 1963.

Serrano, Geraldo. *Arigó, Desafio à Ciência*. Rio de Janeiro: Editora ECO, 1967.

_____. *A Prece Segundo o Espiritismo*. Rio de Janeiro: Editora ECO, 1969.

Sharon, Douglas G. "Eduardo the Healer", *Natural History*, novembro de 1972.

"Space Mind-Reading Tests Disclosed por U.S. Scientists", *Washington Post*, 28 de setembro de 1963.

Stainbrook, Edward. "Some Characterists of the Psychopathology of Schizophrenic Behavior in Bahia Society", *American Journal of Psychiatry*, 109: 330-35, 1952.

"Telepathy – Boon for Spaceman?", *Eletronics*, 4 de outubro de 1963.

"Testing for Extrasensory Perception with a Machine", Data Science Laboratory Project 4610. AF Cambridge Research Laboratories. Office of Aerospace Research, USAF, AFCRL-63-141, maio de 1963.

Transcrições: autos de processos do estado de Minas Gerais *versus* José Pedro de Freitas, conhecido como Zé Arigó, e José Nilo de Oliveira, iniciado em 5 de outubro de 1956 (indulto em 24 de maio de 1958) e o segundo julgamento iniciado em 9 de outubro de 1961, em Congonhas, Brasil.

"U.S. Attuning ESP to Defense Purposes", *Herald Tribune*, 31 de agosto de 1958.

Valério, Cícero. *Fenômenos Parapsicológicos e Espíritas*. São Paulo: Editora Piratininga 1962.

"Westinghouse Scientists Trying to Harness Mental Telepathy", *Herald Tribune*, 3 de novembro de 1958.

Worrall, Ambrose e Olga N. Worrall. *The Gift of Healing*. Nova York: Harper & Row, 1965.

Fotos do Santuário do Bom Jesus de Matosinhos e as estátuas dos profetas, feitas pelo escultor Antônio Francisco Lisboa, conhecido como o Aleijadinho entre 1794 a 1804.

Foto do Santuário do Bom Jesus de Matosinhos e as estátuas dos profetas, feitas pelo escultor Antônio Francisco Lisboa, conhecido como o Aleijadinho entre 1794 a 1804.

Uma das ruas principais do centro da cidade de Congonhas em meados dos anos 1960.

Dr. Henry Puharich, médico e pesquisador norte-americano. Ele fazia parte da equipe de cientistas da Essentia Research Associates, uma entidade com sede em Nova York que investigava fenômenos paranormais que veio ao Brasil para investigar o "fenômeno Arigó", 1963.

Henry Belk, especialista em bioengenharia e amigo do Dr. Henry Puharich, 1963.

Arigó em ação em sua casa e no Centro Espírita Jesus Nazareno atendendo pacientes.

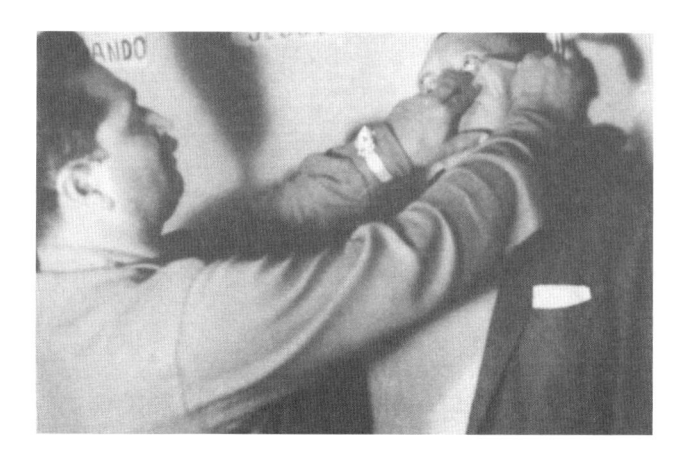

Sequência de uma cirurgia ocular executada por Arigó apenas por uma pequena faca de cozinha.

A extração cirúrgica de um lipoma no braço de Henry Puharich, realizada por Arigó em 1963, operação que foi filmada pelo jornalista brasileiro Jorge Rizzini.

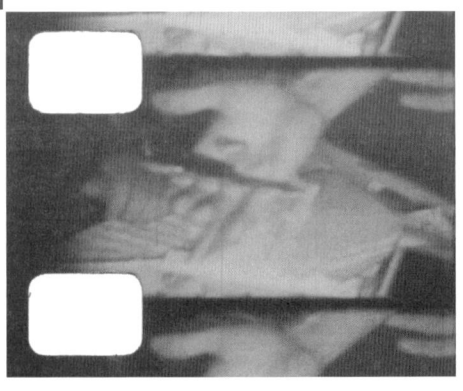

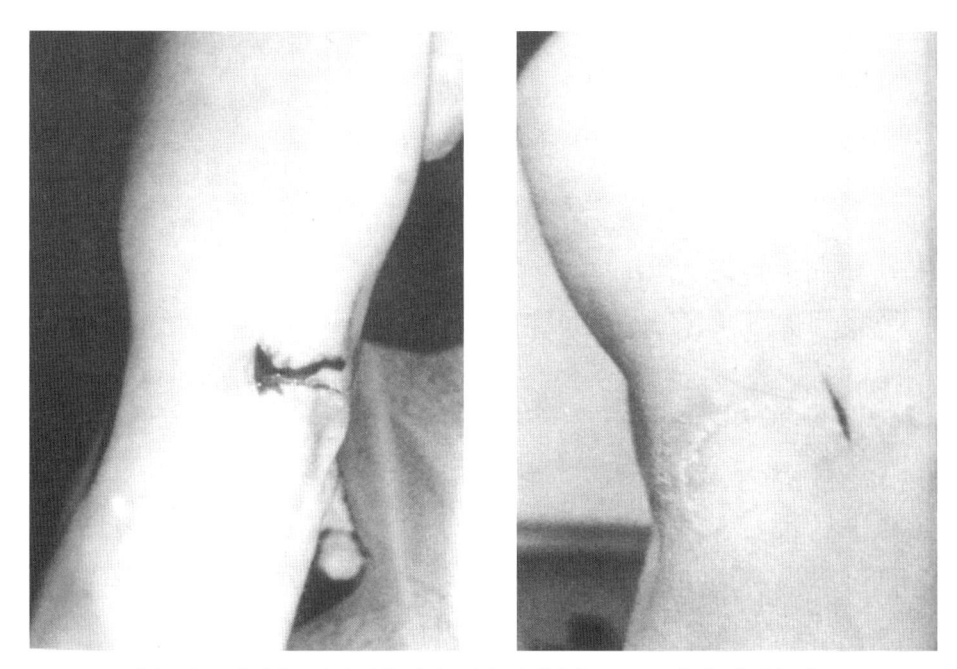

Fotos do corte feito pela incisão da faquinha de Arigó e sua excelente cicatrização.

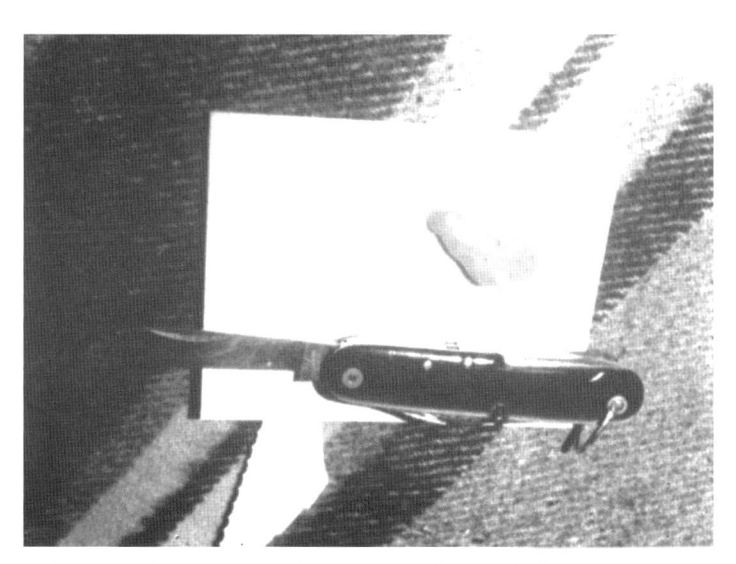

O lipoma que foi extraído e o único "instrumento cirúrgico" utilizado durante o procedimento.

Dr. Henry Puharich exibindo o braço de onde foi retirado o lipoma ao lado de José Arigó, 1963.

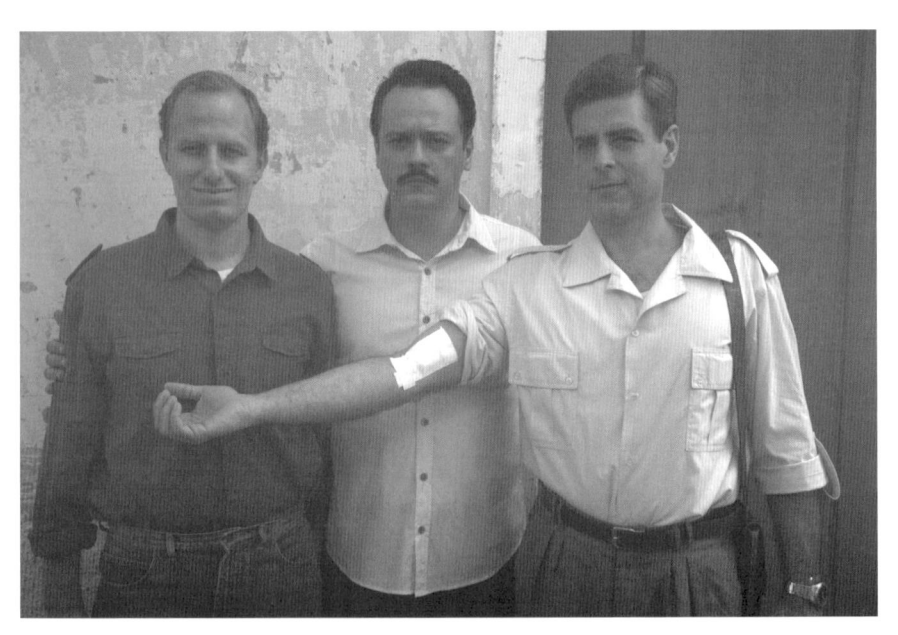

Reprodução da foto acima com os atores do filme *Predestinado – Arigó e o Espírito do Dr. Fritz*, da Moonshot Pictures, 2020.

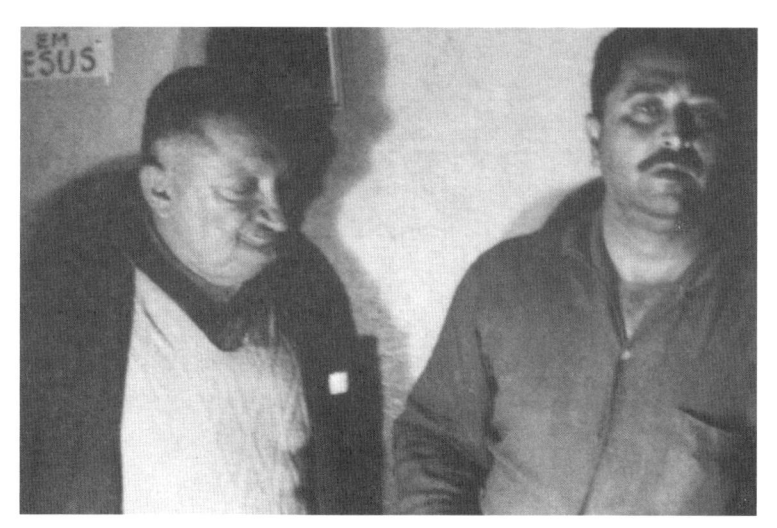

Fotografia de um senhor que passou por uma cirurgia nos olhos ao lado de Arigó logo após o procedimento.

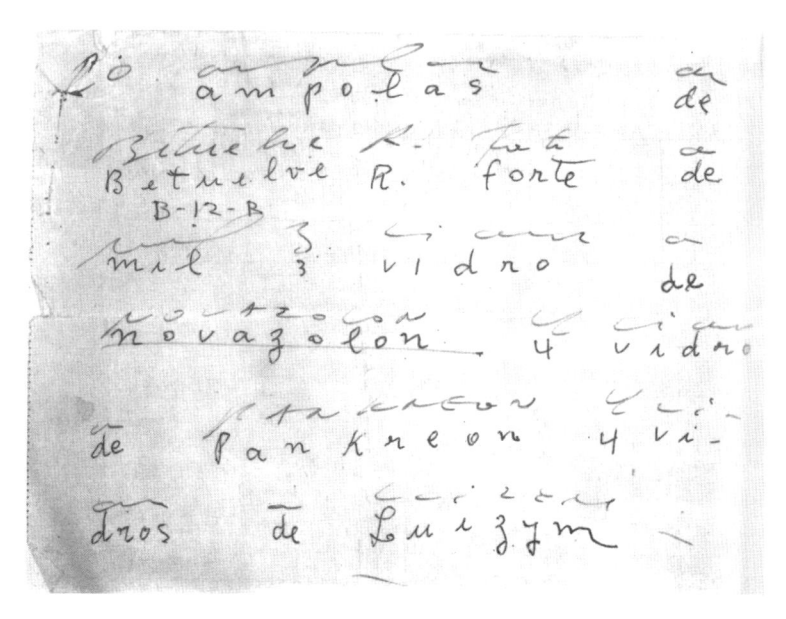

Prescrições de Arigó feita a Henry Belk, para seu problema nas costas. A transcrições da receita foram realizadas por Altimiro, assistente de Arigó.

ESPECIAL PARA Edição Extra

CIENTISTA AMERICANO OPERADO POR ARIGÓ

Texto de JORGE RIZZINI

Os cientistas norte-americanos estão maravilhados com os exames feitos com a ponta da faca. Mas não podem entender uma coisa: como os enfermos suportam uma faca no olho, sem anestesia. Incorporado no médium José Arigó, tenho diante de mim o Dr. Adolfo Fritz, espírito de um médico alemão falecido durante a Segunda Grande Guerra.
— Dr. Puharich gostou do que viu, hein? Aqui, a verdade é mostrada às claras!
— Os dois cientistas estão satisfeitos. Mas o Dr. Henry Puharich deseja sentir na carne o mistério mediúnico... Quer que o Senhor lhe examine o ôlho: com a faca e sem anestesia.
— Besteira, respondeu o espírito-guia de José Arigó, com seu sotaque tipicamente alemão. Puharich não tem nada na vista. Pra que vou eu enfiarr bisturri no olho dele?
— O cientista americano diz que para bem se entender um fenômeno é preciso "viver" êsse fenômeno... Sem experimentar o bisturi no ôlho, êle não poderá explicar a falta de anestesia... Esta, pois, disposto a sentir as mesmas sensações dos enfermos.
— Esse cientista amerricano é corrajoso! Merrece uma exibição. Trraga êle aqui. Vou mostrar a êsse materrialista o que pode um espirito fazer... Mas êle está certo, meu irrnão. Um cientista tem de se arriscar a tudo. Pasteur não arriscou a vida com os microbios? Assim fazem os cientistas de verdade; e não os brasileirros, que têm mêdo até de vir a Congonhas... Trraga o Dr. Puharich aqui.
— Ele tem um lipoma no braço. Mas, o Senhor não esta operando.
— Trraga êle aqui, insistiu Dr. Fritz. Vou mostrrar uma coisa que êle nunca viu nos Estados Unidos!

SEGUE

À esquerda, o Presidente da Belk Research Foundation e o Prof. Henry Puharich, que pediu a Arigó um exame no olho (sem anestesia) e acabou sendo operado pelo médium... com um canivete! Ligado às pesquisas espaciais, Puharich é uma das glórias da ciência norte-americana.

Recriação de jornal da época com reportagem realizada por Jorge Rizzini sobre a extração cirúrgica de um lipoma no braço de Henry Puharich, realizada por Arigó em 1963.

CIENTISTA AMERICANO OPERADO POR ARIGÓ

Texto de JORGE RIZZINI

Os cientistas norte americanos estão maravilhados com os exames feitos com a ponta da faca. Mas não podem entender uma coisa: como os enfermos suportam uma faca no ôlho, sem anestesia. Incorporado no médium José Arigó, tenho diante de mim o Dr. Adolfo Fritz, espírito de um medico alemão falecido durante a Segunda Grande Guerra. —Dr. Puharich gostou do que viu, hein? Aqui, a verdade é mostrada as claras! — Os dois cientistas estão satisfeitos. Mas o Dr. Henry Puharich deseja sentir na carne o mistério mediunico. Quer que o Senhor lhe examine o ôlho: com a faca e sem anestesia. —Besteirra, respondeu o espirito-guia de Jose Arigó, com seu sotaque tipicamentealemão. Puharichnão tem nada na vista. Pra que vou eu enfiarr bisturi no olho dele? — O cientista americano diz que para bem se entender um fenômeno é preciso 'ver" esse fenômeno sem experimentar o bisturi no ôlho. ele não poderá explicar a falta de anestesia pois disposto a sentir as mesmas sensações dos enfermos. —Esse cientista americano e corrajoso! Merrece uma exibição. Trraga éle aqui. Vou mostrar a ésse materialista o que pode um espirito fazer. Mas ele esta certo, meu irmão, um cientista tem de se arriscar a tudo.

Pasteur não arriscou anida com os microbios? Assim fazem os cientistas deverdade: e náo os brasileirros que tem medo ate de vir a Cotigonhas e traga o Dr. Puharich aqui. —Ele tem um lipoma no braço. Vias o Senhor não esta operando —Traga ele aqui, insistiu Dr. Fritz. Vou mostrar uma coisa que ele nunca viu nos Estados Unidos!

A mesma imagem recriada com os atores do filme *Predestinado – Arigó e o Espírito do Dr. Fritz*, da Moonshot Pictures, 2020.

Fotos de Altomir Gomes de Araújo, conhecido pelo apelido de "Preto Altimiro", que foi operado de catarata por José Arigó e passou a ser assistente dele no Centro Espírita Jesus Nazareno, fundado em 1959, onde ele transcrevia as receitas prescrevidas por Arigó e organizava as senhas para a entrada dos pacientes.

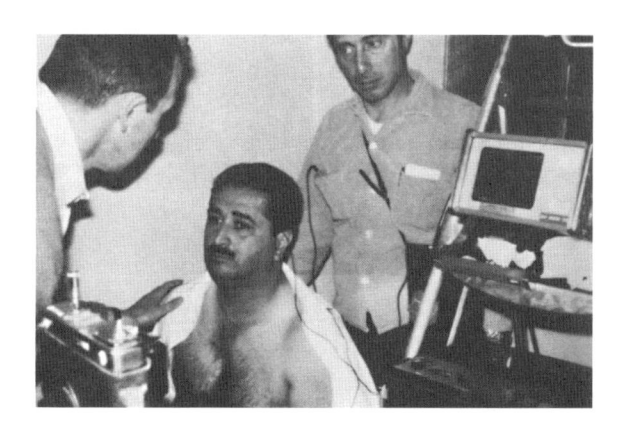

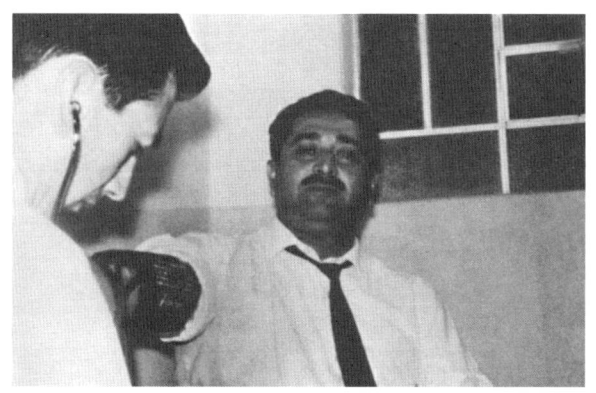

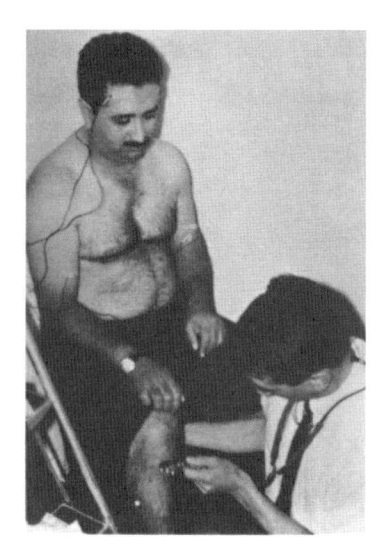

José Arigó sendo submetido a um exame físico rigoroso pelos membros da equipe do Dr. Henry Puharich, cientistas da Essentia Research Associates, uma entidade com sede em Nova York que investigava fenômenos paranormais, maio de 1968.

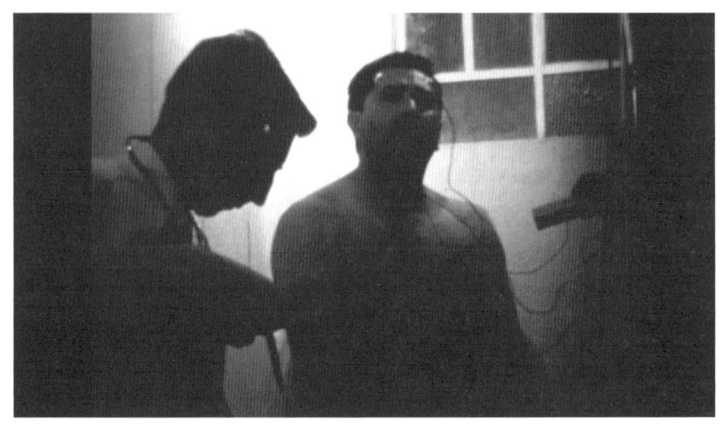

José Arigó sendo submetido a um exame físico rigoroso pelos membros da equipe do Dr. Henry Puharich, cientistas da Essentia Research Associates, uma entidade com sede em Nova York que investigava fenômenos paranormais, maio de 1968.

Arigó prescrevendo uma receita no Centro Espírita Jesus Nazareno.

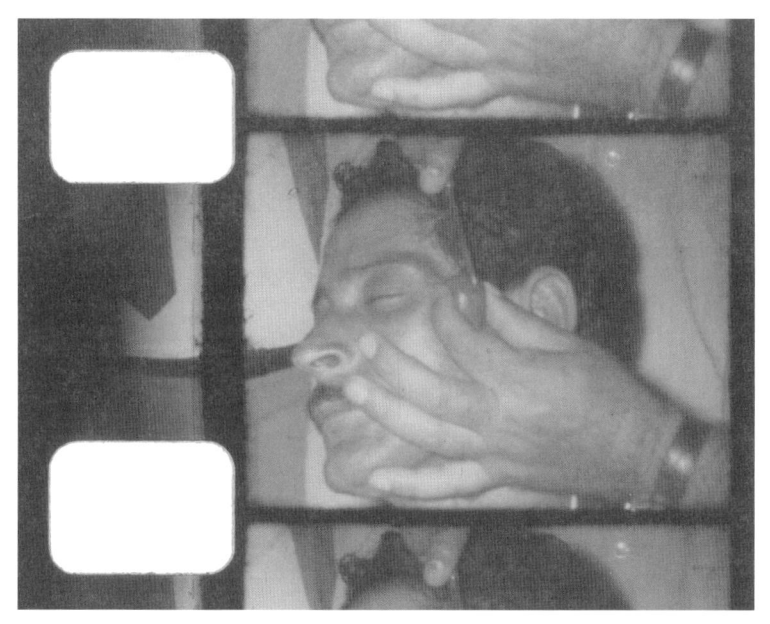

Arigó realizando a retirada de um tumor apenas com um canivete.

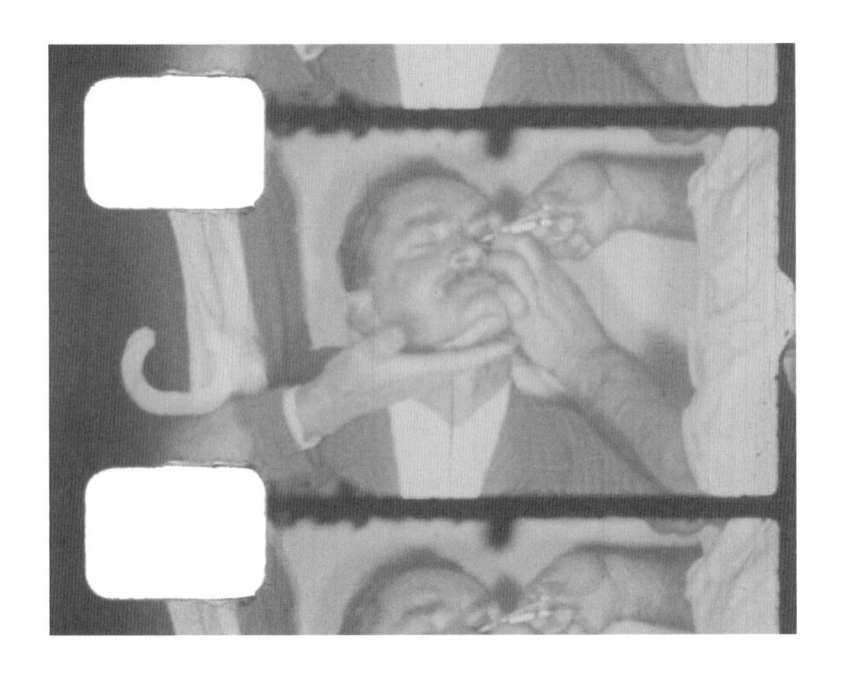

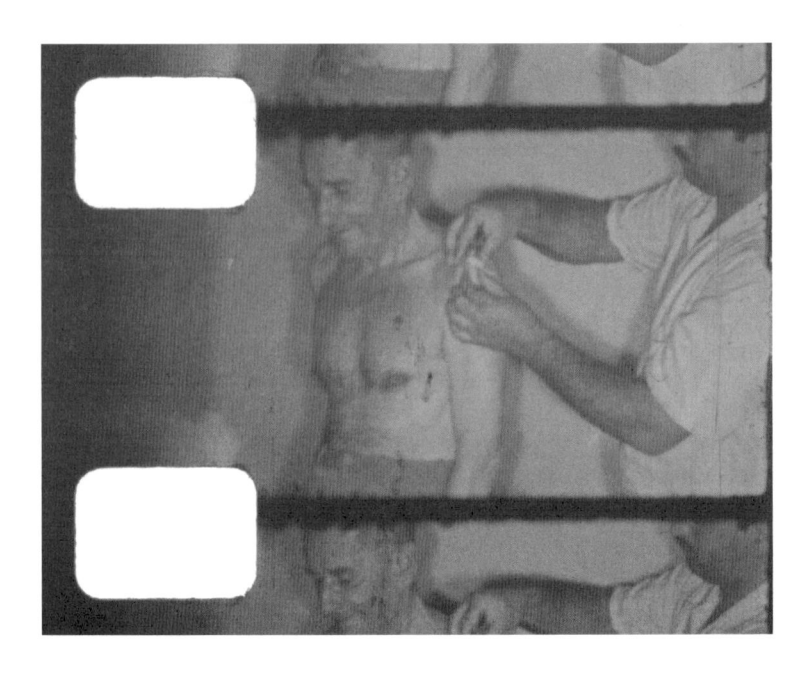

Fotos de procedimentos cirúrgicos nas quais são mostradas Arigó em ação.

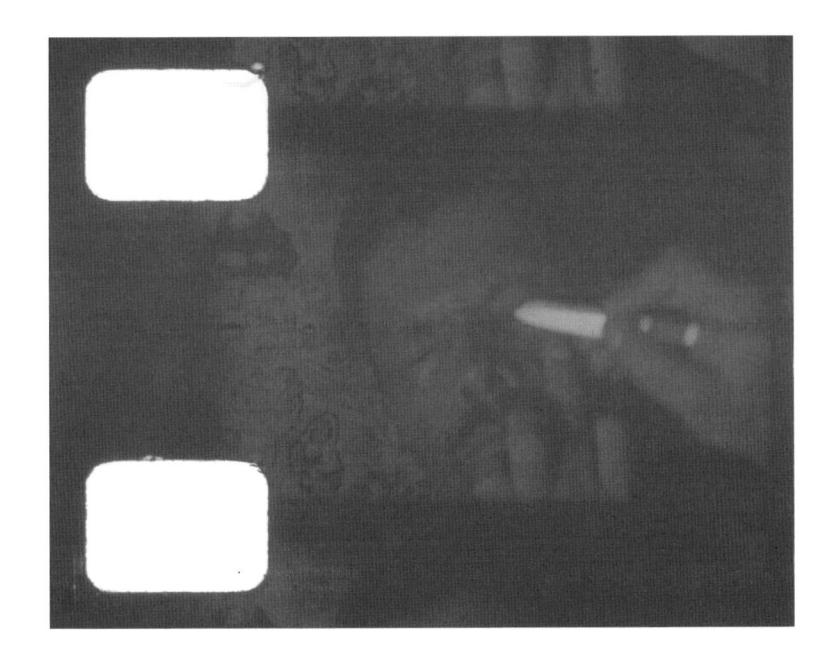

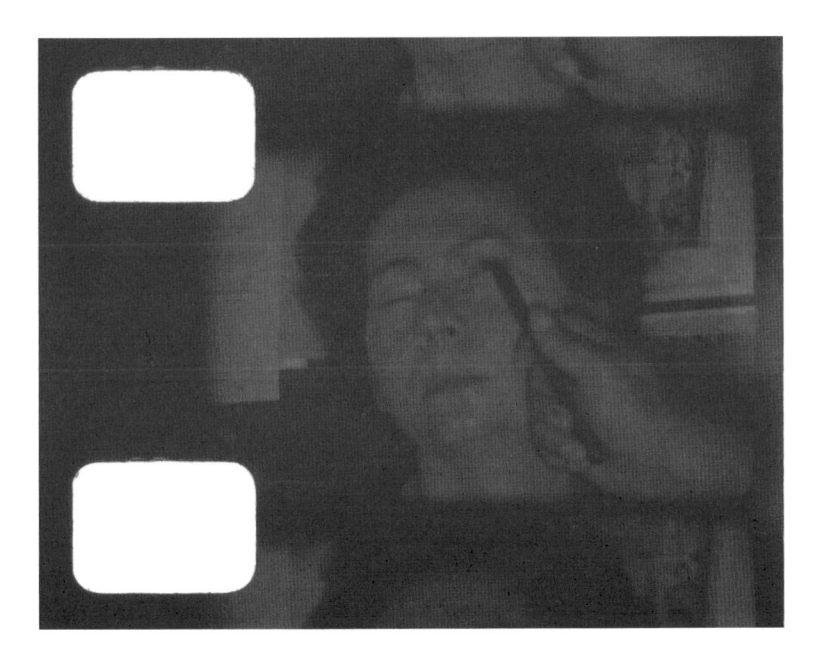

Fotos de procedimentos cirúrgicos nas quais são mostradas Arigó em ação.

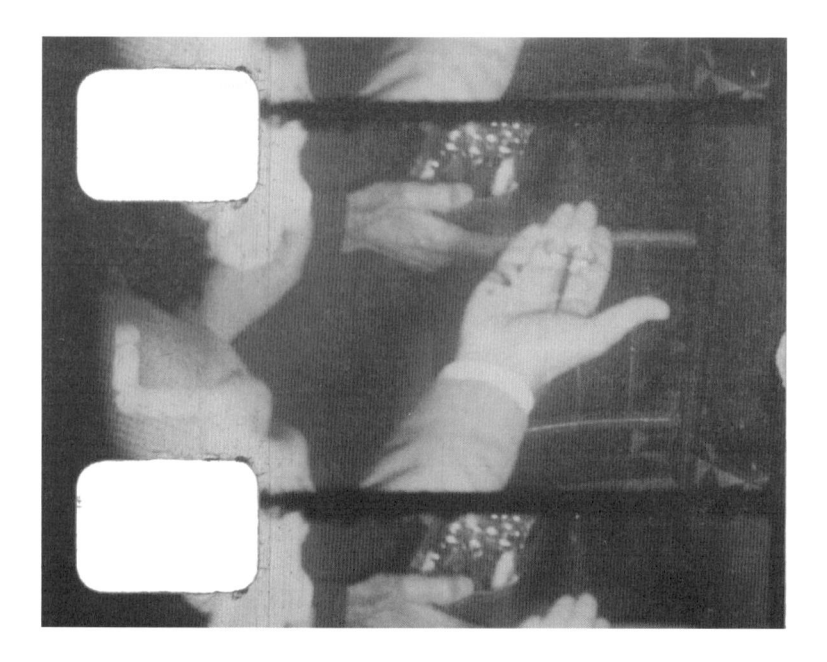

Fotos de procedimentos cirúrgicos nas quais são mostradas Arigó em ação.

Inicio do filme da Essentia Research Associates realizado entre maio de 1968 e janeiro de 1969.

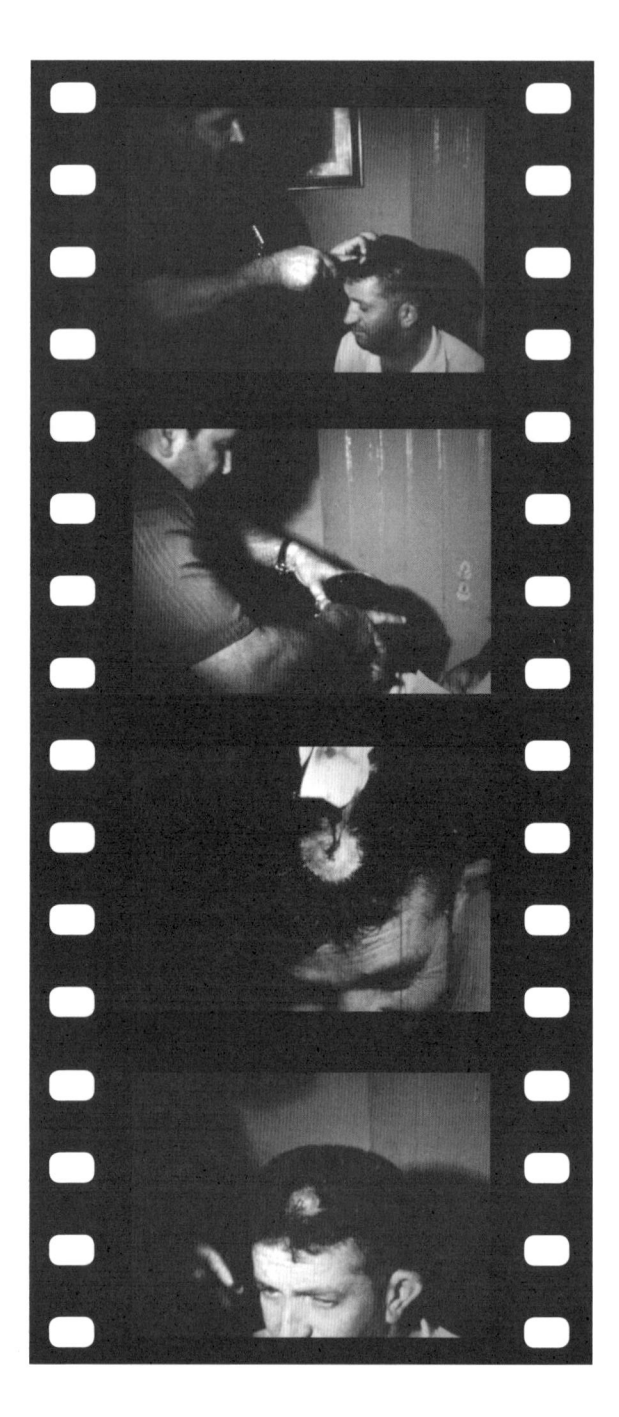

Cenas do filme realizado pela equipe da Essentia Research Associates entre maio de 1968 e janeiro de 1969 no qual mostra Arigó operando um tumor na cabeça de um homem.

Cenas do filme realizado pela equipe da Essentia Research Associates entre maio de 1968 e janeiro de 1969 no qual mostra Arigó prescrevendo medicamentos e pessoas no Centro Espírita Jesus Nazareno.

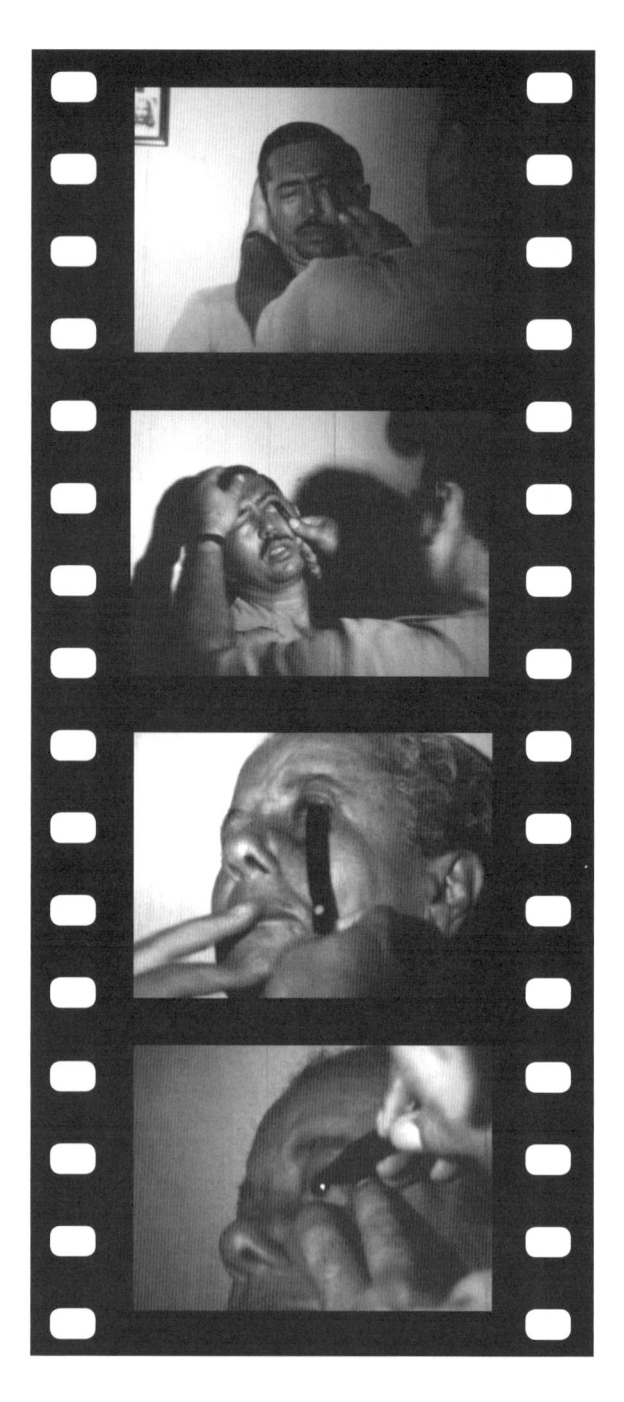

Cenas do filme realizado pela equipe da Essentia Research Associates entre maio de 1968 e janeiro de 1969 no qual mostra Arigó realizando cirurgias de catarata em dois homens.

Cenas do filme
Predestinado – Arigó e o Espírito do Dr. Fritz
Imagens gentilmente cedidas pela produtora Moonshot Pictures, 2020

Danton Mello e Juliana Paes com os filhos de José Arigó em Congonhas, Minas Gerais.

Fotos de Danto Mello como Arigó Fotos realizada durante as filmagens do longa *Predestinado – Arigó e o Espírito do Dr. Fritz*, da Moonshot Pictures, 2020.

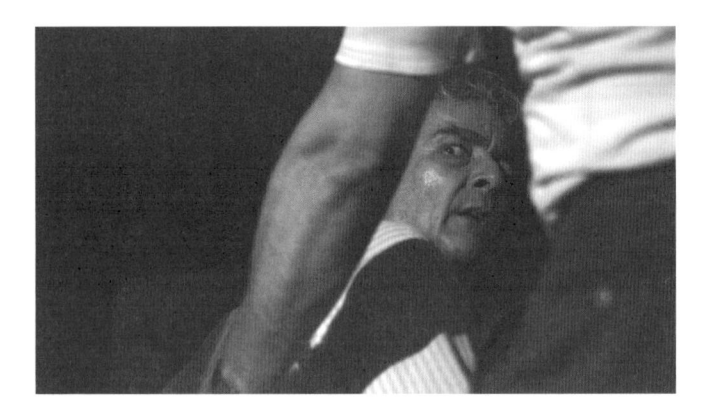

Cena da cirurgia do Senador Lucio Bittencourt, personagem vivido por Alexandre Borges.

Cenas de José Arigó, vivido por Danton Mello.

Cenas de José Arigó, vivido por Danton Mello.

Cenas de José Arigó, vivido por Danton Mello.

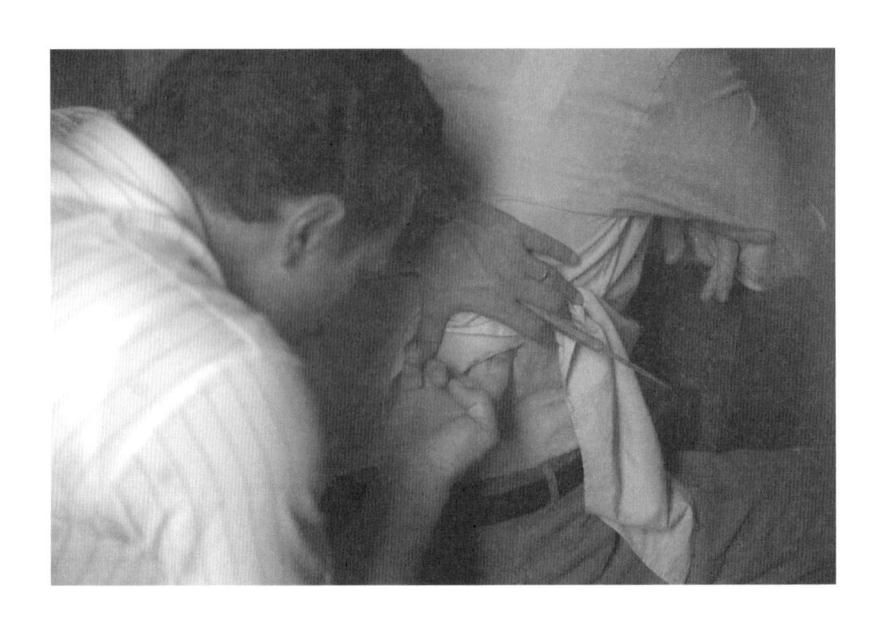

Cenas de José Arigó, vivido por Danton Mello.

Cenas de José Arigó, vivido por Danton Mello.

Cenas de José Arigó, vivido por Danton Mello.

Cenas de José Arigó, vivido por Danton Mello.

Arlete e José Arigó, personagens de Juliana Paes e Danton Mello.